KB088267

The Society of Korean Medicine

Ophthalmology, Otolaryngology & Dermatology

한의 韓醫
안이비인후과학

안(眼)과

대한한방안이비인후피부과학회

한의안이비인후과학(眼科)

첫째판 1쇄 인쇄 | 2019년 1월 29일
첫째판 1쇄 발행 | 2019년 2월 12일
첫째판 2쇄 발행 | 2021년 1월 22일
첫째판 3쇄 발행 | 2023년 2월 17일

지 은 이 대한한방안이비인후피부과학회
출판기획 김도성
책임편집 배혜주
편집디자인 조원배
표지디자인 김재욱
일러스트 유학영
제작담당 신상현
발 행 처 등록 제4-139호(1991. 6. 24)
본사 (10881) **파주출판단지** 경기도 파주시 서패동 470번지

ISBN 979-11-5955-405-6
979-11-5955-404-9 (set)

정가 120,000원

한의 韓醫
안이비인후과학
안(眼)과

韓醫眼耳鼻咽喉科

공동편저자

고 우 신 동의대학교 한의과대학 안이비인후피부과학교실
권 강 부산대학교 한의학전문대학원 안이비인후피부과학교실
김 경 준 가천대학교 한의과대학 안이비인후피부과학교실
김 규 석 경희대학교 한의과대학 안이비인후피부과학교실
김 남 권 부산대학교 한의학전문대학원 안이비인후피부과학교실
김 윤 범 경희대학교 한의과대학 안이비인후피부과학교실
김 종 한 동신대학교 한의과대학 안이비인후피부과학교실
김 희 택 세명대학교 한의과대학 안이비인후피부과학교실
남 혜 정 경희대학교 한의과대학 안이비인후피부과학교실
박 민 철 원광대학교 한의과대학 안이비인후피부과학교실
박 수 연 동신대학교 한의과대학 안이비인후피부과학교실
서 형 식 부산대학교 한의학전문대학원 안이비인후피부과학교실
윤 화 정 동의대학교 한의과대학 안이비인후피부과학교실
이 규 영 상지대학교 한의과대학 안이비인후피부과학교실
이 동 효 우석대학교 한의과대학 안이비인후피부과학교실
정 민 영 동신대학교 한의과대학 안이비인후피부과학교실
정 현 아 대전대학교 한의과대학 안이비인후피부과학교실
지 선 영 대구한의대학교 한의과대학 안이비인후피부과학교실
최 인 화 경희대학교 한의과대학 안이비인후피부과학교실
최 정 화 동신대학교 한의과대학 안이비인후피부과학교실
홍 석 훈 원광대학교 한의과대학 안이비인후피부과학교실
홍 승 욱 동국대학교 한의과대학 안이비인후피부과학교실
홍 철 희 상지대학교 한의과대학 안이비인후피부과학교실
황 보 민 대구한의대학교 한의과대학 안이비인후피부과학교실

韓醫眼耳鼻咽喉科

발간사

최근 어느 분야보다도 빠르게 변화하는 의학계에서 한의안이비인후과의 역할과 기능의 중요성은 나날이 커지고 있습니다. 이에 발맞추어 교과서 개정의 시급성 역시 지속적으로 논의되었고, 이번에 여러 회원님과 집필진의 성원과 노력으로 개정판이 나오게 되었습니다.

특히 이번 개정판은 과거 여러 한의과대학에서 서로 다른 교재로 사용되었던 교과서를 2015년 학회주관의 통합교과서로 초판을 출간하였고, 2016년 일부 증보판을 거친 뒤, 2017년부터 학계와 현장의 요구를 충실하게 반영하여 본격적인 개정작업을 시작한 지 2년여의 노력 끝에 오늘과 같은 결실을 보게 되었습니다.

이미 많은 유관학회 및 분과, 연구회 등에서 발간한 다양한 서적이 있지만, 학교나 의료현장 그리고 일반인의 눈높이를 포괄하는 최신의 전문적인 지식과 정보 그리고 의료기술을 담은 체계적인 교과서는 드물었습니다. 이 책은 이러한 갈증을 어느 정도 해소할 수 있지 않을까 하는 생각입니다. 또한, 이 교과서가 많은 한의사나 회원님들이 진료하고 연구하고 후학을 양성하는 데 많은 도움이 되기를 바라며, 주기적인 내용 보완을 통한 개정판 또한 정기적으로 나와주길 기대합니다.

본 교과서 개정판이 나올 수 있었던 데는 집필을 위하여 각고의 공을 들여주신 개정위원회 위원들의 노력뿐만 아니라, 학회 이사님들과 교수님들의 지지와 후원, 한방안이비인후피부과학회의 지원이 있었기에 가능한 일이었습니다. 아울러 좀더 좋은 교과서로 발간될 수 있도록 실무적인 도움과 헌신을 아끼지 않은 글로북스에게도 심심한 감사의 말씀을 드립니다.

지금까지의 발전을 토대로 학회가 더욱 발전하고 그럼으로서 회원 모두의 지식과 경험이 본 교재와 같이 좋은 결과로 이어지는 선순환을 기대하며 독자 여러분들의 지지와 애정어린 비판을 기대합니다.

감사합니다.

2019년 2월

대한한방안이비인후피부과학회

회장 홍승욱

韓醫眼耳鼻咽喉科

머리말

한의안과학, 한의이비인후과학은 전국 한의과대학 안이비인후피부과학 교수님들이 그간 대학 강의를 하면서 공통 교재의 필요성을 절감하여 출간하게 되었습니다. 한의학 고전 및 기존의 한의학 서적, 서양의학에서의 안과·이비인후과·구강과·치과 등 유관 의학서적 등을 종합하여 한시라도 빨리 한의과대학 학생들에게 좀 더 쉽게 다가갈 수 있는 학문이 될 수 있도록 노력하였습니다. 이러한 취지하에 2015년 2월 비로소 안과, 이비인후과 한의과대학 공통교과서를 대한안이비인후피부과학회 이름으로 발간할 수 있었습니다. 그러나, 최초의 공통교과서는 다소 서둘러 진행한 탓에 내용상의 부족함이 있어 보완이 필요하였습니다. 특히 학생들의 이해를 도울 수 있는 그림과 사진 등의 추가 작업이 요구되어, 이를 반영하여 개정을 하다 보니 예상보다 많은 시간이 소요되어 오늘에 이르게 되었습니다.

한의학에서 안과, 이비인후과 영역은 질병의 개념, 병명, 병태생리 및 발현되는 증상이 다양하고 복잡하여 학생들이나 임상의들이 접근하기 어려워하는 대표적인 학문입니다. 이에 개정 방향을 편집위원회에서 몇 번의 회의를 거쳐 임상에서 흔히 볼 수 있는 사시·중이염·비염·축농증·이명·구내염·안면마비 등의 질환뿐만 아니라, 다양한 안·이비인후·구강과 질환을 치료하고자 할 때 우선적으로 선택할 수 있는 교재로 만들고자 하였습니다. 단, 전체 분량을 너무 늘리거나 완전히 새로운 내용으로 개정하는 것은 학생들이나 임상의에게 부담이 클 수 있겠다는 의견이 있어 질환들에 대하여 임상적 접근을 할 수 있는 방향성만이라도 제시해 줄 수 있는 교재교과서가 될 수 있도록 하자는 방향으로 작업을 진행하였습니다.

이 책의 내용과 구성은 기본적인 안·이비인후·구강의 해부, 생리 및 병리에 관하여 서술하였습니다. 또한, 최근 임상에서의 볼 수 있는 각각의 질병에 대한 병명, 임상증상 및 검사, 진단, 치료, 관리 및 예방 등을 간략하게 제시하여 질병에 대한 정확한 인식과 최선의 치료방법을 적용할 수 있도록 하였습니다. 본 교과서가 결코 완벽하다고 할 수는 없지만 향후 변화하는 의료 환경에 적응할 수 있는 새로운 의학 지식 및 술기 등을 보완해 나가기 위한 초석이 될 것이라 생각합니다.

공통교과서 편찬을 마치며 바쁘신 와중에도 공통교과서 작업을 위해 옥고를 보내주신 여러 교수님들께 감사드리고, 교과서 개정판의 발간을 결정하시고 많은 도움을 주신 홍승욱 학회장님과 이번 작업에서 맡은 부분에 최선의 노력을 경주해 주신 권강 교수님, 정현아 교수님, 홍석훈 교수님, 황보민 교수님, 이동효 교수님, 감수를 맡아주신 최인화 교수님, 서형식 교수님께 깊은 감사를 드립니다. 또한, 편집, 일러스트, 인쇄, 제작 및 판매에 노력과 헌신을 다해주신 글로북스 관계자 여러분들께도 감사드립니다.

대한한방안이비인후피부과학회
교과서편집위원회 일동

韓醫眼耳鼻咽喉科

목 차

제 1 장 眼科 總論

Ⅰ. 눈의 구조와 기능
1. 안와 ··· 3
2. 안부속기관 ··· 4
3. 안구 ··· 10
4. 외안근 ··· 21
5. 혈관 ··· 22
6. 시신경 및 시로 ··· 25

Ⅱ. 눈의 검사
1. 問診 ··· 29
2. 기본적 검사 ··· 30
3. 특수 검사 ··· 39
4. 眼外異常 檢査 ··· 42

Ⅲ. 눈의 生理
1. 眼과 五臟六腑 ··· 45
2. 眼과 經絡, 經筋, 奇經八脈 ··· 47

Ⅳ. 눈의 病因病理
1. 病因 ··· 51
2. 病機 ··· 54

Ⅴ. 일반적인 눈의 증상 ··· 59
1. 眼痛 ··· 59
2. 眼痒 ··· 59
3. 眼澁 ··· 60
4. 翳와 膜 ··· 60
5. 紅腫 ··· 61
6. 眵糞 ··· 62
7. 流淚 ··· 62
8. 眼昏 ··· 62
9. 眼盲 ··· 62
10. 夜盲 ··· 63
11. 妄視 ··· 63
12. 近視 ··· 63
13. 遠視 ··· 63

Ⅵ. 辨證 및 治療 ··· 65
1. 內治法 ··· 65
2. 外治法 ··· 73
3. 鍼灸治療 ··· 75

Ⅶ. 管理 및 豫防法 ··· 79

1. 眼病의 管理 ······ 79
2. 眼病의 豫防 ······ 80

제 2 장 眼科 各論

Ⅰ. 안검질환
1. 눈꺼풀 피부염(안검피부염) ······ 85
2. 맥립종 ······ 86
3. 산립종 ······ 87

Ⅱ. 눈물 및 눈물배출계 질환
1. 눈물흘림증(유루증) ······ 97
2. 만성 눈물주머니염(만성 누낭염) ······ 98
3. 급성 눈물주머니염(급성 누낭염) ······ 99

Ⅲ. 결막질환
1. 세균성 결막염 ······ 101
2. 바이러스성 결막염 ······ 102
3. 만성 결막염 ······ 103
4. 춘계 각결막염 ······ 104
5. 트라코마 ······ 105
6. 포성 결막염 ······ 105
7. 결막하출혈 ······ 106
8. 익상편 (군날개) ······ 108

Ⅳ. 공막질환
1. 상공막염 ······ 111
2. 공막염 ······ 113
3. 괴사성 공막염 ······ 114

Ⅴ. 각막질환
1. 각막혼탁 ······ 117
2. 각막 신생혈관 ······ 117
3. 각막반흔 ······ 118
4. 각막궤양 및 각막염 ······ 118
5. 기타 각막궤양 및 각막염 ······ 120
6. 퇴행성 각막질환 ······ 120
7. 凝脂翳 ······ 121
8. 濕翳 ······ 122
9. 花翳白陷 ······ 124
10. 黃液上衝 ······ 125
11. 黑翳如珠 ······ 126
12. 蟹睛 ······ 127
13. 正漏 ······ 128
14. 混睛障 ······ 129
15. 風輪赤豆 ······ 130
16. 木疳 ······ 131
17. 大泡性 角膜炎 ······ 132
18. 暴露赤眼生翳 ······ 133
19. 赤膜下垂 血翳包睛 ······ 133
20. 宿翳 ······ 134

韓醫眼耳鼻咽喉科

목 차

21. 旋螺尖起 ········· 135
22. 旋螺泛起 ········· 136
23. 偃月侵睛 ········· 137

Ⅵ. 포도막질환
1. 홍채모양체염(전부포도막염) ········· 140
2. 맥락막염(후부포도막염) ········· 141
3. 교감성 안염 ········· 142
4. 베체트증후군 ········· 143
5. 화농성 포도막염 ········· 146

Ⅶ. 녹내장
1. 폐쇄각 녹내장 ········· 150
2. 개방각 녹내장 ········· 151
3. 스테로이드성 녹내장 ········· 152
4. 신생혈관 및 출혈성 녹내장 ········· 152
5. 선천성 녹내장 ········· 153

Ⅷ. 수정체 질환
1. 노인성 백내장 ········· 155
2. 선천성 백내장 ········· 157
3. 외상성 백내장 ········· 158
4. 老眼 ········· 159

Ⅸ. 유리체 질환 ········· 161
1. 유리체 혼탁 ········· 161
2. 유리체 박리 ········· 162

Ⅹ. 망막
1. 망막동맥폐쇄 ········· 167
2. 망막정맥폐쇄 ········· 168
3. 망막정맥주위염 ········· 169
4. 삼출성 망막병변 ········· 170
5. 당뇨병성 망막변성 ········· 171
6. 중심성 장액성 망막병변 ········· 172
7. 중심성 삼출성 맥락막망막염 ········· 173
8. 노인성 황반변성 ········· 174
9. 원발성 망막색소변성 ········· 175
10. 원발성 망막박리 ········· 176

Ⅺ. 시신경 질환
1. 시신경염 ········· 179
2. 가족유전성 시신경병변 ········· 180
3. 허혈성 시신경병증 ········· 182
4. 시유두혈관염 ········· 183
5. 중독성 약시 ········· 184
6. 시신경유두부종 ········· 184

7. 시신경위축 ······ 185

XII. 굴절 이상
1. 근시 ······ 187
2. 원시 ······ 188
3. 난시 ······ 189
4. 약시 ······ 189

XIII. 사시
1. 비마비성 사시 ······ 191
2. 마비성 사시 ······ 193
3. 안구진탕 ······ 194

眼科 處方 ······ 195
Index ······ 219

제 1 장

眼科 總論

Ⅰ. 눈의 구조와 기능

Ⅱ. 눈의 검사

Ⅲ. 눈의 生理

Ⅳ. 눈의 病因病理

Ⅴ. 일반적인 눈의 증상

Ⅵ. 辨證 및 治療

Ⅶ. 管理 및 豫防法

韓醫
眼科

韓醫眼科

눈의 구조와 기능

눈은 시각기관으로 안구(eye ball), 시로(visual pathway) 및 안부속기(accessory organ)의 3부분이 공동으로 시각기능을 완성한다.

안구는 안와(orbit)의 전반부에 위치하며 전면으로 안검의 보호를 받고 뒤로는 시신경과 대뇌에 서로 연결되어 있으며 주위에 지방조직 및 근막 등과 함께 안와벽에 연결되어 있고 그 전면만 외계에 노출되어 있다. 안구는 안구벽을 이루는 3층의 막인 외막(각막, 공막), 중막(홍채, 모양체, 맥락막을 합한 포도막), 내막(망막) 및 안내용물(수정체, 유리체, 방수 등)로 이루어지고, 안부속기는 안와, 안검, 결막, 누기, 외안근, 신경 및 혈관으로 이루어져 있다. [그림 1-1-1]

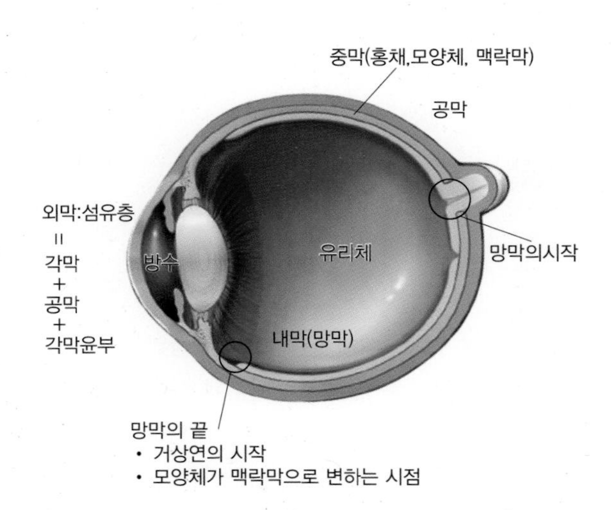

그림 1-1-1 안구의 구조

1. 안와

안와는 얼굴의 정중선 양측에 뼈로 둘러싸인 앞면을 기저로 한 피라미드형의 공간 형태로 上·下·內·外의 4벽이 있고 전두골, 권골(顴骨), 상악골, 누골, 접형골, 사골, 비골의 7개의 뼈로 구성된다. 외측 안와연은 약간 후방으로 치우쳐 있어 안구의 노출이 비교적 많아져 외측의 시야를 넓히는데 유리하지만 외상의 가능성도 증가하게 되어 있다. [그림 1-1-2]

안와의 4벽은 외측벽만 비교적 두껍고 다른 3벽은 비교적 얇아 안구의 직접적인 충격에 쉽게 손상되어 안구의 내용물이 상악동 속으로 빠져 들어가고 하직근과 하사근이 골절사이에 끼이는 破裂骨折(blow out 골절)을 일으킬 수 있으며, 또한 부비동 내

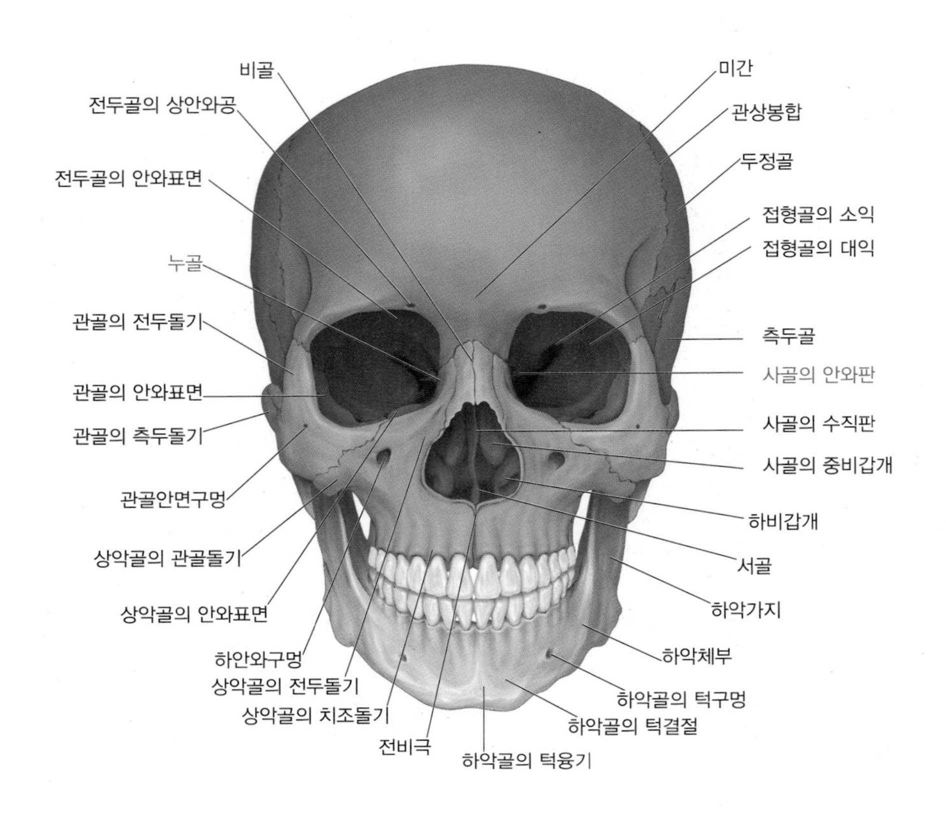

그림 1-1-2 두개골 전면상과 안와 주위의 뼈

의 감염이 안와 내부의 감염으로 쉽게 파급되기도 한다. 외벽은 가장 두꺼우며 임상적으로 중요한 것이 없다.

안와에는 시신경공과 시신경관, 상·하 안와열이 있는데, 시신경공은 안와의 첨부에 있는 난원형의 구멍으로 시신경관이 되어서 두개강 내로 연결되고, 상안와열은 시신경공 외측에서 안와상벽 및 안와외벽의 경계를 따라 두개강과 서로 연결되는 통로로 동안, 활차, 외전, 삼차신경의 제1지가 통과하며, 하안와열은 안와외벽과 안와하벽의 사이에 위치하여 삼차신경의 제2지인 상악신경이 지나간다.

안와의 내용물에는 지방과 결체조직으로 둘러싸여져 안와 용적의 1/5을 차지하는 안구를 비롯하여 외안근, 신경, 혈관, 누선, 누낭 및 골막, 테논낭(Tenon's capsule) 등이 있다.

2. 안부속기관

1) 안검

안검은 눈꺼풀을 의미한다. 안와의 전면에서 안구 표면을 덮고 있는 부위로 상안검과 하안검으로 나뉜다. 상안검은 눈썹에 의해 경계가 되고 하안검보다 크며 운동성이 많고 상안검거근의 건막이 피부에 부착되어서 상안검에 주름이 생기는데 이것이

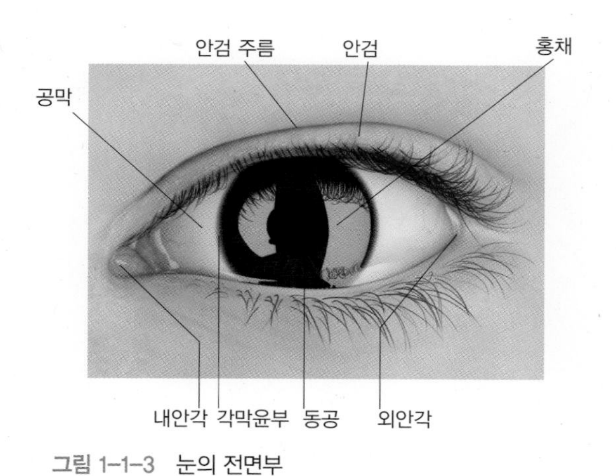

그림 1-1-3 눈의 전면부

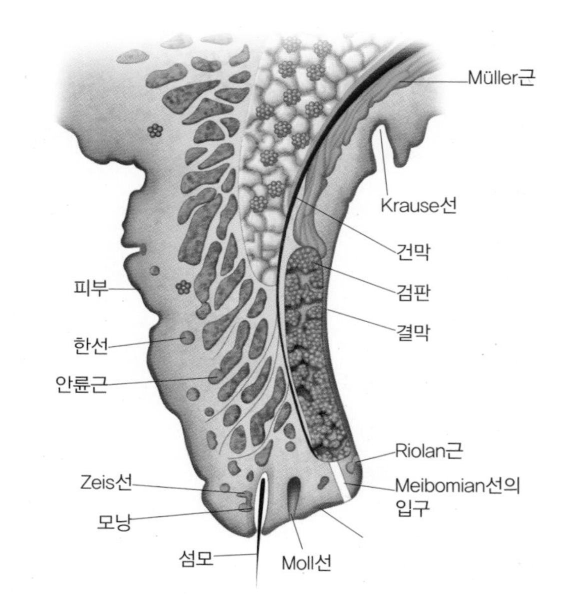

그림 1-1-4 안검의 측면

쌍꺼풀이다. 하안검은 뚜렷한 경계가 없이 안면 피부와 연결되며 상안검과 같은 주름은 없으나 안륜근의 피부쪽 연결섬유 몇 개에 의해 생기기도 한다.

눈을 떴을 때 생기는 상하안검 사이의 타원형 구멍을 검열(palpebral fissure)이라 하고 검열의 내측을 내안각, 외측을 외안각, 검열을 이루는 유리연을 안검연(lid margin)이라 한다. 정상적으로 눈을 떴을 때 상안검이 각막 상부를 약 1~2 mm 정도 가리게 된다. [그림 1-1-3]

안검연에는 안쪽 층인 검판, 결막과 바깥층인 피부, 안륜근으로 분리가 되는데 앞쪽으로는 첩모(cilia)가 있고 내안 각에서 5 mm 정도 외측 부위로 약간 튀어나온 부분에 누점(lacrimal punctum)이 있다.

조직학적으로 구조는 피부층, 근육층, 검판, 결막의 4층으로 구성되어 있고 외면은 피부, 내면은 안검결막으로 되어 있다. 안검의 외면인 피부는 피지선, 한선, 색소세포, 탄력섬유로 구성되어 있고 털은 많으나 인체 피부 중에서 가장 얇고 지방이 거의 없으며 피하조직이 느슨하기 때문에 쉽게 부종이 나타나고 또한 빠르게 정상상태로 회복된다. [그림 1-1-4]

안검의 근육은 안륜근(orbicularis oculi muscle), 상안검거근(superior levator palpebral muscle), Müller근 등이 주로 작용을 한다. 안륜근은 얇은 수의근으로 주로 눈을 감는데 사용되고, 상안검거근은 눈을 뜨는데 사용되며, 이외 안검결막의 안와 바로 밑에 있는 작은 근육인 Müller근이 있다. [그림 1-1-5]

검판(tarsal plate)은 단단한 결체조직으로서 안검의 형태를 유지시키는데 후면은 결막과 굳게 붙어

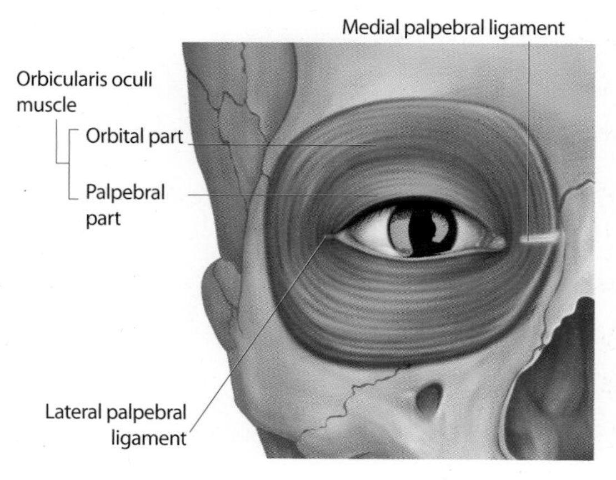

그림 1-1-5 안륜근

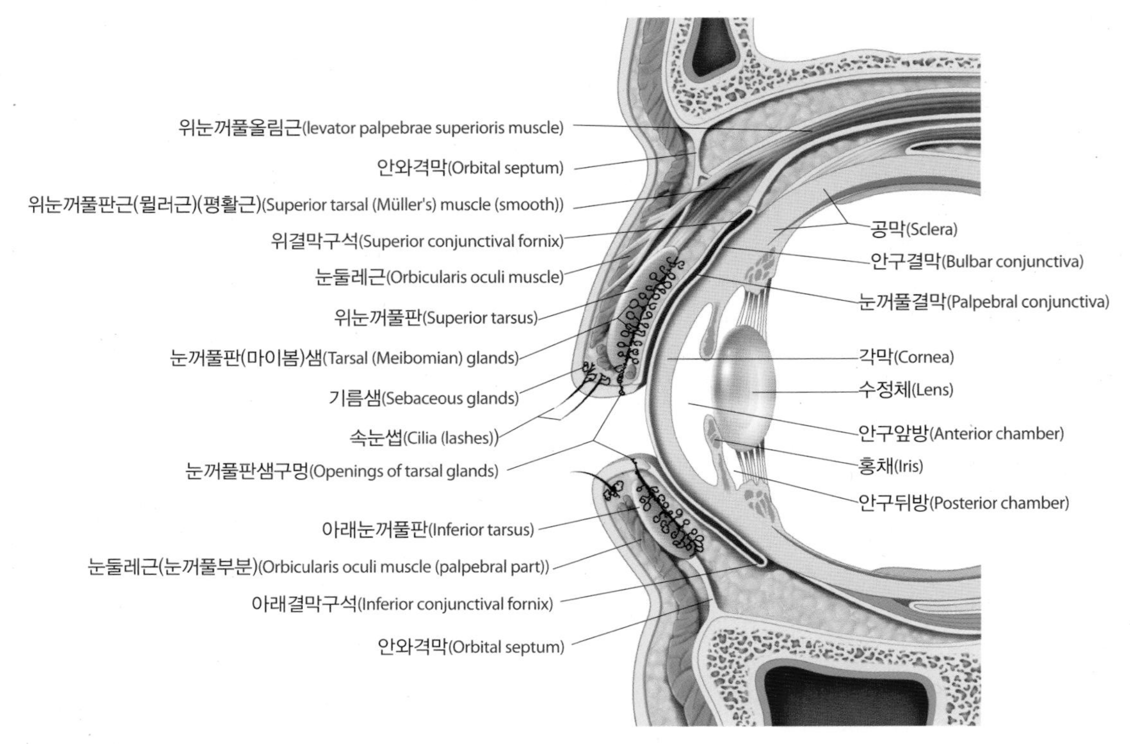

그림 1-1-6 눈의 분비샘

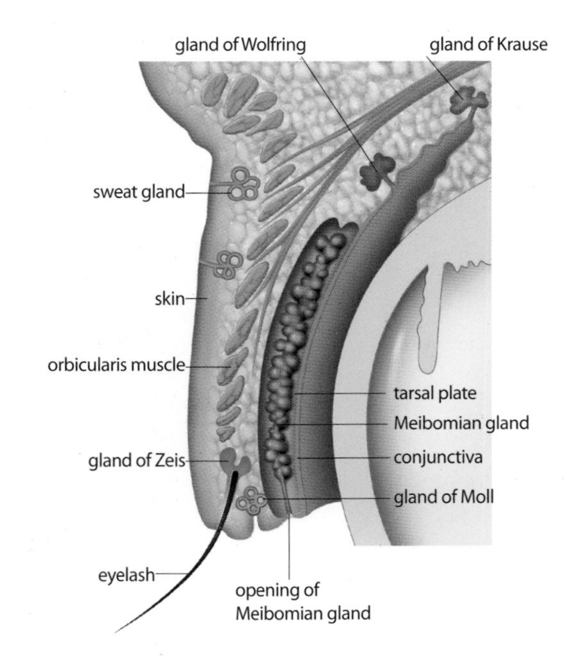

그림 1-1-7 눈의 분비샘

있고 전면의 느슨한 결체조직이 안륜근과의 사이에 있다. 각 검판에는 피지선인 마이봄선(Meibomian gland)과 짜이스선(Zeis's gland)이 있는데 마이봄선은 20~30개씩 상·하검판에 수직으로 나란히 한 줄로 배열되어 있으나 모낭과 연결되어 있지는 않고, 변형된 피지선인 짜이스선은 모낭과 연결되어 있다. 이외 땀샘인 몰선(Moll's gland)과 부누액선(accessory lacrimal gland)인 크라우제샘(krause gland)과 볼프링샘(wolfring gland) 등이 있다. [그림 1-1-6,7]

안검의 감각신경은 안신경이, 운동신경으로는 안면신경이 안륜근에, 동안신경이 상안검거근에, 교감신경이 Müller근에 분포한다.

안검의 기능은 주로 외부의 자극으로부터 안구를 보호하는 것이다. 안검의 순목운동은 눈물로 안구 표면을 습윤하게 하도록 하며 각막의 표면을 광

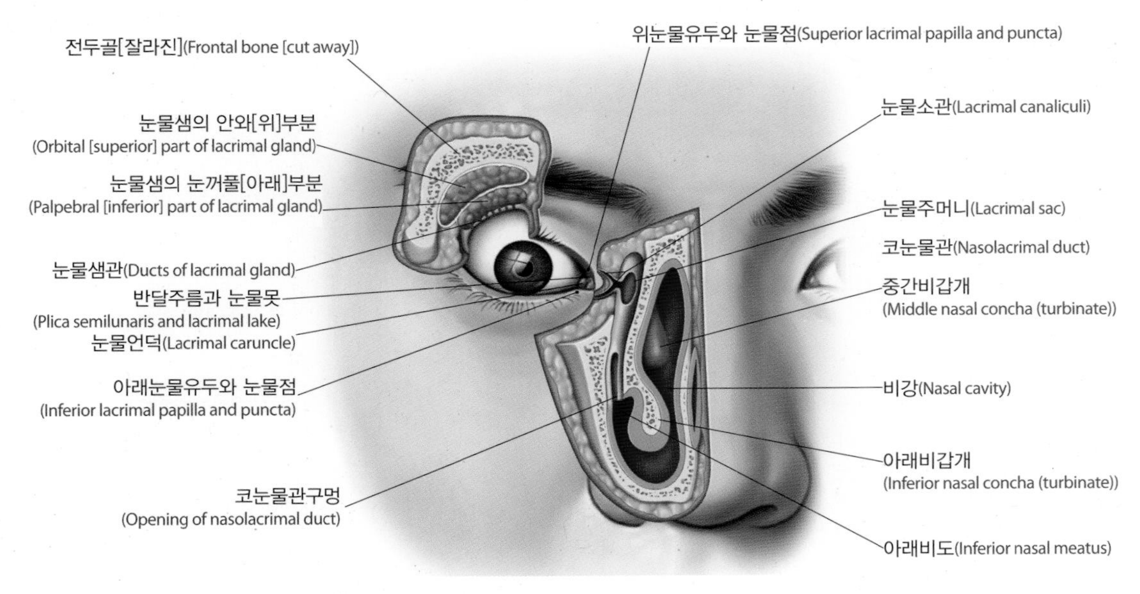

그림 1-1-8 누선과 누기

택이 나고 깨끗하게 하며 결막낭의 세균 및 이물질을 청소하도록 한다. 또한 눈으로 들어오는 광선의 양을 차단 혹은 제한하는 작용을 한다.

2) 누기

누기는 눈물기관으로 눈물을 분비하는 누선(lacrimal gland)과 이를 배출하는 누도(lacrimal passage)로 구성되어 있다. [그림 1-1-8]

누선은 주누선과 부누선으로 구분된다. 주누선은 안와 상벽 외측의 누선와(lacrimal fossa) 속에 존재한다. 누선의 신경은 혼합신경으로 그 중 감각신경은 제5 뇌신경의 안분지에서, 분비신경은 안면신경의 부교감신경과 뇌내동맥총의 교감신경이 누선의 분비를 담당한다. 부누선은 상·하 원개결막에 있는 크라우제샘과 볼프링샘으로 되어 있다.

누도는 누액을 비강으로 도출하는 통로로 누점, 누소관, 누낭과 비루관을 포함한다. 분비된 누액은 내안각에서 약 5 mm 떨어진 상·하안검연에 위치한 누점과 이에 연접한 상·하누소관을 걸쳐서 안검연의 비측에 있는 누낭에 모여지고 약 18 mm 정도의 길이인 비루관을 통과하여 하비도의 외벽에 개구된다. [그림 1-1-9,10]

정상안에서 누액의 양은 양쪽 눈에 각각 6 μl 정도이고 평균 1.2 μl/mm가량씩 새로 바뀐다. 누액은 pH 7.4 정도의 약한 알칼리성의 투명한 액체로 그 중 약 98.2%가 물이며 이외에 소량의 무기염, albumin, γ-globulin, lysozyme, IgA, β-lysin 등이 함유되어 있어 결막, 각막을 윤활하게 하는 생리기능과 더해 약간의 살균작용도 있다. 또한 눈에 외부의 유해물질이 자극하는 경우 반사적으로 다량의 누액을 분비하여 유해물질을 희석하고 씻어내는 작용도 한다.

누액막은 3층으로 구성되는데, 마이봄선, 짜이스선, 몰선에서 분비되는 얇은 전면의 지질층과 크라우제선, 볼프링선의 부누선에서 분비되는 두꺼운

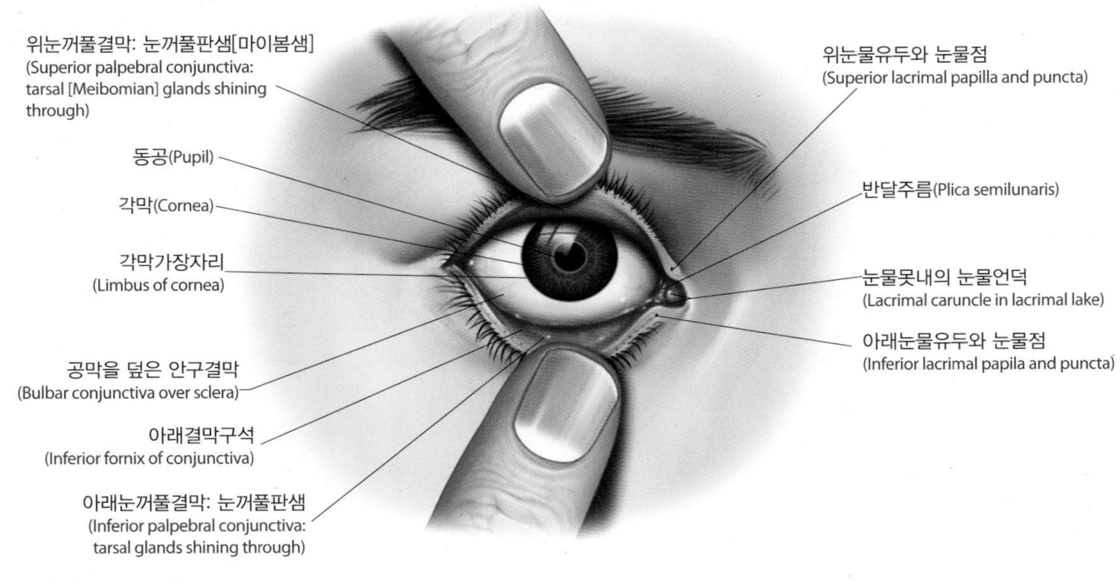

그림 1-1-9 누점

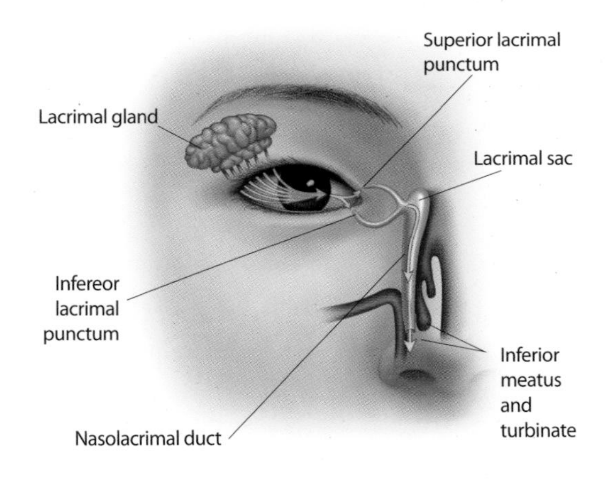

그림 1-1-10 눈물 분비 과정

중간수분층 및 결막의 배상세포에서 분비되는 얇은 점액층이 그것이다. 지질층은 눈물이 증발하는 것을 막아주고 부드럽고 균일한 광학 면을 유지하게 해주며 점액층은 각막을 적셔주고 눈물막을 유지하기 위해서 필요하다. [그림 1-1-11]

3) 결막

결막은 1층의 얇고 투명한 점막으로 안검 후면과 안구 전면을 덮고 있다. 결막은 크게 검판의 후면과 단단하게 붙어 있는 검결막(palpebral conjunctiva), 안구 앞쪽 공막을 덮고 있는 구결막(bular conjunctiva), 그리고 이 두 부분을 연결하는 원개결막(fornix conjunctiva)의 3부분으로 되어 있다. [그림 1-1-12]

검결막은 검판의 내면을 덮고 있으며 검판과 긴밀하게 접착되어 쉽게 움직여지지 않는다.

구결막은 안구 앞쪽 공막 표면을 덮고 있으며 각막윤부에서 끝나는데 각막 변연부의 결막 상피세포가 각막 상피세포로 이행하게 되므로 결막질환이 쉽게 각막의 천층에 파급된다.

내안각에는 황색의 융기물인 淚丘(lacrimal caruncle)가 있는데 눈을 감을 때 내안각부의 눈물을 남김없이 누점 쪽으로 보내는 기능을 한다.

조직학적으로 결막은 상피세포층과 고유층으로 구분되며 2종류의 분비선이 있는데, 상피세포층에

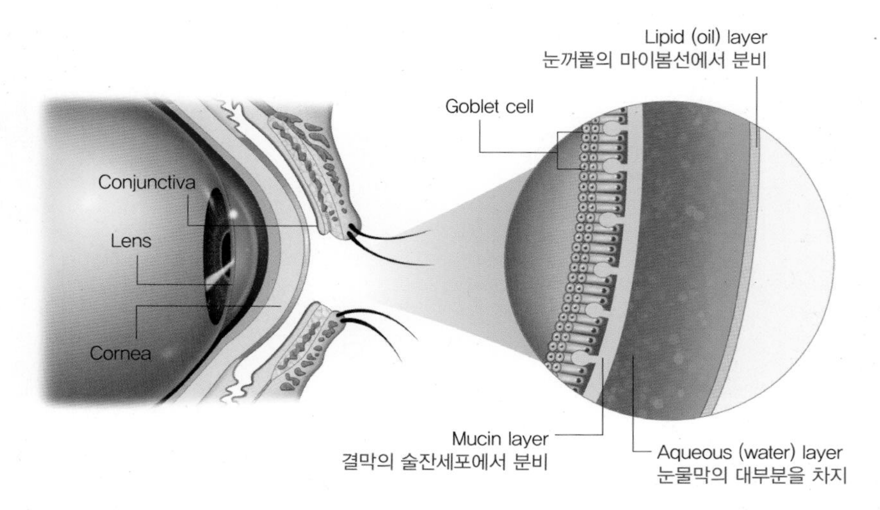

그림 1-1-11 눈물층의 구조

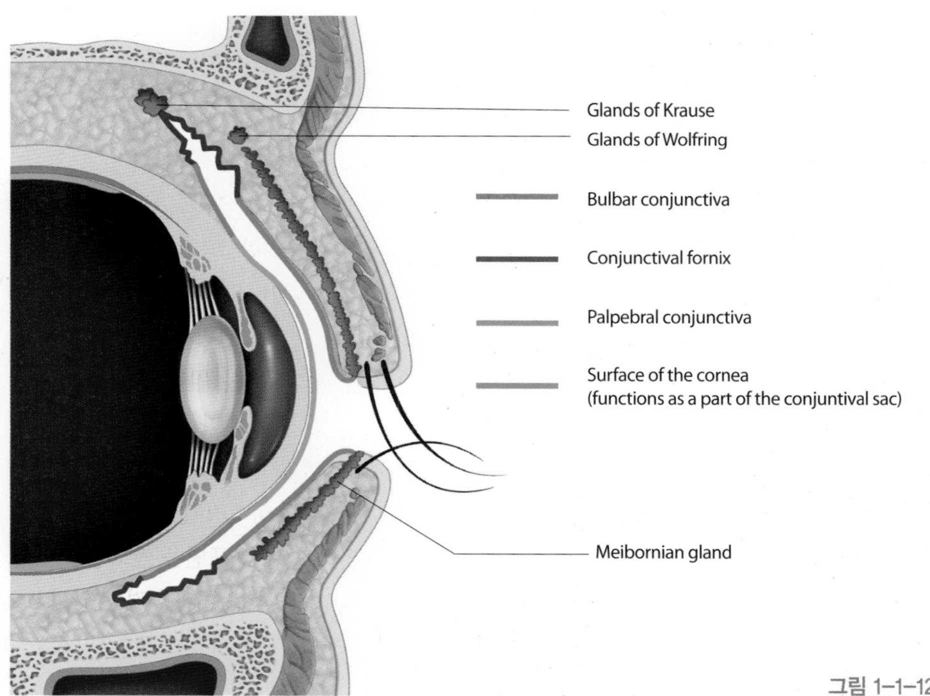

그림 1-1-12 결막의 분류

분포하여 점액을 분비함으로써 결막, 각막을 자윤하고 보호작용을 하는 배상세포와 원개결막하에 위치하여 누액을 분비하는 부누선이 있다. [그림 1-1-13]

결막의 표면은 인체의 다른 부위 점막과 거의 같으며 항상 눈물로 습해져 있고 색소가 적으며 상피도 각화 되지 않으므로 내부의 혈관이 잘 투시되며, 신경은 삼차신경의 안분지가 결막의 감각을 담당한다.

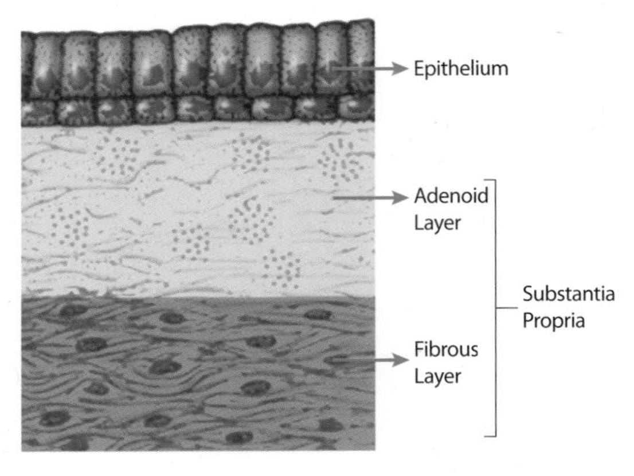

그림 1-1-13 결막의 층

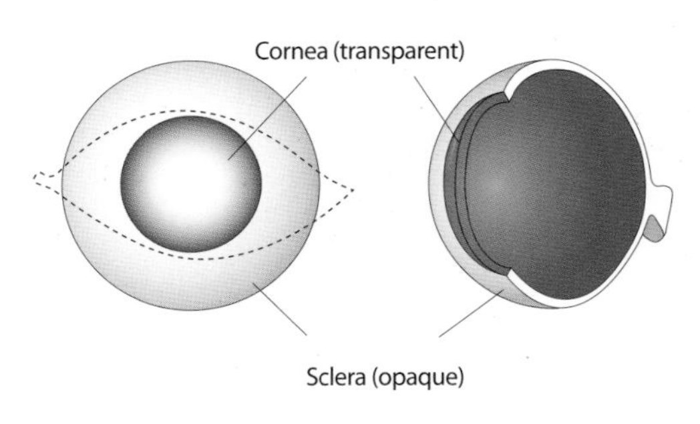

그림 1-1-14 각막과 공막

3. 안구

1) 공막

안구의 외막 중 후면 5/6을 차지하는 견고하고 불투명한 섬유조직으로 전면은 각막윤부와, 후면은 시신경초와 연결되어 있다. 공막의 두께는 각 부위가 서로 다른데 가장 얇은 부위는 각 직근의 부착 부위로 약 0.3 mm이고 가장 두꺼운 부위는 시신경 주위로 약 1.0 mm이며 시신경 섬유가 뚫고 들어가면서 많은 작은 구멍이 뚫린 체모양의 사상판 형태를 이루게 되는데 이곳의 저항력이 비교적 약하고 안압의 영향을 쉽게 받는다. [그림 1-1-14,15]

공막은 조직학적으로 공막외층, 공막실질층, 공

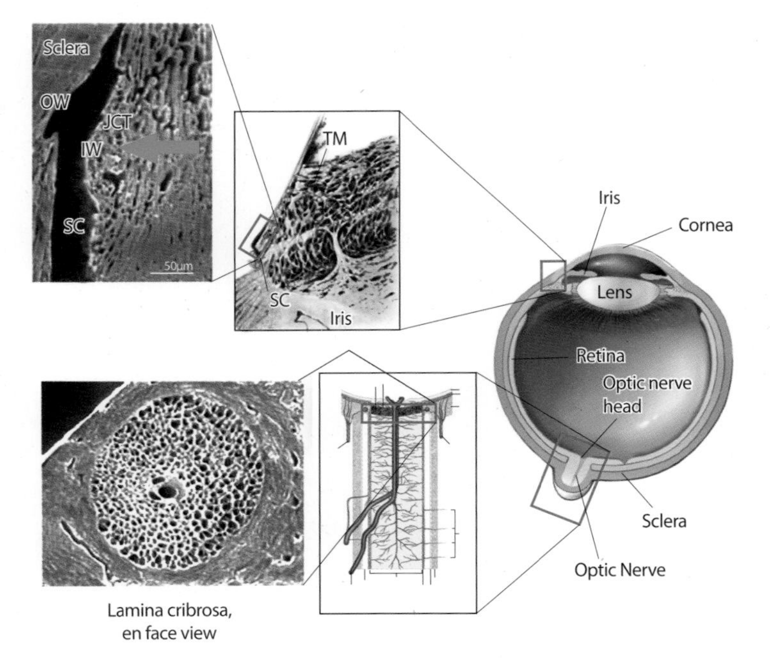

TM = trabecular meshwork
SC = Schlemm's canal
JCT = juxtacanaliculicular tissue
IW = inner wall
OW = outer wall
LC = lamina cribrosa

그림 1-1-15 사상판

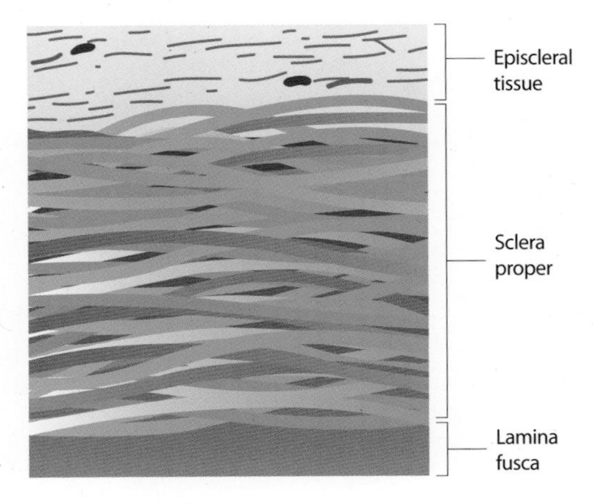

그림 1-1-16 공막의 층

막내층의 3층으로 나뉜다. 공막외층은 상공막(episclera)으로 얇고 미세한 탄력섬유의 층으로 영양을 공급하는 혈관이 풍부하다. 공막실질층은 결체조직이 종횡으로 얽혀 있으며 약간의 탄력섬유가 섞여 있는 전형적인 교원섬유의 다발로 이루어져 있는데, 각막과 매우 유사한 구조인 공막이 불투명하고 희게 보이는 원인은 교원섬유의 크기가 다양하고 덜 규칙적으로 배열되어 있으며 각막이 건조 상태인 데 반하여 공막은 수분을 많이 함유하고 있기 때문이다(65~70%). 공막내층은 갈색판으로 다량의 멜라닌 색소와 약간의 결체조직에 의해 갈색으로

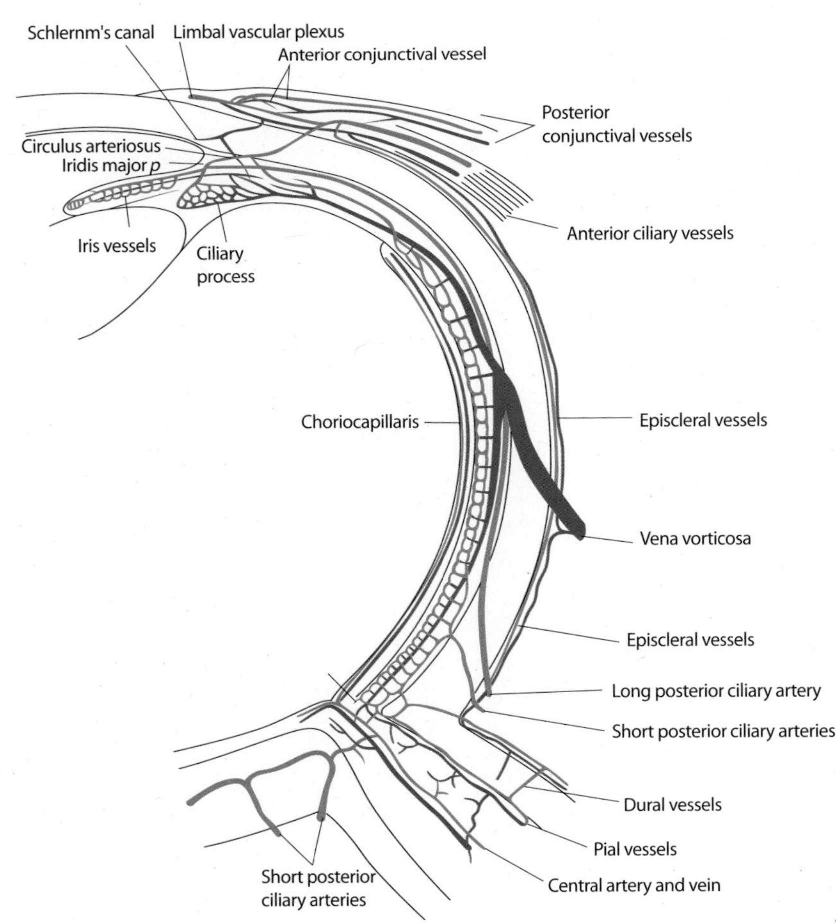

그림 1-1-17 공막의 혈액공급

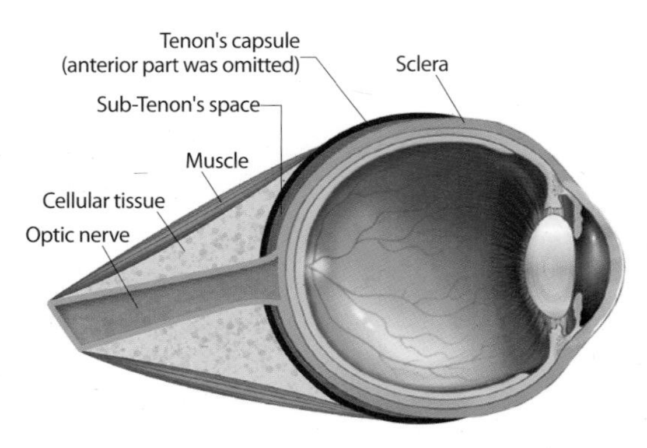

그림 1-1-18 Tenon's capsule

보이고 맥락막과 연결되어 있다. [그림 1-1-16]

공막의 혈액공급은 상공막의 혈관과 맥락막의 혈관망에서 공급받고, 모양체신경에서 나온 신경이 풍부하기 때문에 염증이 있으면 통증이 심하게 나타난다. [그림 1-1-17]

Tenon낭은 안구 주위를 둘러싸는 섬유성 막으로 뒤로는 시신경의 공막부착부에서부터 앞으로는 각막윤부에서 2 mm 떨어진 곳까지 이르며 공막 및 시신경초와 유착되어 있다. [그림 1-1-18]

2) 각막

안구의 외막 중 앞쪽 1/6을 차지하는 중앙에 돌출된 투명한 무혈관 조직으로 횡타원형을 띠는데 가로 직경 11.5~12 mm, 세로 직경 10.5~11 mm, 중앙부 두께 약 0.5~0.9 mm, 변연부 두께 약 0.7~1.2 mm로 각막윤부에서 공막과 연결되어 있다.

각막의 기능은 안구를 보호하는 방어막의 역할과 광선을 굴절시켜 망막에 도달시키는 작용을 한다.

조직학적으로 각막은 5층으로 이루어지는데 위쪽으로부터 상피세포층, 전탄력층인 보우만층(Bowman's layer), 각막실질층 또는 기질층, 후탄력

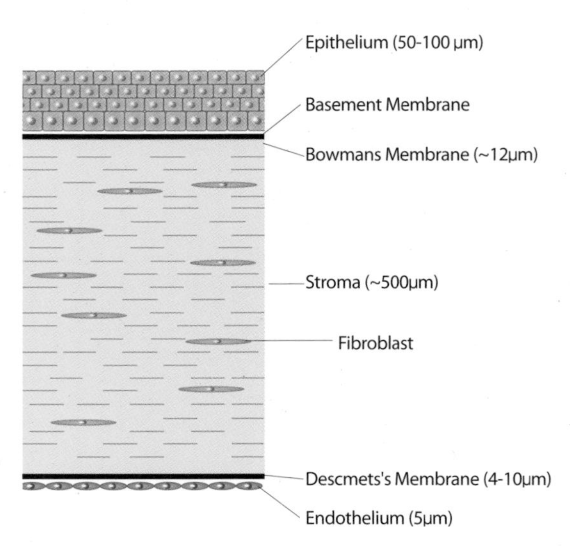

그림 1-1-19 각막의 구조

층인 데스메막(Descemet's membrane), 내피세포층의 순서로 되어 있다. [그림 1-1-19] 상피세포층은 5~6층의 세포로 구성되어 있고 재생능력이 매우 강하여 손상 후 재생되어 반흔을 남기지 않으며 구결막상피와 연속되어 있고, 보우만층은 세포가 없는 균질하고 투명한 교원섬유로 구성된 막으로 일단 손상되면 재생되지 못하고 섬유조직으로 대체되어 반흔을 남기며, 각막실질층은 각막 두께의 약 90%를 차지하는 결체조직으로 판상섬유로 되어 있고 손상 후 다양한 형태의 반흔을 형성하게 되며, 데스메막은 투명한 탄력성 막으로 미세한 원섬유가 있고 손상 후 신속하게 재생하며, 내피세포층은 육각형의 편평한 단층 세포로 되어 각막에 대한 방수의 침입을 막아주는 역할을 하는데 손상되면 각막실질층의 부종을 유발하게 된다.

각막은 혈관이 없어 영양은 주로 각막연의 혈관망 및 방수액, 누액에서 공급받는다. 각막의 감각은 제5 뇌신경의 안분지의 지배를 받는데 상피에는 신경 말단이 풍부하게 분포되어 외부 자극에 민감하

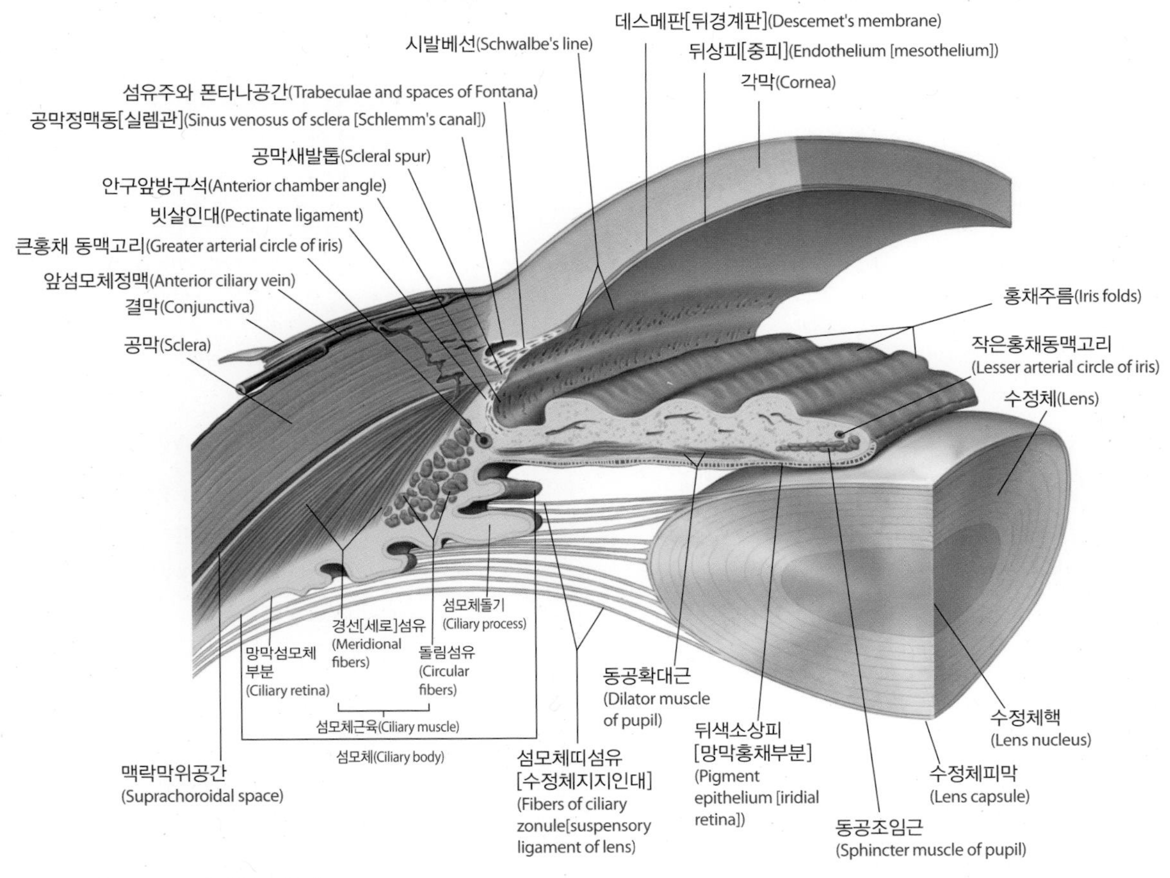

그림 1-1-20 홍채와 모양체

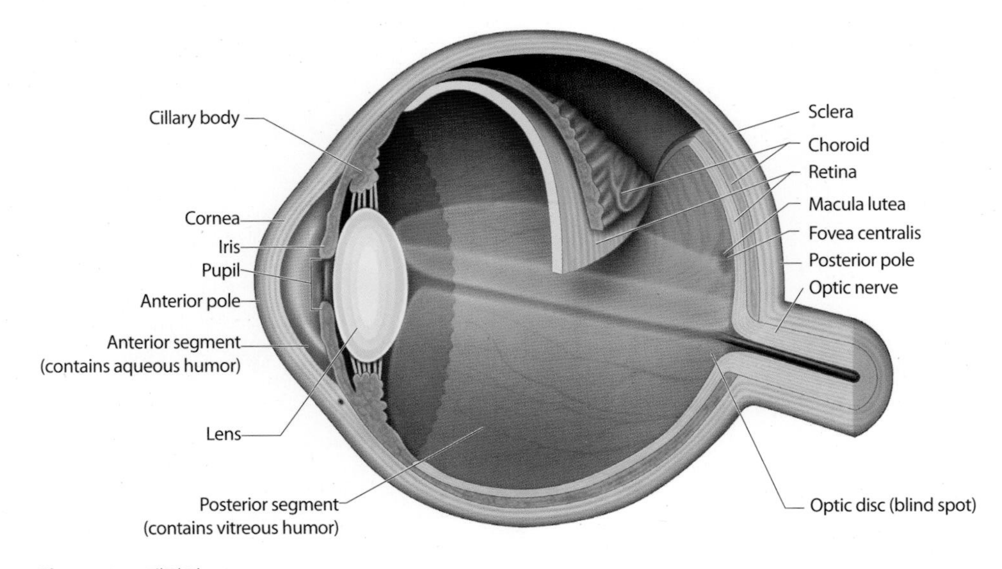

그림 1-1-21 맥락막

고 작은 손상에도 심한 통증, 안검경련, 유루 등의 증상을 일으키게 된다.

각막의 투명성은 균일한 섬유배열구조, 무혈관성, 낮은 수분함유량과 굴절률에 의하며 동시에 상피 및 내피세포의 Na^{+}-K^{+} 펌프 작용과 각막의 해부학적 완전성으로 유지가 된다.

3) 포도막

포도막(uveal tract)은 풍부한 색소를 함유한 혈관성 조직으로 각막과 공막에 의해 보호되고 망막에 영양을 공급하며 눈으로 들어오는 광선을 조절하거나 차단하는 작용을 하는데 홍채, 모양체, 맥락막의 3부분으로 구성된다. [그림 1-1-20, 21]

(1) 홍채(iris)

포도막의 가장 앞부분으로 수정체의 전방에 위치하며 주변은 모양체의 앞쪽과 연결되는 원반형의 수직으로 된 격막이다. 각막과 수정체 사이에 위치하여 각막 후면과의 사이를 전방, 수정체 전면과의 사이를 후방이라 하며, 전방 중앙의 직경 2.5~4 mm의 원형 구멍을 동공(pupil)이라 한다. 홍채의 주변부를 홍채근부(iris root)라 하는데 모양체에 부착한 이 근부가 가장 얇기 때문에 외상을 받으면 잘 찢어지기도 한다. 홍채의 근육에는 동공괄약근과 동공산대근이 있어서 안구내로 들어오는 광선의 양을 조절하게 된다. 동공괄약근은 동공연에 약 1 mm 폭으로 동공을 둘러싸는 평활근으로 수축하면 동공이 축소되어 축동(miosis)이 일어나고, 동공산대근은 색소상피층의 앞부분의 변형인 평활근으로 홍채근부와 동공연 사이에 방사선으로 배열되어 있는데 수축되면 동공이 열리게 되어 산대(mydriasis)가 된다.

홍채의 신경지배는 동공산대근이 교감신경의, 동공괄약근이 부교감신경의 지배를 받으며, 홍채내의 혈액은 모양체에서 형성된 대홍채동맥륜에서 홍채간질로 뻗어 나오는 방사상의 작은 혈관들에 의해 공급된다. 홍채에는 다량의 색소와 혈관, 감각신경이 풍부해 염증이 발생하면 삼출물, 통증이 심하게 나타난다.

(2) 모양체(ciliary body)

앞으로 홍채근부, 뒤로 맥락막의 앞쪽 끝에 접하고 외측으로 공막, 내측으로 수정체 적도부를 감싸고 있는 직각삼각형 모양으로서 평활근과 혈관으로 구성된 조직이다.

모양체는 모양체근의 작용에 의해 수정체를 변형시켜 조절력을 적절하게 유지하는 조절(accommodation) 기능과 두 층의 상피세포로 된 모양체 돌

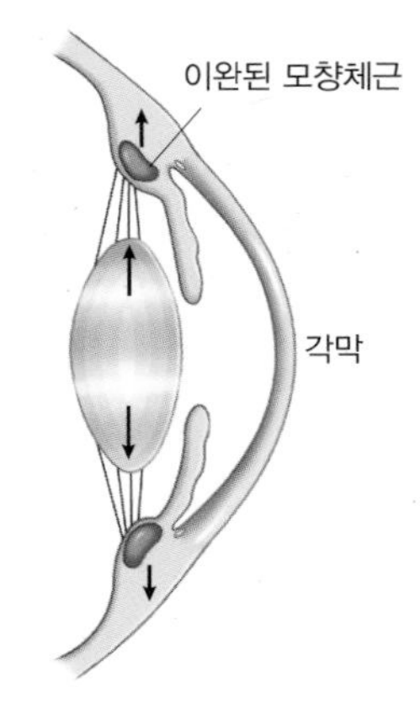

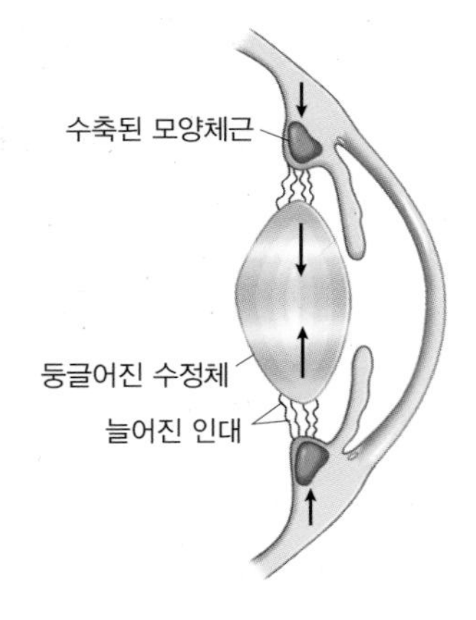

그림 1-1-22 모양체의 조절 작용

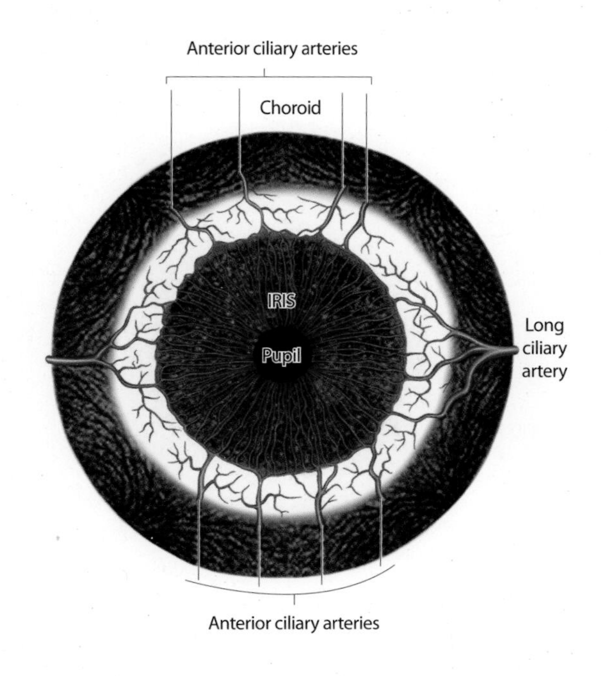

그림 1-1-23 모양체의 혈액공급

기에서 방수액(aqueous humor)을 생산 및 배출하는 기능으로 나눌 수 있다. 근섬유 배열이 다른 평활근인 모양체근이 수축하게 되면 Schlemm관이 열리면서 모양체소대가 늘어지고 수정체가 두꺼워져 굴절력이 증가하게 되므로 가까운 물체를 잘 볼 수 있게 되는 것이 조절작용이다. [그림 1-1-22]

모양체의 혈액공급은 대홍채동맥륜에서 받으며 와정맥(vortex vein)으로 유출된다. 신경지배는 장모양체신경으로부터 감각신경이 나오고, 운동신경은 동안신경의 분지인 단모양체신경으로부터 나온 부교감신경의 지배를 받는다. [그림 1-1-23]

방수액은 각막과 수정체 사이 공간에 채워져 있는 투명한 액체로 생산 기전은 확실치 않으나 모양체상피에서 분비되어서 홍채혈관을 통해 투과 및 확산되어지고 후방에서 동공을 통해 전방으로 빠져나간 후에 우각의 섬유주, Schlemm관을 통과하여

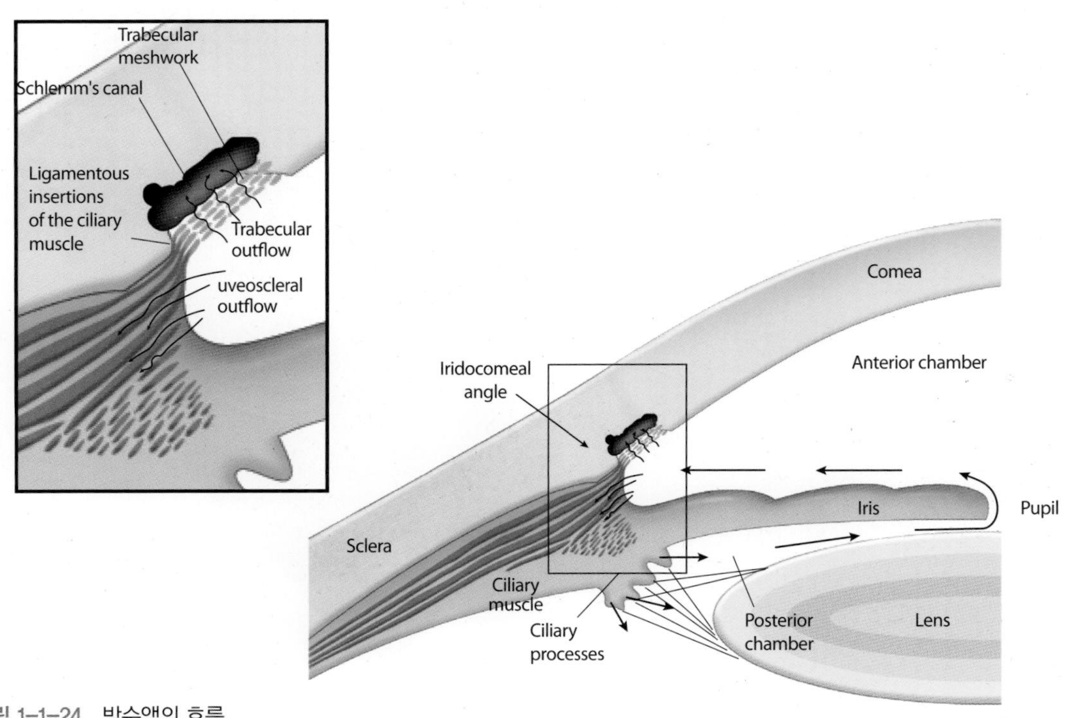

그림 1-1-24 방수액의 흐름

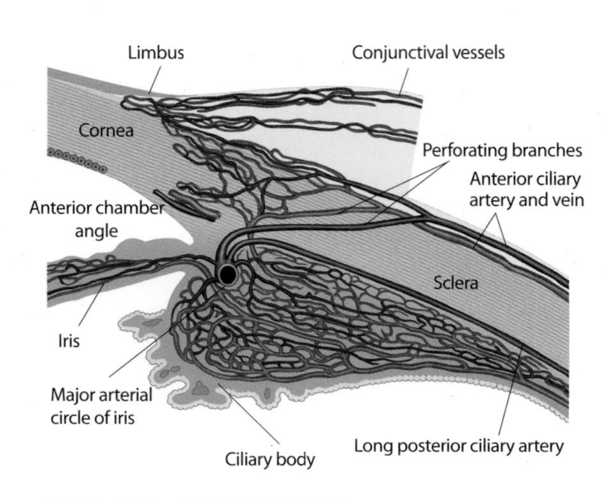

그림 1-1-25 모양체 주위의 혈관

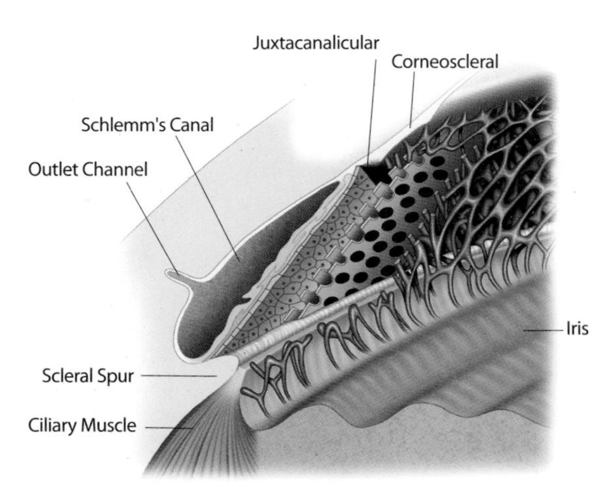

그림 1-1-26 섬유주와 쉴렘관(Schlemm's canal)

방수정맥, 공막정맥으로 빠져나간다. 방수액은 약 0.2 ㎖의 투명한 액체로 전방에 80%, 후방에 20% 분포하는데, 삼투압이 혈청보다 약간 높고 pH는 혈청보다 낮다. [그림 1-1-24]

방수액의 주된 기능은 각막을 광학적으로 적당한 형태를 갖게 하면서 망막, 맥락막 그리고 공막을 부드럽게 접촉되게 하는 안압을 일정하게 유지시키고, 수정체와 각막에 없는 혈관 대신에 영양분을 공급하는 기능을 갖고 있다.

Schlemm관은 섬유주의 바깥 면에서 안구 주위를 둘러싸는 정맥계의 관으로, 바깥쪽인 공막은 두꺼우나 안쪽 면은 내피세포로만 되어 있고, 방수액의 순환이 끊임없이 이루어지므로 만일 장애가 일어나면 안구내압이 상승되어 녹내장(glaucoma)이 발생된다. [그림 1-1-25,26]

(3) 맥락막(choroid)

망막과 공막 사이에 있는 0.1~0.2 mm 두께의 혈관

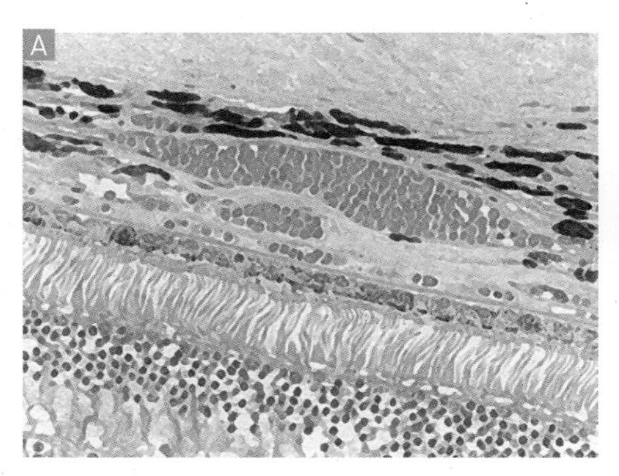

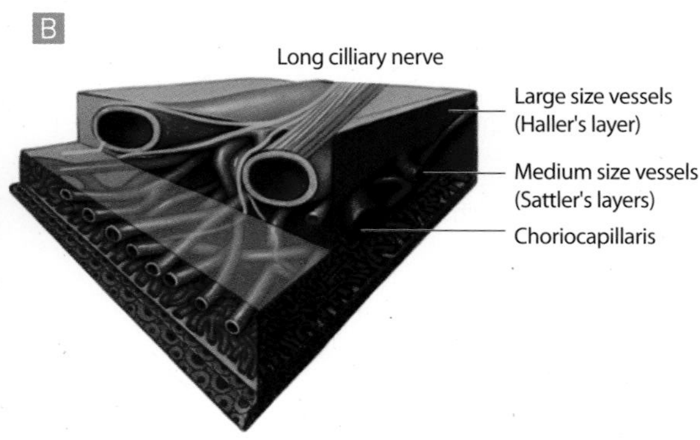

그림 1-1-27 맥락막의 혈관

막으로, 시신경유두연에서부터 시작하여 망막의 주변부 끝인 거상연에서 모양체로 이어져 있다. 맥락막의 기능은 주로 망막의 바깥층 ⅓ 부분의 영양을 담당하고 풍부한 색소를 이용해 광선을 차단하여 안구내에 암실을 형성함으로써 물체의 상을 분명하게 만들어준다.

맥락막의 혈액공급은 여러 개의 모양체동맥으로부터 공급되고 안쪽은 모세혈관층을 형성하게 되므로 맥락막의 혈액용량은 안구에 공급되는 혈액총량의 약 65%에 해당된다. 신경은 단모양체신경에 동반된 교감신경의 지배를 받는다. [그림 1-1-27]

4) 수정체

수정체는 양면이 볼록한 볼록렌즈 모양으로 만곡되어 있고 탄성이 많으며 혈관, 신경, 결체조직이 없고 무색투명하며 두께는 4 mm, 직경은 9 mm이다. 전면의 중앙을 전극, 후면 중앙을 후극, 전면과 후면의 이행부를 적도(equator)라 하고 이곳에 모양체소대가 붙어 있어 홍채 후면, 유리체 전면에 고정되어 있다. [그림 1-1-28]

조직학적으로는 수정체낭, 전면상피, 수정체섬유로 되어 있다. 수정체낭은 탄성이 있는 균질의 반투과성 막으로 수분과 전해질을 투과하는데 주변부는 두툼하고 중심부는 얇으며 전면이 후면보다 두텁다. 전면상피는 수정체 전면에만 있고 낭의 바로 밑에 있는 단층의 입방체 모양의 세포로 적도부에서 점차 전후방향으로 길어져서 수정체섬유가 된다. 수정체섬유는 양파껍질 모양으로 층을 이루고 세포사이의 세포액은 거의 없는데 이것이 수정체의 투명도에 관여하는 것으로 보인다. [그림 1-1-29]

수정체섬유는 끊임없이 생성되고 중심을 향해 진행하는데 점차 경화되어 중심부의 단단한 수정체 핵이 되고 수정체핵 이외에 신생 섬유가 모여 있

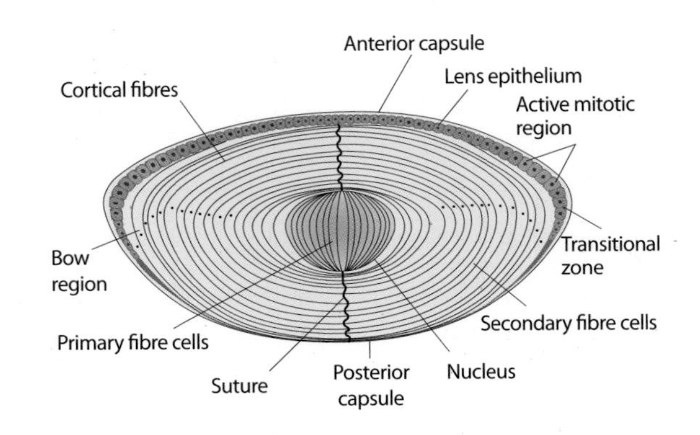

그림 1-1-28 수정체의 구조

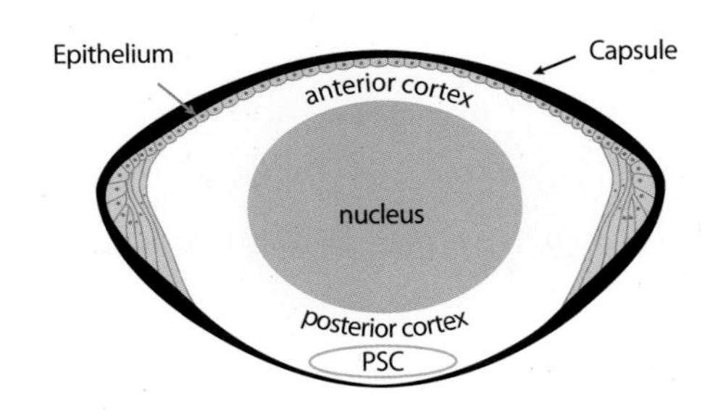

그림 1-1-29 수정체낭

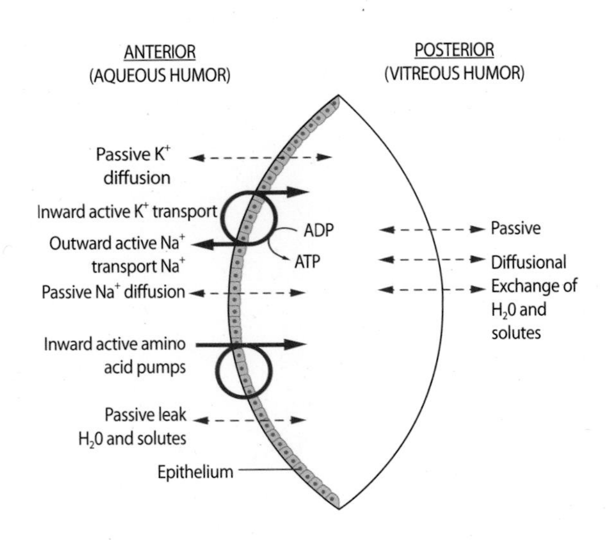

그림 1-1-30 수정체의 물질대사

는 부위를 수정체 피질이라 한다. 수정체는 약 65%의 수분, 35%의 단백질과 적은 양의 광물질이 있다. 수정체에는 혈관과 신경이 없어 영양공급은 방수와 유리체에서 받는다. 특히 수정체낭이 손상이 되거나 방수의 대사에 장애가 발생하면 수정체에 혼탁이 발생하여 백내장이 된다. [그림 1-1-30]

수정체는 각막과 더불어 광선을 굴절시키는 굴절장치이다. 수정체의 만곡도는 모양체근의 모양체 소대와 홍채근에 의해 이루어지며 모양체근이 이완되면 만곡도가 감소되고 반대로 수축되면 만곡도가 증가되면서 빛의 양을 조절하여 망막의 신경감각요소에 전달한 후 망막 위에 사물의 초점을 맞춘다. 이런 작용을 조절(accommodation)이라 하며 나이가 들수록 수정체는 탄력성이 없는 중심핵이 커짐에 따라 서서히 탄력성이 소실되어 45세 전후가 되면 모양체 근육을 수축하여도 수정체의 굴절력을 증가시킬 수 없게 되어 근거리를 보기 위해서 돋보기가 필요하게 되며 이를 노안(presbyopia)이라 한다.

5) 유리체

유리체는 수정체 후면과 망막 전면사이의 유리체강을 차지하는 무색 투명하고 혈관이 없는 gel 상태로 안구 용적 및 무게의 ⅔를 차지한다. 성분은 99%가 수분이고 1%는 collagen과 hyaluronic acid로 이루어져 안구의 형태와 투명도를 유지하고 안구내압을 15~20 mmHg으로 일정하게 유지한다. 바깥쪽은 유리체막으로 수정체후낭, 모양소대, 망막, 시신경유두와 접해 있고, 유리체의 기저는 평면부 상피와 거상연 바로 뒤의 망막에 단단히 부착되어 있다. 유리체도 나이가 들면서 유리체내의 미세섬유가 두꺼워지고 그 위에 원형, 수상 또는 성상의 세포가 산재되어 시력장애가 일어난다. [그림 1-1-31]

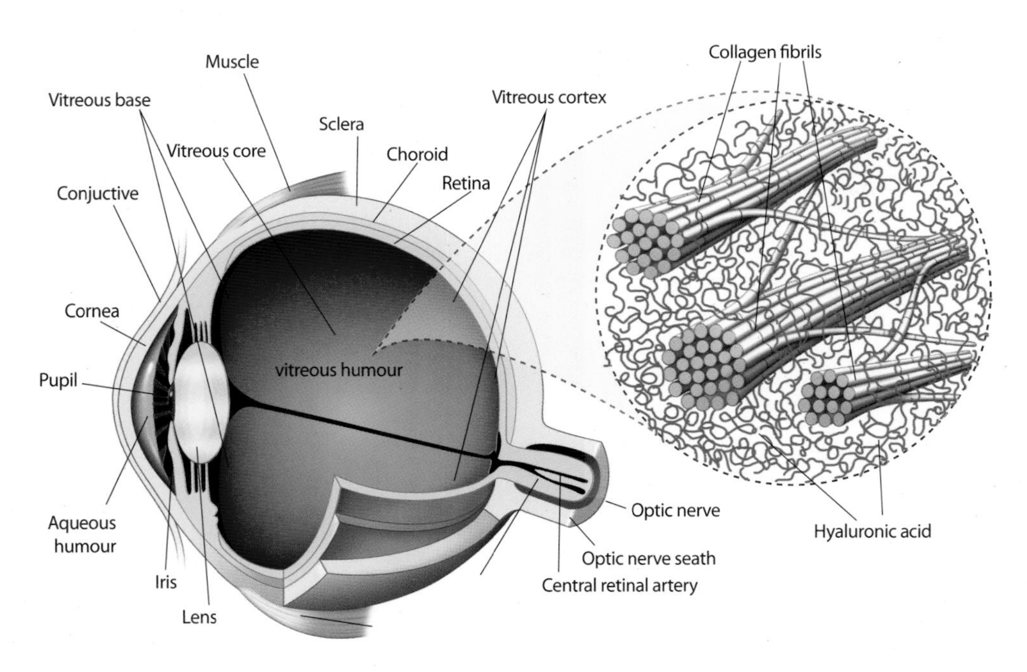

그림 1-1-31 유리체의 구조

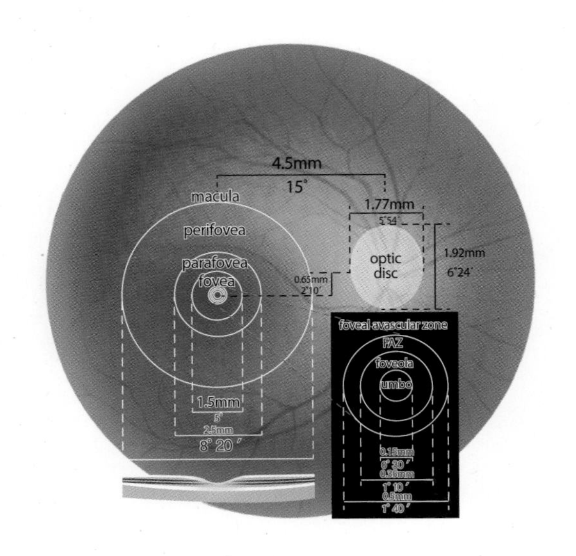

그림 1-1-32 시신경유두와 황반, 중심와

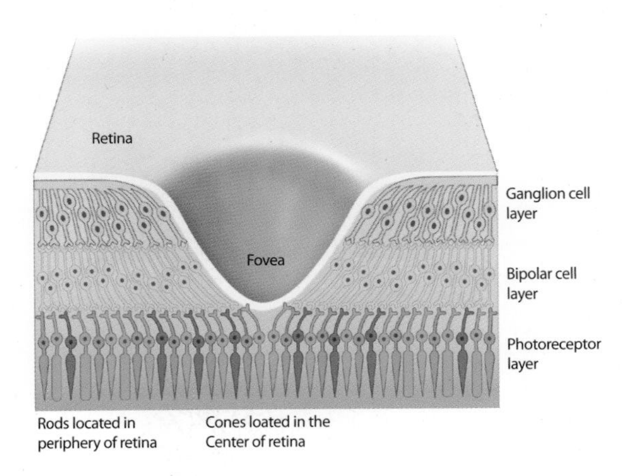

그림 1-1-33 중심와

6) 망막

망막은 안구 후방 ⅔ 부위로 맥락막 내면을 덮고 있는 투명한 신경조직으로 앞쪽에서는 거상연과 뒤쪽에서는 시신경유두와 단단히 부착되어 있고 외면은 맥락막, 내면은 유리체와 긴밀하게 연결되어 있다.

망막내의 특수한 부위인 황반(macula)은 시신경 유두의 약 3.5 mm의 외측 약간 아래에 타원형의 함몰된 곳이며 그 중앙을 중심와(fovea centralis)라고 한다. 이곳은 중심시력과 색각의 초점이 되므로 물체와 색깔의 상이 가장 선명하게 보이는 부위이다. 이 부위는 망막이 얇고 색소상피층의 색소가 다른 부위보다 많으며 엽황소(xanthophyll)라는 색소가 있어 갈색으로 나타나고 주위에는 황반륜반사가 나타난다. 중심와에는 간체 및 Müller세포, 혈관은 없고 다만 추체만 있어서 광선이 직접 추체에 이르며 혈액공급은 주로 맥락막에서 이루어진다. [그림 1-1-32, 33]

시신경유두(optic disc)는 안구의 후극에서 약간 안쪽, 황반에서 鼻側으로 약 3 mm에 위치하는 직경 1.5 mm의 타원형 형태로 시신경이 안구를 빠져나가는 부위이며 시신경섬유로만 구성되고 사상판, 맥락막과 밀착되어 있다. 안저소견상 노란색에서 분홍색으로 망막의 주위보다 색깔이 더 밝다. 유두의 중앙에는 시세포가 없으므로 시야검사에서 생리적 암점(physiologic blind spot)으로 나타나는데 이곳을 생리적 컵(physiologic cup)이라 하며 안저에서는 노란색을 띤 하얀색으로 보인다.

조직학적으로 망막은 바깥쪽에서부터 안쪽으로 색소상피층(pigment epithelium), 시세포층(layer of rods & cones), 외경계막(external limiting membrane), 외과립층(outer nuclear layer), 외망상층(outer plexiform or molecular layer), 내과립층(inner nuclear layer), 내망상층(inner plexiform or molecular layer), 신경절세포층(ganglion cell layer), 신경섬유층(nerve fiber layer), 내경계막(internal limiting membrane)의 10층으로 구성되어 있다.

색소상피층은 6각형의 단층세포로 맥락막과 밀착되어 있고 동공연으로부터 시신경이 들어오는 곳까지 덮여 있으며 내부에 멜라닌과립이 많아 여러 가지 복잡한 생리기능 및 색소 차단작용을 한다.

시세포층은 광선을 감각하는 부분으로 추상체

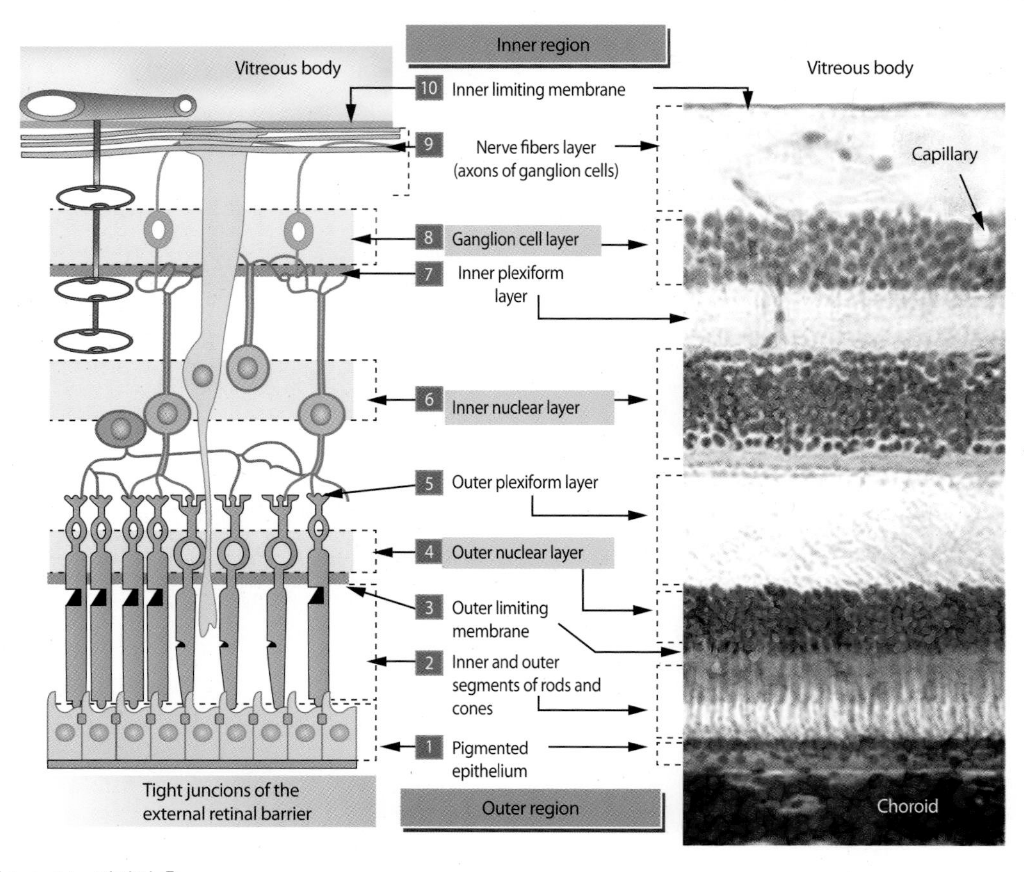

그림 1-1-34 망막의 층

(cone cell), 간상체(rod cell)의 두 가지 시세포가 있다. 추상체는 추체라 하며 망막의 중심인 황반부의 중심와에 있는 감광세포로 iodopsin이란 물질이 있어 명순응(light adaptation)과 색각(color vision)기능을 한다. 간상체는 간체라 하며 망막의 주변부에 많고 중심와에는 없는데 rhodopsin이란 물질이 있어 시력 및 색각기능은 없고 주로 암순응(dark adaptation)을 한다. 따라서 추체는 비교적 밝은 빛에 작동하고 빛의 여러 파장을 탐지할 수 있고, 간체는 어둠침침한 빛에서 기능하며 녹색의 단일 파장에서 최대의 작동을 한다.

외경계막에서 내망상층까지는 시세포층의 광각적 흥분을 시신경절세포로 보내는 기능을 한다.

신경절세포층은 신경절세포의 통합이며 이 세포의 축삭이 시신경섬유가 되는 신경섬유층을 지나면서 시신경유두에 모여져 시신경이 되어 뇌에 전달된다. 내경계막은 망막 내면에 있는 유리양막으로 내경계막과 유리체막은 합쳐져 있다. [그림 1-1-34]

망막의 혈액공급은 안동맥 분지인 망막중심동맥이 시신경유두의 중앙에서 상·하로 분지되고 다시 각각 내·외로 나누어져 上·下 耳側동맥, 上·下 鼻側동맥이 된다. 망막의 외측 ⅓은 맥락모세혈관의 공급을 받고 중심와도 이곳에서 공급이 되며 내측 ⅔는 망막중심동맥에서 공급을 받는다. [그림 1-1-35,36]

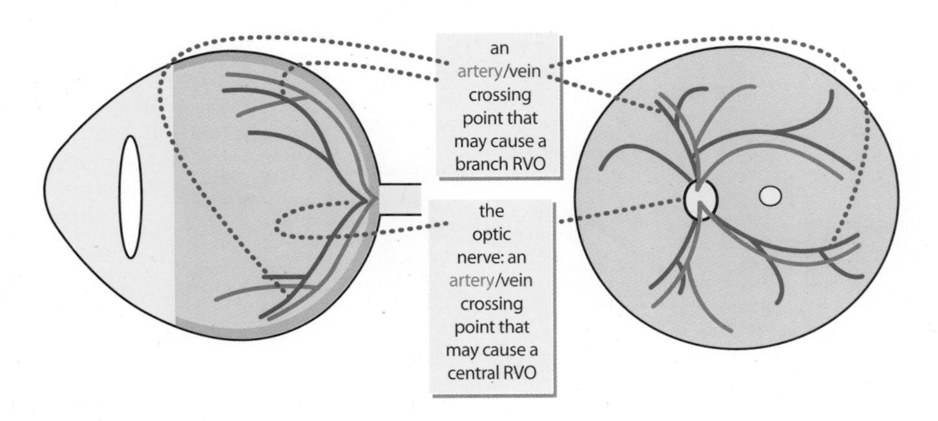

그림 1-1-35 망막의 동정맥

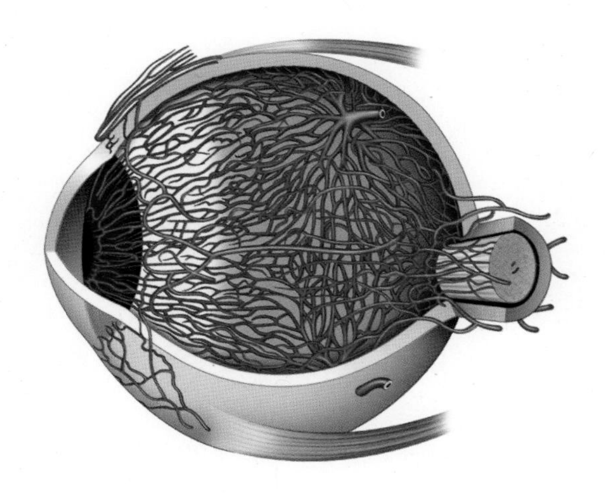

그림 1-1-36 망막의 혈액 공급

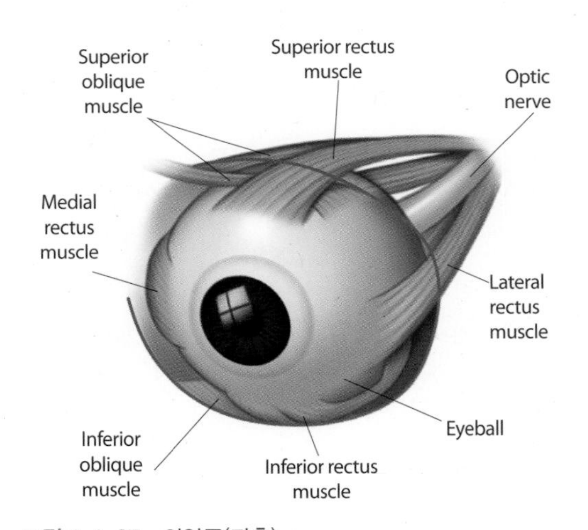

그림 1-1-37 외안근(좌측)

4. 외안근

외안근은 안와 내에서 공막에 부착되어 안구를 운동시키는 근육으로, 4개의 직근(直筋)과 2개의 사근(斜筋)으로 이루어져 있다. [그림 1-1-37]

4개의 직근은 각각 상·하·내·외직근으로 모두 안와의 시신경공 주위에 있는 4개의 직근의 건으로 구성된 총건륜에서 시작한다. 상직근은 총건륜 상부에서 시작하여 근육과 시축이 23도를 이루며 상안검거근 아래에서 외상방으로 진행하여 안구 상부의 각막윤부에서 8 mm 떨어진 공막에 부착되고 안구를 상전 및 내전시킨다. 하직근은 총건륜 하부에서 시작하여 근육과 시축이 23도를 이루며 외하방으로 진행하여 안구 하부의 각막윤부에서 6 mm 떨어진 공막에 부착되고 안구를 하전 및 내전시킨다. 내직근은 총건륜의 鼻側에서 시작하여 안구 내측의 각막윤부에서 5 mm 떨어진 공막에 부착되고 안구를 내전시킨다. 외직근은 총건륜의 耳側에서 시작되어 안구 외측의 각막윤부에서 7 mm 떨어진 공막에 부착되고 안구를 외전시킨다.

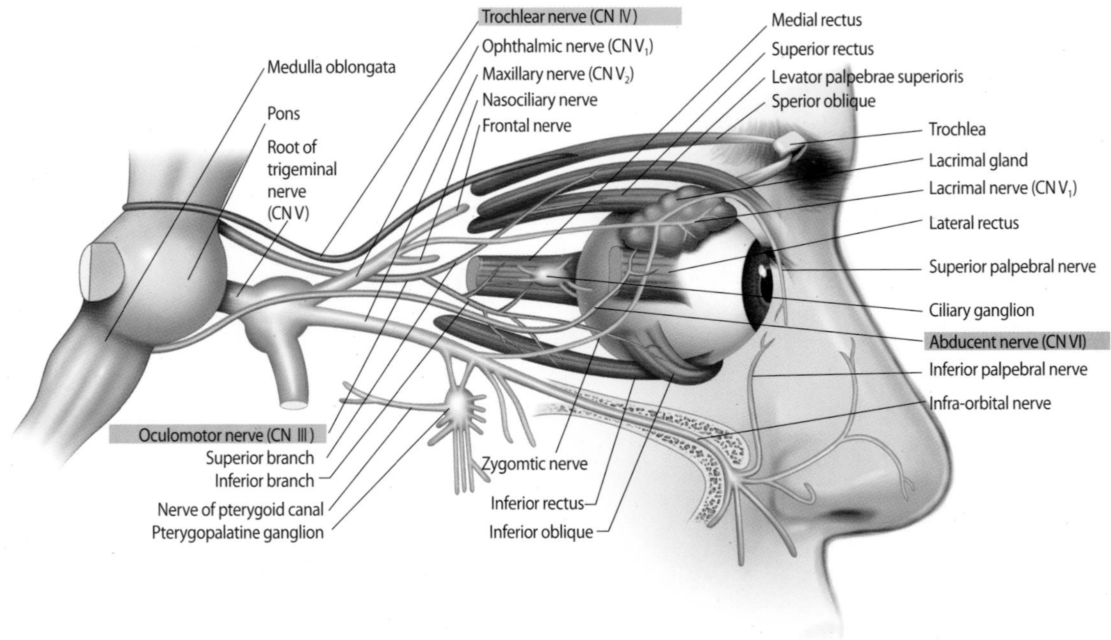

그림 1-1-38 외안근과 신경

2개의 사근은 각각 상·하사근으로 모두 작용방향이 시축과 51도를 이룬다. 상사근은 안와첨의 시신경공 내측에서 시작되어 안와의 상벽과 내벽 사이를 진행하여 안와연 부근의 활차(trochlea)를 통과한 후 후외방으로 꺾여서 상직근 밑을 지나 안구 적도부 후방에 이르러 안구 上外側 공막에 부착되며 외안근 중에서 가장 길고 안구를 주로 내선시키며 하전과 외전에 관여한다. 하사근은 안와 하벽 전내측에 있는 누낭의 외하측에서 시작하여 후외방으로 하직근 밑을 지나서 안구 후부의 외직근 밑에 부착되고 안구를 주로 외선시키며 상전과 외전에 관여한다[그림 1-1-37].

이들 6개의 근육은 3개의 뇌신경에 의해 조절되는데, 상사근은 활차신경의, 외직근은 외전신경의, 나머지 4개의 근육은 모두 동안신경의 지배를 받는다. 이외 상안검은 안검 피부를 안와연에 연결시키는 상안검거근에 의해 열리고 또 상·하안검은 안륜근의 수축에 의해 닫힌다. [그림 1-1-38]

안구는 6개의 외안근에 의해서 움직이는데, 정상적으로 이들의 작용은 민감하게 조정됨으로써 각각의 안구는 같은 물체를 바라본다. 눈이 직선방향으로 앞쪽을 향하게 되는 것을 제일안위(primary position)라 하고, 상·하·내·외측을 바라볼 때를 제이안위(secondary position), 사선으로 바라볼 때를 제삼안위(tertiary position)라 한다. [그림 1-1-39]

5. 혈관

안구의 혈액공급은 2개 계통으로 구분되는데, 망막중심혈관 계통과 모양체혈관 계통으로 나뉜다.

1) 망막중심혈관 계통

안동맥의 안와 내 분지인 망막중심동맥이 안구 후

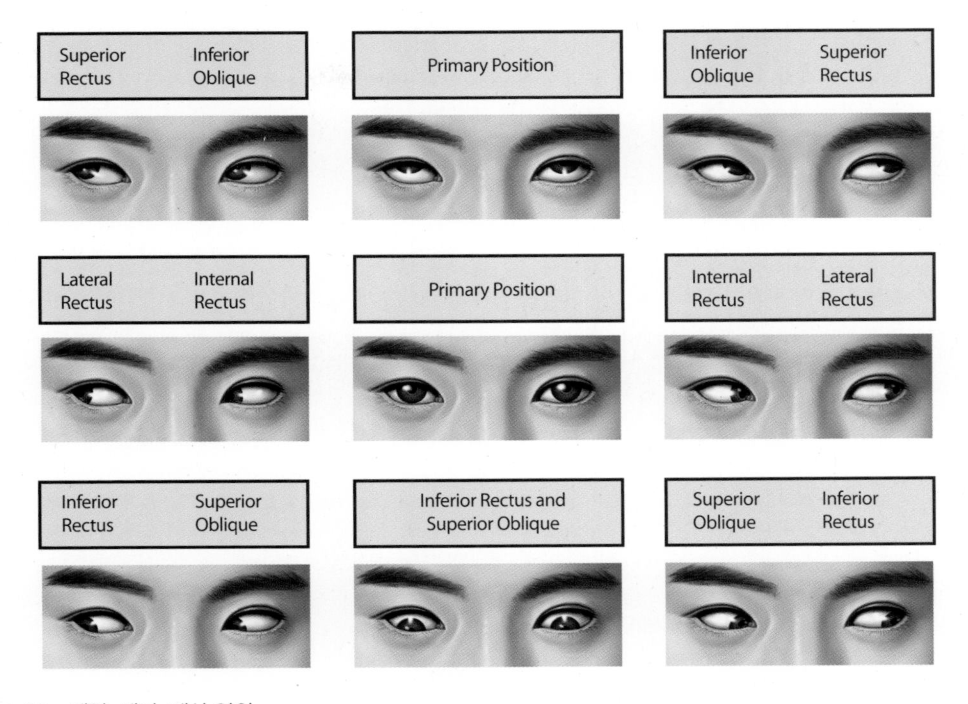

그림 1-1-39 제일, 제이, 제삼 안위

면 7~12 mm 부위에서 내하방 또는 하방을 따라 시신경중앙으로 들어와, 시신경유두의 중앙에서 상·하로 분지된다. 그리고 다시 내·외로 분지하여 상·하 耳側동맥, 상·하 鼻側동맥이 되어 망막내 5층 조직에 영양을 공급하나 황반 중앙부에는 무혈관 조직으로 되어 있다. 이들 동맥은 모세혈관망을 통해 다시 동맥과 같은 명칭의 4개 정맥으로 이행하였다가 上眼정맥을 경유하거나 직접 해면정맥동으로 유입된다.

망막중심혈관은 인체에서 유일하게 검안경을 사용해서 직접 관찰할 수 있는 혈관이다. 안저 검사를 통해 망막 병변 시 혈관의 손상 정도를 파악할 수 있을 뿐만 아니라 전신 혈관성 질병의 상태, 예를 들면 고혈압, 동맥경화, 당뇨병, 腎病 등을 살펴볼 수도 있어 임상 진단과 병정의 판정에 도움을 준다. [그림 1-1-40]

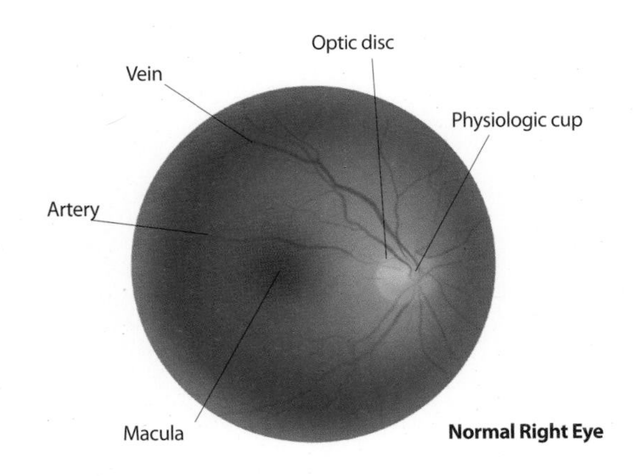

그림 1-1-40 망막중심혈관 계통

2) 모양체혈관 계통

전모양체동맥, 장후모양체동맥, 단후모양체동맥으로 구성된다. 전모양체동맥은 안동맥 중 4개의 직근에 분포하는 근육동맥에서 유래된다. 筋腱이 끝나는 부위에서 나온 분지가 표층의 공막과 공막실질 내로 주행하게 되는데 이는 다시 공막 위로 주행하는 것과 공막 내로 주행하는 분지로 나뉜다. 공막위로 주행하는 분지는 전방으로 향하여 각막연에 각막연 혈관망을 형성하면서 다시 작은 분지가 나와 구결막에 이르러 전결막동맥이 되며 안검의 후결막동맥과 문합하게 된다. 공막 내로 주행하는 분지는 공막을 뚫고 들어가 schlemm관 주위에서 끝나게 된다. 다른 한 분지는 각막연 후방 3~5 mm에서 수직으로 공막을 통과하고 모양체에 도달하여 대홍채동맥륜을 형성한다. 장후모양체동맥은 2支로 시신경 양측에서 비스듬히 공막을 뚫고 들어가 맥락막상의 공간에서 직접 모양체에 도달하며 전모양체동맥과 문합하여 대홍채동맥륜을 형성하고 여기서 다시 작은 가지를 전방으로 내어 동공연 근처에서 소홍채동맥륜을 형성한다. 단후모양체동맥은 鼻側과 耳側으로 크게 양분되었다가 다시 2~5개의 작은 분지로 나뉘어 시신경주위에서 공막으로 들어가 맥락막내까지 분지를 내어 직접 모세혈관에 이르게 되어 각 구역을 담당하게 되는데 맥락막과 망막외층에 영양을 공급한다. [그림 1-1-41(그림 1-1-17과 동일)]

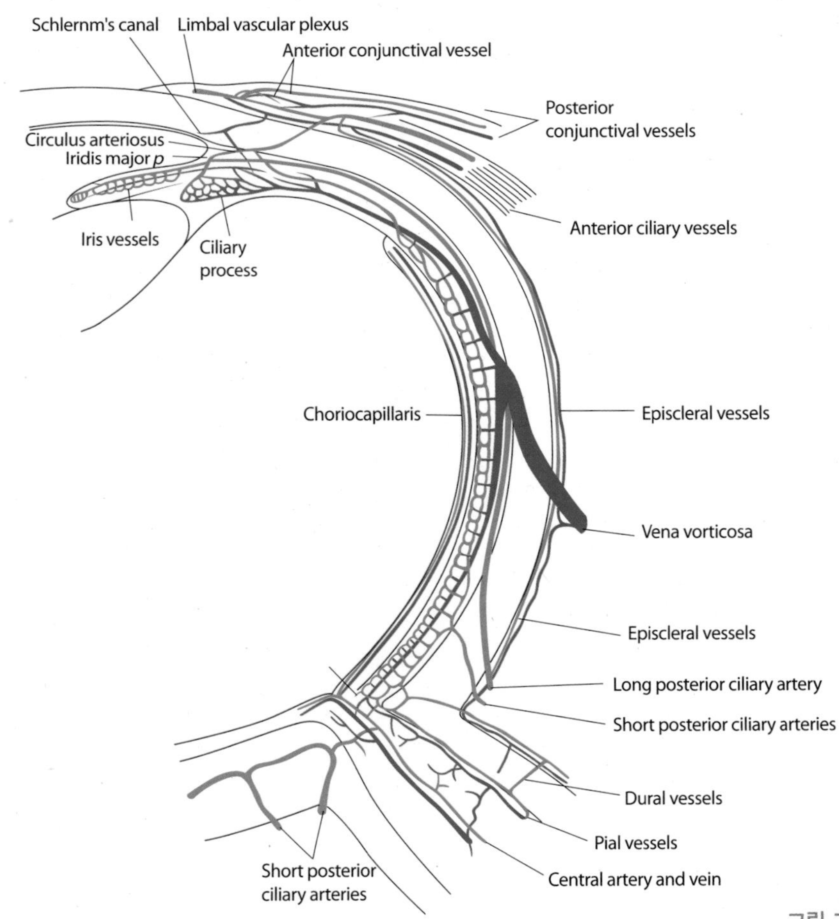

그림 그림 1-1-41 공막의 혈액공급

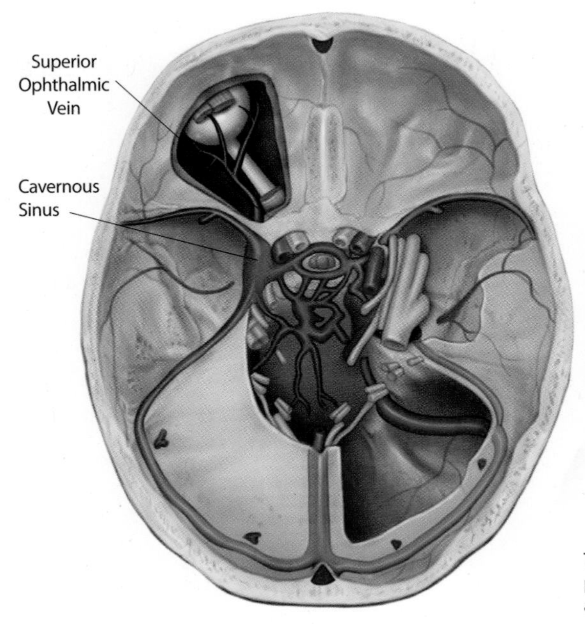

Internal Carotid
Artery
Optic Chiasm
III
IV
VI
V1
V2

The yellow line crossing over the hypophyseal fossa indicates the plane of section of the image above. It shows the cavernous sinus and its contents.

그림 1-1-42 뇌신경과 해면정맥동

맥락막과 일부의 홍채, 모양체의 정맥이 모여 4~6개의 渦靜脈을 형성하고 안구 적도부 후방의 4개 직근 사이에서 비스듬히 공막을 뚫고 나와 상·하 안정맥을 경유하여 해면정맥동으로 유입된다. 이외에 일부의 홍채, 모양체, 공막에 있던 혈액은 전모양체정맥으로 모여 상·하 안정맥을 경유하여 안와 상열의 해면정맥동으로 대부분 주입되고 일부는 안와하열의 안면정맥 등을 지나 외경동맥으로 유입된다. [그림 1-1-42]

6. 시신경 및 시로

1) 시신경

시신경은 망막의 신경절세포에서 나온 약 100만 개의 축삭(axon)으로 구성된 신경줄기로 이들은 안구 후극부 위쪽 약 3 mm 鼻側으로 있는 시신경유두에 모인 후 사상판을 지나 안구를 나온다. 시신경유두에서 시신경교차부전까지를 시신경이라 하며 전체 길이는 42~50 mm 정도이다. 시신경은 안내부, 안

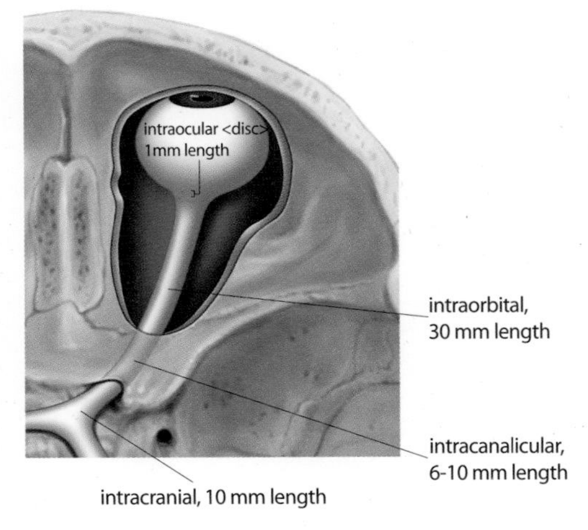

그림 1-1-43 시신경의 4부분

와 내부, 시신경관내부, 두개강 내부의 4부분으로 구분할 수 있다. [그림 1-1-43]

안내부는 시신경유두에서 시작하여 신경섬유가 모여 공막의 사상판을 통과하는 부위까지로 길이는 약 1 mm 정도이며, 사상판 이전의 신경섬유에는 수초가 없고 사상판 이후에는 수초로 쌓여 있는데, 사상판 이전의 신경에 수초가 있게 되면 안저상에 백색의 유수신경섬유를 볼 수 있게 된다.

안와 내부는 길이가 약 30 mm로 "S"자형으로 굽어 있어 안구운동에 유리하다.. 시신경의 외면에는 시신경 초막으로 쌓여 있는데 이 초막은 3층의 뇌막에서 유래한다. 따라서 두개강 내 압력이 증가하면 시신경 유두에 수종이 발생하게 되고, 반대로 안와 내 염증도 두개강 내로 쉽게 확산될 수 있으며 시신경섬유가 손상된 후에는 재생할 수 없다.

시신경관내부는 시신경이 두개골을 통과하는 시신경관의 부위로 길이는 6~10 mm이다. 초막과 골막이 긴밀하게 연결되어 시신경을 고정한다.

두개강 내부는 시신경이 시신경관을 통과한 후부터 두개골내로 진입하여 시신경 교차부 전까지의 부위로 약 10 mm 정도이다.

2) 시로

시각적인 정보가 망막의 광감수기에서 시작하여 후두엽의 시각 중추인 시피질에 전달되기까지의 경로를 시로(visual pathway)라 한다. 임상에서는 통상 시신경부터 시작하여 시신경 교차(optic chiasm), 시색(optic tract), 외슬상체(lateral geniculate body), 시방선(optic radiation) 및 후두의 시피질까지의 전도로를 지칭한다. [그림 1-1-44]

양쪽 눈에서 나온 시신경은 두개강 내에서 서로 만나 시신경교차를 형성하는데, 중두개강에서 시상하부 앞쪽 끝 중간에 있으며 제3 뇌실의 전벽을 형성하는 시신경교차(optic chiasm)에서 망막의 鼻側部에서 오는 시신경섬유는 반대쪽 시색으로 교차하

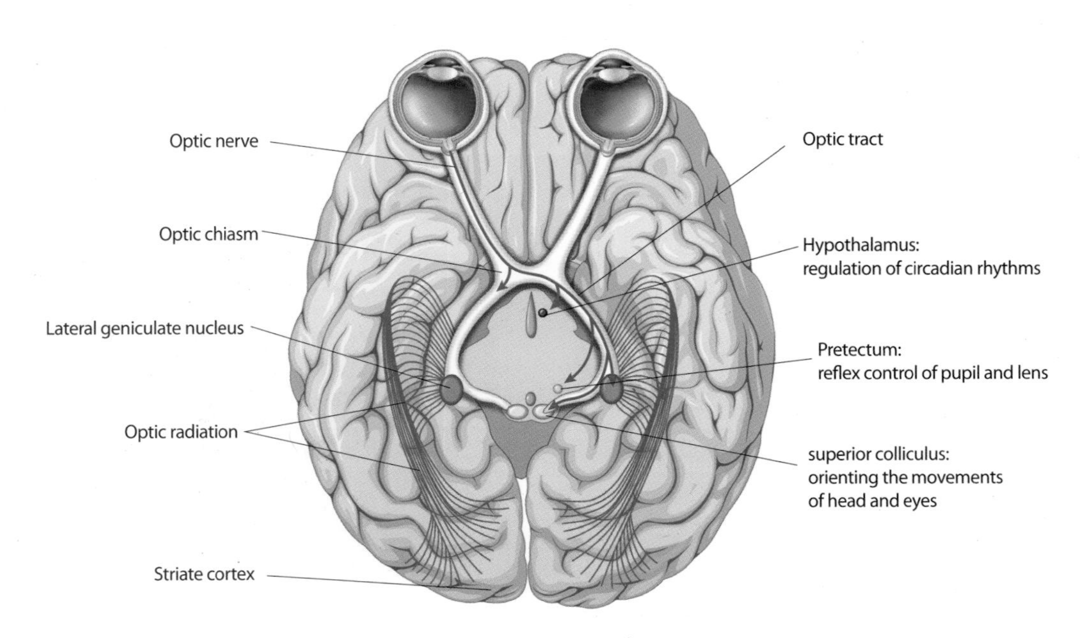

그림 1-1-44 시로

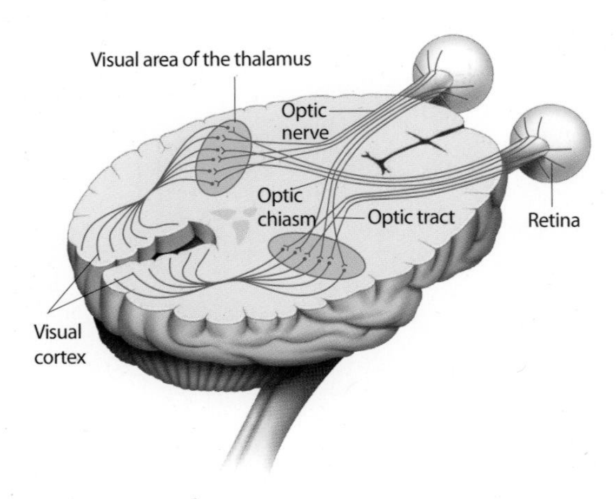

그림 1-1-45 시로

고 망막의 耳側部에서 오는 시신경섬유는 교차하지 않고 동측 시색으로 이행한다. 양측 시색에 도달한 시신경섬유는 후외방으로 주행하여 외슬상체에 이르는데 좌측 시색은 망막의 좌측 섬유의 1/2, 우측 시색은 우측의 1/2을 가지게 된다. 이러한 과정으로 인해 좌측시색은 우측 시야의 1/2, 우측시색은 좌측 시야의 1/2을 가지게 되고 이런 현상이 연속적으로 나타남에 따라 시력이 형성되며 물체를 확인하게 된다. 따라서 신경계통의 어떤 부위에서 병변 혹은 손상이 발생하면 해당되는 시각섬유의 손상도 각각 다르게 되어 특정한 시야이상으로 나타나게 된다. [그림 1-1-45]

눈의 검사

한의학에서 望聞問切은 眼病을 진찰하는 구체적 운용 방법이다. 눈의 특수한 구조 및 생리기능 때문에 눈의 聞診은 임상에서 많이 사용하지는 않고 주로 望診과 問診을 중요시한다. 問診은 안병과 관련이 있는 병력과 자각증상에 관해 주로 묻게 되는데, 눈과 전신의 임상증상도 포괄해야 한다. 切診은 대부분 눈의 증상에 대한 問診, 望診을 시행한 후 실시하여 참고한다.

1. 問診

問診을 통해 환자가 호소하는 증상의 주요 원인, 환자가 제일 고통스러워하는 감각 및 발병시간의 장단을 이해해야 한다. 이를 통해 眼病이 內障 또는 外障에 속하는지, 병의 위치가 어디인지, 어느 臟腑에 속하는지, 氣病 또는 血病인지, 병이 어떤 원인에서 발생하는지, 병의 虛實·表裏·寒熱 등의 정황을 분석해야 한다. 또한 환자가 표현하는 전형적인 증상을 통해 의사는 필요한 검사를 준비해 진행할 수 있어야 한다.

안과에서 問診할 때는 우선 눈에 발생한 주요 증상 및 발병이 시작된 시간, 발병 정황 및 치료 경과를 질문하고 다시 환자의 기왕력, 전신 상태를 이해해야 한다.

1) 眼部 自覺症狀

눈에 나타나는 대표적인 자각 증상은 동통, 눈 가려움, 눈꼽, 눈물, 시력이상, 시각이상 등이다. 이런 자각증상의 성질, 시간, 부위 등을 질문하고 각각의 상태가 심해지는 경우와 좋아지는 경우를 파악한다. 예를 들면 동통의 경우 그 통증의 양상이 刺痛, 澁痛, 隱痛, 脹痛, 灼熱痛, 劇痛이 있는지, 또한 통증이 있어 拒按하는지 喜按하는지의 여부 등을 살피고 동통의 시간이 주간에 심한지 야간에 심한지, 동통이 지속적으로 끊이지 않는지 혹은 時作時止하는지, 독서한 후에 아픈지 아니면 장시간 근거리에서 작업을 하고난 후 아픈지 등을 살핀다. 동통의 부위로는 眼前部에서 동통한지, 眼深部에서 동통한지, 안구를 움직일 때마다 동통한지, 또한 통증이 巓頂, 後項, 前額部 등으로 연결되어 있는지 미릉골통이

있는지 등을 살핀다. 동통과 겸하여 發熱, 惡寒, 眼赤, 惡心嘔吐, 煩躁不安 등이 있는지도 살핀다.

2) 病歷史

발병시간, 지점, 환경, 발병형식, 전조증상, 유발원인 등을 확인한다. 급성으로 발생한 경우는 진료받기 전후를 회고하여 추산하도록 하고 발병시간이 비교적 긴 경우에는 발병이 시작되고 진행된 선후의 순서로 질문한다. 그리고 기존에 받은 검사 결과 및 치료 약물 등을 확인한다. 약물치료를 하고 있다면 약명, 용량, 용법, 효과 및 반응 등을 확인한다. 정신, 음식, 二便, 수면 등, 각 수반증상의 특징 및 主症과의 관계를 상세하게 확인하고 陰性的 증상이나 신체증상과 감별을 요한다.

3) 旣往歷

이전에 이환된 질병의 정황, 예를 들면 급성 전염병, 風土病, 직업병 및 수술, 외상, 중독, 수혈 등의 정황을 확인한다.

4) 個人生活

출생지, 거주지 및 변화된 정황과 거주시간, 거주환경과 생활조건, 음식습관 및 특별히 기호식이 있는지 유무, 직업 정황, 情志狀態 등을 확인한다.

5) 婚姻歷

여자 환자의 경우 經帶胎産의 정황, 결혼 연령, 배우자 및 자녀의 건강 정황을 확인한다.

6) 家族歷

직계 가족 및 환자와 밀접한 관계가 있는 친족의 건강 정황 및 視機能 정황을 확인한다. 안과의 경우 유전성 질환이 많으므로 특히 가족력을 중요시해야 한다.

2. 기본적 검사

1) 外眼部 檢査

外眼部는 안검, 눈썹, 결막, 안구, 공막, 각막 등 외부에서 바라보며 검사할 수 있는 부위를 말하는데, 검사할 때는 건강한 눈을 먼저 검진하고, 환측 눈을 나중에 시행하며 視機能은 일반적인 검사 후 기계를 이용한 정밀검사를 시행한다. 더불어 눈을 독립된 기관으로만 생각할 것이 아니라, 전신과 관련시켜서 관찰하면 전신건강 상태에 대하여 상당히 많은 정보를 얻을 수 있다.

(1) 안검과 안검열

안검 피부의 색, 윤기를 관찰하고 부종이나 국소적인 종창, 피진, 미란, 삼출물 등의 여부를 검사한다. 또한 안검의 정상적인 위치 및 운동을 살피는데, 정상인 눈에서 상안검은 12시 방향의 각막을 2~3 mm 덮으며, 하안검은 각막의 하연에 바로 걸려 있든지 혹은 그보다 약간 아래에 있어야 한다. 만일 상안검이 아래쪽으로 쳐져 있으면 안검하수증(ptosis)을 의심하는데, 이는 근무력증, 동안신경의 손상, 또는 안검의 평활근 탄력성을 유지하는 경부교감신경 장애인 Horner증후군과 감별해야 한다. 안검하수는 편안에 있을 때에는 쉽게 발견되나, 경도의 안검하수가 있거나 양안에 심하지 않게 있을 경우는 그냥 지나치기 쉽다. 특히 양측에 안검하수가 있는 환자는 종종 처져 있는 안검 아래로 보기 위해 이마에 주름살을 짓는다든지 머리를 뒤로 기울이는 현상을 보인다. 이외 근육이완과 조직이완으로 일어나는 노인성 안검하수도 있다. 또한 각막의 노출이 심하거나 눈을 아래로 향할 때 안검이 잘 따라 내려오지 못하면 안검내림지연(lid lag), Graves병을 의심해야 한다. 노인에서 안와격막이 약해져 과도한 지방이 안검과 근막을 앞쪽으로 밀어 하안검이 돌출되는 안검탈장(herniated fat)현상도 보인다.

(2) 睫毛와 眼瞼緣

불을 비추고 환자의 옆에서 첩모의 방향을 관찰하여 안검의 內反, 外反 및 睫毛亂生을 확인한다. 안검내반은 안검이 內反되어 결막과 하각막을 자극하므로 눈을 자주 껌벅이게 된다. 특히 소아에서 눈을 자주 비비고 눈물이 나고 눈곱이 끼면 안검내반을 먼저 의심한다. 안검외반은 안구 자극증상은 없으나 淚點이 밖으로 노출되어 있는 경우도 있으며, 첩모에 노란색의 인설이 끼어 있고 첩모가 빠져 있으면서 주변 상하안검이 발적, 동통이 있으면 안검염을 의심해야 한다. 만성적인 염증에서는 모낭이 파괴되어 첩모가 많이 빠지는 경우가 많다.

(3) 眼球의 位置

안구의 크기에 주의하여 돌출 혹은 내함의 여부, 위치가 기울었는지의 여부 등을 확인한다. 환자의 머리를 고정한 다음 안구를 각각의 방향으로 주시하게 하여 안구의 운동이 자연스러운지 살핀다. 정상안에서는 외전 시 각막의 외측연이 외안각에 이르게 되고 내전 시 각막의 내측연과 상하눈물소관이 일직선을 이루게 된다. 안구의 돌출 여부는 안구돌출계를 사용하여 측정하는데 좌우의 차이가 2 mm를 넘으면 병적인 것으로 간주한다. 일반적으로는 환자의 옆에 서서 좌우 차가 있는지를 살피고 차이가 있다면 환자 머리 위에 서서 상안검을 조심스럽게 밀어 돌출 정도를 관찰한다. 안검열이 넓어 흰자위가 많이 드러나는 사람은 실제보다도 안구가 돌출되어 보인다. 갑상선 기능증과 같은 내분비 질환에서는 상안검의 선택적 견축(selective retraction)으로 인한 돌출이 자주 보이고, 안와 염증이나 종양에서는 안구의 하부를 노출시키거나 혹은 하안검을 긴축시켜서 안구 돌출을 유발하게 된다. 대개 안구의 돌출이 양측에 있으면 갑상선 기능항진증이고, 편측에 있으면 안와염증 및 종양으로 보며, 고도근시에서도 확대된 눈이 안구돌출의 인상을 주는데 특히 편측 안에 국한되어 있을 때 더욱 현저하게 나타난다. 이외 경동맥 해면정맥동류(carotid cavernous fistula) 등과 같은 안와의 울혈도 안구를 전방으로 변위시킬 뿐만 아니라 결막혈관의 확장, 부종을 동반하게 되어 안구돌출의 형태를 띠게 된다. 안구의 함몰은 선천적인 안검폐쇄, 안와벽 골절과 같은 외상 등으로 안와열이 좁아져서 나타난다.

(4) 眼瞼의 結膜

안검을 뒤집어 검결막을 관찰한다. 상안검의 결막을 뒤집는 방법은 크게 한손 뒤집기와 양손 뒤집기로 구분된다. 한손 뒤집기는 환자의 시선을 아래로 향하게 한 후 검사자의 엄지손가락을 상안검 안검연의 중앙 근처에 대고 집게손가락으로 상안검 중앙의 눈썹 아래 함요처에 댄 후 양 손가락사이의 피부를 전하방으로 당기듯 가볍게 들어 올린 연후에 집게손가락은 검판 상단 가장자리를 가볍게 누르면서 엄지손가락은 상안검연을 위로 뒤집어 올리면 상안검이 뒤집히면서 상안검 결막이 노출된다. 양손 뒤집기는 엄지와 집게손가락으로 상안검연 부위의 피부를 잡아 앞으로 가볍게 잡아들어 올리면서 뒤집으면서 다른 손으로 면봉이나 유리막대를 잡아

상안검판의 상연에 대고 아래를 향해 압박하면 상안검이 뒤집히게 된다. 이때 검결막상의 이물, 부종, 충혈, 결절 등을 관찰한다. [그림 1-2-1]

하안검의 결막을 뒤집는 방법은 환자의 시선을 위로 쳐다보도록 한 후, 검사자가 양측 엄지손가락으로 환자의 하안검에 대고 가볍게 아래로 당겨 하안검의 결막을 노출시킨다. 대개 안검 후면을 덮고 있는 결막은 연한 핑크색이고 매끈한 검판이 부착되어 있으며 검판에 수직으로 보이는 선상의 황색인 마이봄선이 결막을 통해 보이고 또한 결막 결석, 결막 이물 등이 보이기도 한다. 하안검의 결막은 상안검에 비해 진한 적색으로 보인다. 짜이스선과 첩모 부근의 여포는 지루나 결막 이물에 의해 쉽게 막혀 감염이 되어 발적과 동통을 일으키는 맥립종(hordeolum)이 발생된다. 산립종(chalazion)은 검판의 마이봄선이 폐색되어 일어나나 염증이나 동통을 일으키는 경우는 드물고 검결막이 융기되어 보인다.

(5) 眼球의 結膜

구결막을 관찰한다. 구결막은 노출된 공막을 덮고 있으며 청백색으로 각막윤부와 붙어 있다. 엄지와 집게손가락으로 상안검 혹은 하안검을 가볍게 위 또는 아래로 잡아당기면서 안구를 상하좌우로 움직이게 하면 구결막이 노출되는데, 주로 충혈, 이물, 파열, 결절, 종창, 소포진 등이 있는지 살피게 된다. 특히 충혈이 미만성 충혈인지 국한성 충혈인지, 홍적색을 띠는지 은은한 담홍색을 띠는지, 각막에서 멀어질수록 분명해지는지, 흑정을 홍적색이 둥글게 감싸고 있는지의 여부를 관찰해야 한다. 공막결막연에는 흔히 투명한 구결막을 통해 보통 몇 개 정도의 굵은 상공막정맥이 보일 수가 있는데, 이는 결막충혈이 아니라 모양체 및 홍채에 혈액공급을 하고 있는 혈관 분지의 연장이다. 공막은 흰색으로 보이나 황달 혹은 특수한 질환이 있으면 착색이 되어 보인다. 구결막의 충혈은 크게 결막충혈과 모양충혈로 나뉜

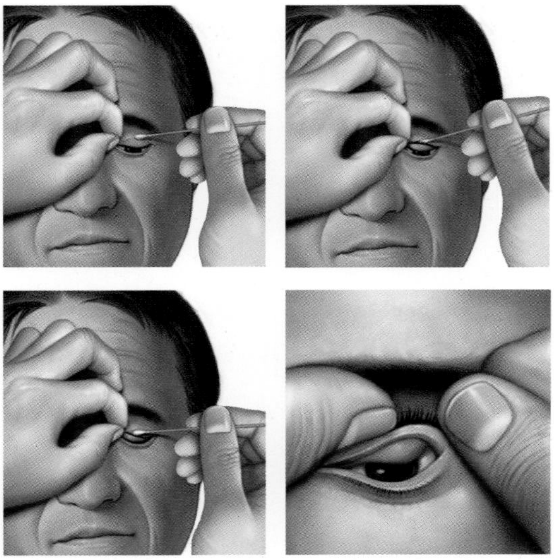

그림 1-2-1 안검뒤집기

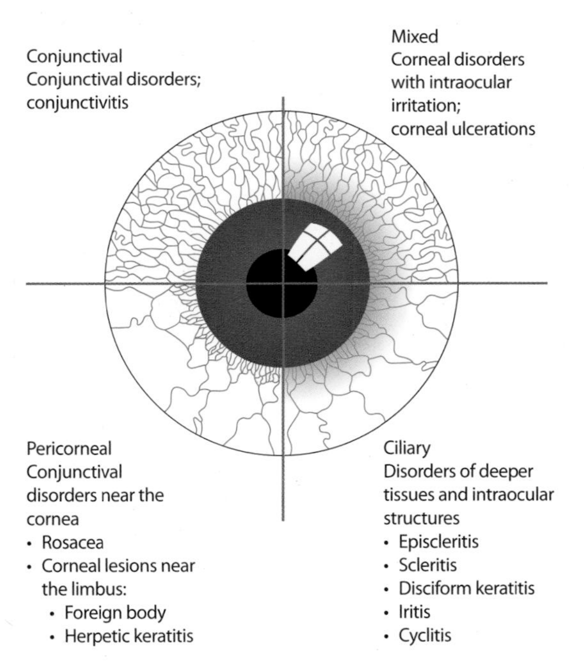

그림 1-2-2 결막충혈과 모양충혈

다. 결막충혈(conjunctival injection)은 감염으로 인한 결막내의 표재혈관 울혈로 생기는데 결막의 주변부, 즉 결막낭 쪽으로 갈수록 더 심하며 심할 경우에는 안구 전체가 빨갛게 되고 점상출혈도 보이나 각막윤부 또는 홍채에서의 충혈은 적다. 이와 반대로 모양충혈(ciliary injection)은 주로 홍채모양체염, 내안구염, 녹내장 등과 같은 안구내의 울혈상태로 인한 각막윤부 혹은 홍채의 적청색 충혈을 말하는데 각막윤부에서 가장 심하고 결막 주변부보다 심층의 혈관이 더 충혈되어 있다. 이외에 유행성 각결막염은 결막과 각막에 함께 염증이 발생하므로 이 두 가지 유형의 충혈이 모두 나타난다. [그림 1-2-2]

(6) 角膜

각막전면은 매끈하고 고르며 윤기가 있어 거울같이 반짝이는 혈관이 없는 투명한 조직이므로 각막의 크기 및 투명정도, 광택, 표면이 광활한지, 지각이 정상인지의 여부를 관찰해야 하고, 아울러 회백색의 혼탁과 혈관의 침입 여부에 주의해야 한다. 검사 시에는 환자를 앉게 한 후 검사자는 작은 손전등으로 불빛을 비스듬히 각막의 여러 방향으로 비추면서 검사하는데, 아주 작은 각막의 홈이나 궤양 등을 쉽게 발견할 수 있고 만일 투명함을 잃고 젖빛 유리같이 흐려 보이면 각막부종을 생각할 수 있다. 각막은 3차신경의 제1지에서 갈라진 비모양체신경(nasociliary nerve)이 지배하기 때문에 조그마한 자극에도 매우 예민하게 반응한다. 각막지각검사는 면봉의 솜에서 가는 면사를 추출해 환자의 외안각에서 진입하여 각막 표면 위에 살짝 대는 것으로, 이때 즉각적으로 눈을 깜빡이게 되는 것이 정상이다. 만일 지각이 둔화되어 있으면 단순포진, 대상포진, 아데노바이러스에 의한 각막질환이나 각막의 변성으로 둔화된 것이며 소뇌교각종양의 한 증상에서 발생되기도 한다. 성인의 각막은 보통 종경이 11 mm, 횡경이 12 mm 정도인데 이것보다 작은 각막은 소각막증을, 지름이 12 mm 이상이면 선천성 녹내장이나 거대각막을 의심한다. 또한 외상, 각막궤양, 열상 등으로 눈을 뜨기 힘든 경우에는 페이퍼 클립이나 개검기를 사용해야 하며 특히 안구 파열의 위험이 있을 때에는 안구를 압박하는 조작은 절대로 피해야 한다. 각막검사는 검안경을 통하면 더 자세히 볼 수 있다. 대개 각막 질환 후에는 표층이나 실질에 부종, 색소침착, 혼탁 등과 심할 경우 반흔 또는 궤양도 관찰할 수 있다. 이외에 노인성 각막환(arcus senilis)은 중년 이후에 각막의 주변부에 백색 내지는 황백색의 변색이 생기는 것으로 지방의 과다 침착으로 발생하고 젊은 사람의 경우에는 과단백증에서 발생된다. 각막을 통하여 볼 수 있는 백내장은 주로 동공 심층에서 생기는데, 주변에는 검은 색을 띠나 중심은 회색빛을 띠고 있는 중심성 백내장(nuclear cataract)과 색은 중심성 백내장과 비슷하나 동공 내측이 바퀴살 모양처럼 보이는 주변성 백내장(cortical cataract)으로 구분된다.

(7) 瞬目

눈의 깜박거림을 관찰한다. 먼저 동시성에 특히 주의하면서 불수의적인 순목반사(blink reflex)를 관찰한다. 순목의 빈도가 증가되는 경우는 크게 양측성과 일측성으로 나뉘는데, 양측성 순목의 증가는 주로 신경쇠약증이나 콘택트렌즈를 착용하는 경우에 나타나고, 일측성 순목의 증가는 눈의 찰과상이나 이물로 초래되는 물리적 자극에서 많이 나타난다. 순목의 감소는 흔히 각막의 감수성 둔화로 나타나는데, 이는 주로 삼차신경 제1지의 장애와 관련이 있다. 이외 백내장 적출과 같은 여러 종류의 안내 수술 시, 외상 후 반흔, 광범위한 염증성 질환 또는 단순포진, 대상포진 등에서도 기인되기도 한다. 각막

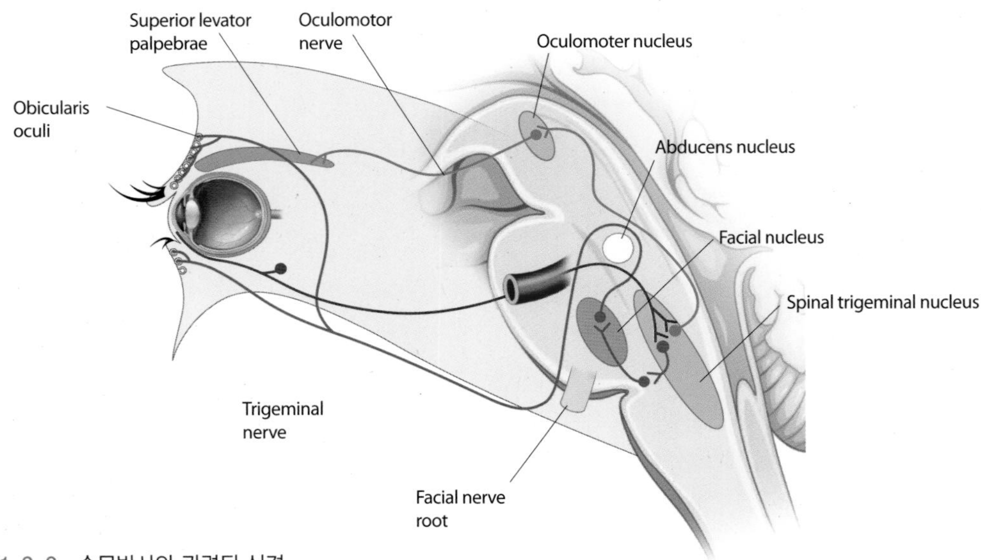

그림 1-2-3 순목반사와 관련된 신경

의 감각은 정상인데도 단안의 순목이 감소되는 경우는 안면신경장애에서 볼 수 있고 양안의 순목이 감소되는 경우는 전신마취에서 나타나며 또한 쇼크로 인한 무의식 상태에서는 종종 눈을 뜬 채 순목을 하지 않는 경우도 있다. [그림 1-2-3]

2) 視力檢査

시력(visual acuity)은 물체의 존재 및 그 형태를 인식하는 눈의 가장 본질적인 기능으로, 눈의 기능상태를 가장 단적으로 파악할 수 있는데 이는 여러 가지 작용이 복합된 종합감각이다.

시력은 물체의 상이 망막의 중심와에 맺어질 때 가장 예민해지므로 이를 중심시력이라 하고 망막 주변으로 갈수록 시력이 저하되는데 이를 주변시력이라 한다. 중심시력은 주로 중심와의 자극에 의해 나타나며 형태인지, 인식, 색상주시 등을 보조한다.

중심시력 장애는 크게 盲 또는 失明과 弱視(amblyopia)로 분류한다. 盲은 좁은 의미로는 시력이 0 인 경우를 말하나 넓은 의미로는 그 시력의 한계가 일정치 못하고 경제적, 사회적, 교육적인 생활을 하지 못하는 상태를 말한다. 弱視는 타각적으로는 특별한 원인이 발견되지 않는 편안, 또는 양안의 시력 감퇴를 말하며 그 한계도 일정치 못한데, 종류로는 크게 사시 약시, 굴절부등 약시, 폐용성 약시 외에 히스테리성 약시, 중독성 약시, 일과성 흑내장 등이 있다. 사시 약시는 사시로 편위된 눈에서 억제가 되어 나타나는데 조기 발견이 중요하고, 굴절부등 약시는 양안의 굴절상태가 서로 다른 경우 시력이 저하된 눈에서 발생하며, 폐용성 약시는 어릴 때 안검하수, 외상백내장이나 눈병으로 안대를 장기간 사용한 경우 나타난다. 히스테리성 약시는 편측 또는 양측 눈에 특이한 시야 변화가 나타나고, 중독성 약시는 독성 물질로 인하여 신경조직이 변성되거나 비타민B 계통의 결핍으로 발생되며, 일과성 흑내장은 급성으로 발생하였다가 짧은 시간 후에 다시 회복되는 실명 상태로 주로 경동맥 혈관의 일시적인 폐쇄로 인해 발생한다.

중심시력 장애의 원인은 각막, 전방, 동공, 수정체, 유리체 등의 광선 통로에 혼탁 및 각막의 만곡부정과 같은 규칙적인 광선의 굴절 상태가 방해되는 매체의 이상, 망막에서 후두엽에 이르는 시로의 이상(염증, 변성, 출혈, 종창 등), 녹내장과 같은 안압의 이상, 굴절 및 조절이상, 히스테리나 신경증과 같은 기능적 장애로 구분된다.

3) 屈折檢査

굴절이상은 각막과 수정체의 굴절력과 눈의 길이에 의해 결정된다. 보통 굴절력과 눈의 길이는 상호 관련이 있다. 정상안의 길이는 22~27 mm이므로 평행한 빛을 망막 초점에 맞추기 위해 필요한 휴식기 눈의 굴절력은 52~63 디옵터이다.

굴절이상 유무를 판단하는 데는 여러 가지 방법이 있으며 단지 증상만으로 판단하는 것은 극히 어려운 일이다. 또한 굴절검사를 실시하기 전에 상세한 문진과 일반검사를 통하여 시력장애 이외의 다른 주소 유무를 알아내야 하는데, 안 피로를 호소하는 경우 눈의 사용 및 시간과의 관계와 굴절이상이 아닌 외안근장애로 인한 것은 아닌지를 찾아내야 하며, 각막에서 망막에 이르는 매체의 투명도나 기타 안질환 유무도 확인해야 한다. 또한 굴절검사를 위한 조절마비제 투여 후에 녹내장 발작이 일어나는 경우에 대비하여 전방깊이와 안압측정도 필요하다.

대개 굴절이상은 타각적 검사(검안경검사, 망막검영법, 자동굴절검사기, 각막곡률계)로 굴절검사를 측정한 다음 자각적 검사로 시력을 교정하여 이를 확인하는 것이 원칙이다. [그림 1-2-4, 1-2-5]

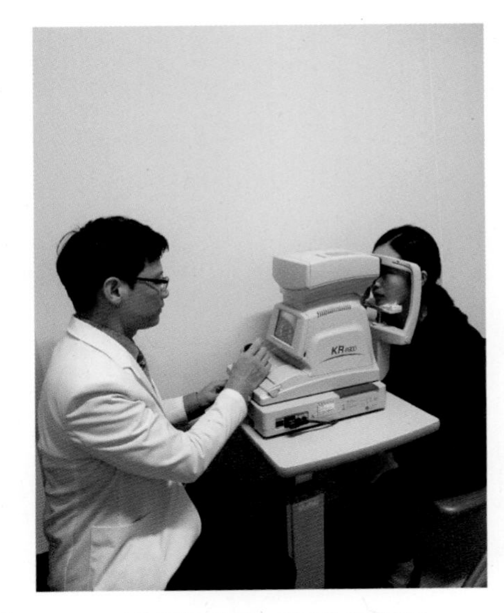
그림 1-2-4 자동굴절검사기를 이용한 굴절검사

그림 1-2-5 검안렌즈를 이용한 자각적 굴절검사

그림 1-2-6 자각적 굴절검사를 위한 검안렌즈 세트

(1) 검안경검사(ophthalmoscopy)

환자와 검사자가 다 정시일 때는 검안경의 렌즈를 통하지 않고도 안저가 잘 보이지만 환자에게 굴절이상이 있는 경우에는 검안경에 있는 굴절이상을 교정하는 렌즈를 통하여야 명확히 관찰이 된다. 이

때 환자와 검사자가 모두 조절하지 않은 상태이어야 하므로 검사자의 조절이상을 교정해야 한다. 보통 정시인 환자를 검사할 때 -3~-5D의 렌즈를 삽입해야 잘 보이게 된다. 따라서 검사자는 정시의 안저를 명확히 보는데 필요한 자신의 검안경 도수를 미리 결정한 다음 이 렌즈도를 기준하여 굴절이상을 산출해야 한다.

(2) 망막검영법(retinoscopy, shadow test)

가장 정확하고 정밀한 방법으로 평면반사 거울로 광원에서 나오는 광선을 반사시키거나 또는 광원을 내장한 망막검영기를 사용하여 눈 속에 광선을 넣어 측정한다.

(3) 각막곡률계(keratometer)

각막중심 2.5 mm 직경부 표면의 만곡반경을 측정하는 방법으로 각막난시를 측정하여 콘택트렌즈를 처방하는데 이용된다.

(4) 자각적 검사

객관적 검사법에 의해 굴절상태가 측정되면 이를 기준으로 검안렌즈세트의 렌즈를 사용하여 가장 좋은 시력을 얻을 수 있는 렌즈를 결정한다. 먼저 한쪽 눈을 가리고 좌우안의 단안교정을 한 후 양안을 뜨고 다시 교정한다. 근시는 약한 오목렌즈로부터 시작하여 정상시력을 얻는 오목렌즈 중 가장 약한 렌즈를 처방하고, 원시는 약한 볼록렌즈로부터 시작하여 좋은 시력을 얻는 볼록렌즈 중 가장 약한 렌즈로 결정한다.

4) 瞳孔反射(pupillary light reflex)

환자의 눈에 산동제나 축동제를 점안하기 전에 미리 검사하여야 한다. 동공의 크기는 교감신경계 지배의 동공산대근과 부교감신경계 지배의 동공괄약근의 상호작용에 의해서 조절되고 있다. 동공의 정상 크기는 2~4 mm로, 2 mm 이하를 축동(miosis), 4 mm보다 큰 것을 산동(mydriasis), 좌우 동공의 크기가 병적으로 차이가 나는 것을 동공부등(anisocoria)이라 하는데, 대개 0.5 mm 정도 차이가 나는 것을 생리적 동공부등이라 하나 임상적으로 큰 의의는 없다. 또한 동공의 크기는 생리적으로도 변화가 되어 신생아기에는 동공이 작고 성장함에 따라 청년기까지 커졌다가 다시 60세까지 연령의 증가와 더불어 차차 작아지게 된다.

검사 방법은 방안을 어둡게 한 뒤 환자에게 먼 곳을 주시하게 한다. 환자의 눈과 60~90 cm 떨어진 거리에서 전등불을 비추어 동공의 수축상태를 관찰하는데 정상적인 동공의 모양은 둥글고 크기가 같다. 광선을 동공에 비추면 즉시 축소가 되는데 이것을 직접대광반사(direct light reflex)라 하고, 반대쪽 눈에 광선을 비추면 역시 동공이 축소가 되는데 이것을 간접대광반사(indirect light reflex)라 한다. 또한 빛 자극에 의해 생리적인 축동(physiological miosis)이 일어나면서 빛 자극을 받지 않은 동공에서도 축동이 생기는 것을 교감 대광반사라 한다.

한쪽 눈에 불을 비추었다가 반대쪽 눈을 비출 경우에 반대쪽의 동공이 산대되는 것을 구심성 동공장애(afferent pupillary defect)라고 하는데 이는 동공이 산대된 눈의 시신경 기능이 저하되어 나타난다.

5) 眼球運動

거의 모든 안구운동은 불수의적인 반사에 의해서 조절되고 때때로 수의적 조절을 받는다.

검사방법은 환자를 앉게 한 후 앞에서 연필의 움직임에 따라 안구를 움직이도록 하는데, 먼저 먼 곳을 보도록 하여 개산을 살피고 환자의 코 앞 50~90

mm 거리에서 멈춘 후 안구의 輻輳를 관찰한다. 또한 안진(nystagmus)이 있다면 안진의 방향 및 안진의 폭이 가장 적어지는 정지점이 있는가를 관찰한다.

외안근의 기능을 관찰하려면 우측, 좌측, 상우측, 상좌측, 하우측, 하좌측의 6개의 기본방향으로의 눈 운동을 관찰하여 외안근과 이에 해당되는 지배신경의 기능을 보고 만일 움직임에 제한이 있다면 어느 쪽을 볼 때 가장 심한지를 관찰한다. 사시안의 동공이 鼻側에 편위되어 나타나며 건측안을 가리면서 광원을 주시하면 이를 보려고 내측에서 외측으로 안구가 움직이는 것은 내사시이고, 사시안의 동공이 수평으로 耳側에 편위되어 있으며 목표를 주시하려고 할 때 안구가 내측으로 움직이는 것은 외사시이며, 單眼의 동공이 상방에 있어 목표를 주시하려 할 때 하방으로 내려오는 것은 상사시이다. 이들 사시는 크게 마비성과 비마비성으로 구분한다.

마비성 사시는 외안근과 지배하는 신경의 마비로 발생되며 사시안의 편위가 심해 우측이나 좌측을 보려 할 때 안구가 내측 혹은 외측으로 움직이지 않는다.

비마비성 사시는 물체를 보려고 조절을 할 경우에 안구가 내측이나 외측으로 편위가 일어나는데, 특히 피로하거나 장시간에 걸쳐서 물체를 주시한 후에 교대성이나 간헐성으로 나타나게 된다.

6) 세극등검사(slit-lamp examination)

세극등은 특수한 조명 장치와 현미경으로 구성되며 세극광선을 안구에 비치게 되면 각막, 전방, 홍채, 수정체 등이 세극광선에 의해 횡단되어 그 단면을 현미경을 통하여 관찰할 수 있는데, 보통 10배 혹은 16배로 확대 관찰하나 약 40배 정도까지도 확대하여 관찰할 수 있다.

7) 眼壓測定(tonometry)

안구가 구형을 유지하는 것은 안구의 외벽을 구성하고 있는 공막, 각막의 硬度만으로 되는 것이 아니라 안구의 내용물에 의해서 조성되는 압력에 의해서 안구를 팽창시켜 효과적인 광학기로서의 작용을 하게 된다. 안압을 정확히 측정하려면 안압계를 써서 측정해야 하나 손으로 안구를 측정해도 어느 정도는 파악할 수 있다. 손으로 하는 안압측정은 환자의 눈을 감게 하고 상안검 위로 검판 상단위치에 양손의 집게손가락을 놓고 다른 손가락들은 모두 환자의 이마에 올려놓는다. 집게손가락 하나는 움직이지 않고 다른 집게손가락으로 안구를 살짝 압박하여 그 저항의 정도 및 정지된 집게손가락으로 전해 오는 파동의 강약으로 안압을 가늠한다[그림 1-2-7].

정상 안압은 10~21 mmHg 사이로, 지극히 낮을 때는 심한 탈수상태, 안구위축, 망막 박리, 안구 천공상 등을 의심하고 높을 때는 녹내장을 의심해야 한다.

8) 眼底檢査(fundus examination)

산대된 동공을 통하여 안저, 즉 유리체, 망막, 시신경유두, 맥락막 등을 관찰하는 것이다. 안저를 관찰

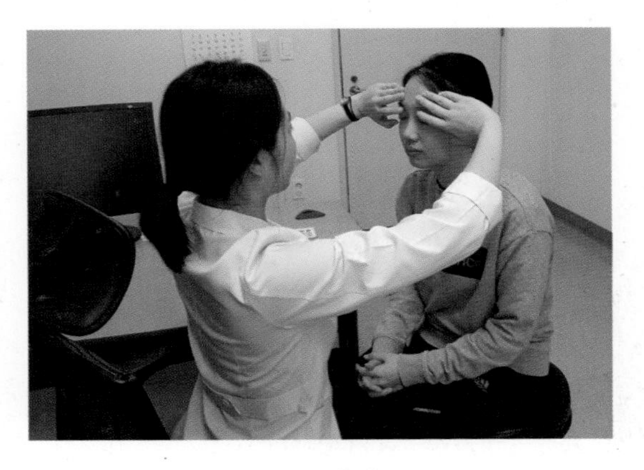

그림 1-2-7 손으로 하는 안압측정

그림 1-2-8 직상검안경

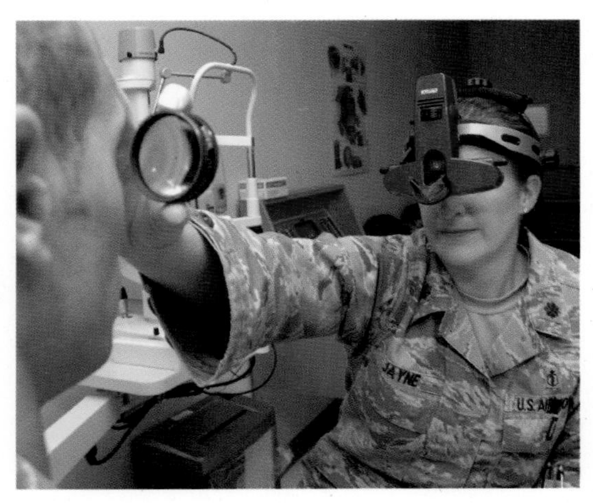

그림 1-2-9 도상검안경

하는 방법으로는 직상검안경, 도상검안경을 이용하는 방법과 특수한 렌즈를 각막에 부착시킨 후에 세극등을 이용하는 방법, 안저카메라를 이용하는 방법이 있다. [그림 1-2-8, 1-2-9, 1-2-10, 1-2-11]

(1) 직상검안경검사(fundus examination)

일반적인 검안경 검사로 직상검안경을 이용하는 검사방법이다. 약 15배 정도 확대된 망막의 직상을 볼 수 있다. [그림 1-2-8]

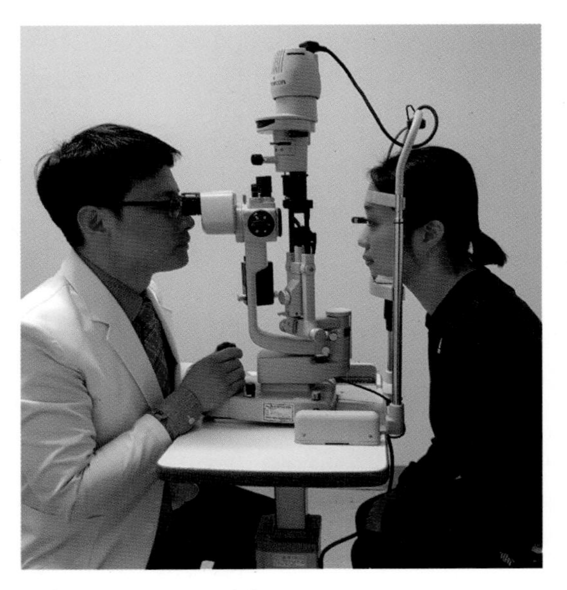

그림 1-2-10 세극등 검사

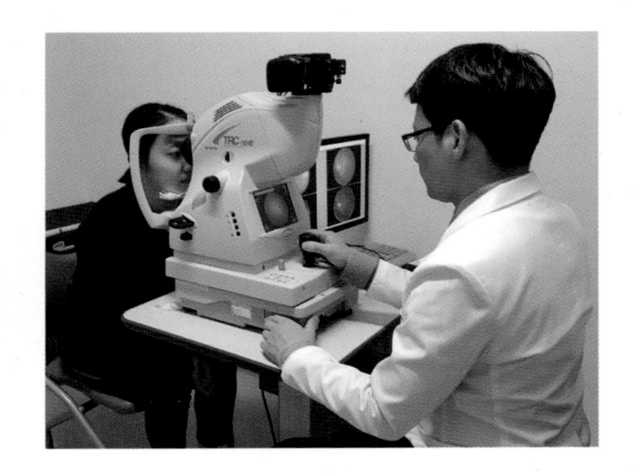

그림 1-2-11 안저카메라를 이용한 안저검사

(2) 도상검안경검사(indirect ophthalmoscopy)

도상검안경을 이용하는 검사방법이다. 약 3~5배 정도의 거꾸로 된 망막상을 관찰할 수 있다. [그림 1-2-9]

(3) 세극등검안법(slit-lamp ophthalmoscopy)

루비렌즈나 삼면경을 각막면에 부착시키고 세극 등

을 이용하여 안저를 관찰하는 검사방법이다. 해상력이 좋고 선명하며 입체시가 가능하여 정확한 안저를 볼 수 있으나 보이는 범위가 좁은 단점이 있다. [그림 1-2-10]

(4) 안저소견(funduscopic finding)

정상 안저의 바탕은 맥락막의 혈류가 비쳐 보여 붉은 색조를 띠는데 망막색소상피와 맥락막 색소의 양에 따라 바탕색이 다르게 보인다. 시신경유두(optic disc)는 약간 세로로 된 난원형으로 지름이 약 1.5 mm 정도이며 유두직경(disc diameter, DD)을 기준하여 다른 것의 거리, 크기 등을 평가하므로 유두의 지름은 표준적인 측정기구로 이용되고 있다. 시신경유두는 노란색을 띤 오렌지색부터 연분홍색으로 윤곽선이 명료하나 鼻側 윤곽선은 약간 흐려져 있고 유두의 중심에서 조금 耳側으로 주변보다 약간 더 흰빛을 띠고 있는 함몰 부분을 생리적 유두함몰(physiologic disc cupping)이라 한다. 정상적인 안저에서 시신경유두의 크기는 변화가 없으나 근시에서는 조금 크게, 원시에서는 조금 작게 보인다. 시신경유두에서 耳側으로 유두 직경의 2배 정도 떨어진 곳에 갈색 타원형의 빛에 가장 민감한 황반부(macula)가 있다. 황반의 중심은 약간 함몰되어 있어 중심와라 하는데 빛에 대한 반사가 강하기 때문에 중심와반사(foveal light reflex)를 일으키므로 갑작스런 밝은 불빛에 피검자가 불편을 느낄 수 있으므로 가급적 마지막으로 검사를 실시한다. 특히 중심와는 중심시력을 나타내는 부위로 매우 중요하며 또한 혈관 분포가 없는 것이 특징이고 葉黃素(xanthophyll)라는 색소가 많이 분포되어 있어 갈색을 띤다. 망막의 혈관은 유두로부터 점차적으로 망막주변부로 분포되며 모양이 다양한데, 크게 세동맥과 정맥으로 나뉜다. 동맥은 망막중심동맥이 시신경유두에서 상하 동맥으로 분지되었다가 다시 이측과 비측으로 갈라져 4개의 주된 줄기를 이루어 上·下 耳側動脈 및 上·下 鼻側動脈으로 불린다. 간혹 이 망막 혈관과 관계없이 유두연의 耳側에서 모양망막동맥이 나타나 황반부쪽으로 분포되기도 한다. 동맥은 정맥보다 비율이 3 : 4 또는 2 : 3으로 더 가늘어 세동맥이라 하며 산소가 충만된 적혈구 때문에 선홍색을 띠고 혈관벽도 정맥보다 두터우며 혈관의 중앙부에는 빛 반사가 뚜렷한 광선반사선이 나타난다. 특히 시신경유두 부위의 세동맥은 혈액으로 가득 차 있고 혈관이 꼬불꼬불해져 있으며 빛 반사가 증가되어 금속성 빛을 띠게 된다. 정맥은 동맥보다 직경이 굵고 색은 더 어두운 자색을 보이며 동맥보다 좀 더 사행하는 경향을 보이고 빛 반사가 없다. [그림 1-2-12]

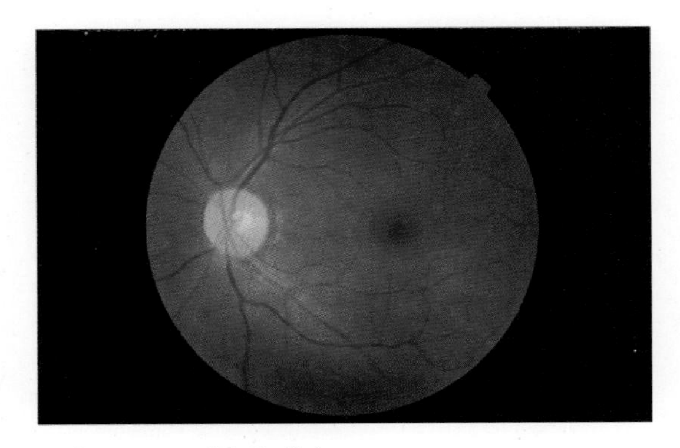

그림 1-2-12 정상 안저(Lt)

3. 특수 검사

1) 視野測定

시야(visual field)란 황반의 중심와 이외의 망막에서 볼 수 있는 시력으로 안구를 전방 한 점에 주시하고 움직이지 않을 경우 보이게 되는 공간범위를 말하며, 주변시 또는 주변시력이라 말할 수 있다. 이러한 주변시력은 외계의 물체를 발견하고 상호위치 관계를 파악할 수 있으므로 중심시력에 못지않게 중요하다. 주변시력은 물체의 형태 및 색채에 대해서는 선명하지 못하지만 물체의 움직임에는 예민하므로 중심시력이 양호하여도 시야가 좁아지면 외계와의 위치 관계가 파악되지 않아 신체 활동이 자유롭지 못하게 된다.

망막에서 후두엽의 시피질에 이르는 시신경섬유는 일정하게 배열되어 있어서 신경섬유의 경과 중 일어나는 병변은 특정 부위의 시각전달을 방해하고 이에 따라 시야에도 일정한 변화를 나타내게 된다. 따라서 시야검사는 각종 망막 및 시로의 질병에 대한 그 병변의 위치, 범위 등의 진단에 모두 참고할 만한 가치가 있어 임상적으로 중요한 의의를 가진다.

시야는 그 위치에 따라 중심부(주시점에서 25도 이내), 중간부(25~50도에 이르는 사이), 주변부(50도 이상 떨어진 부분)로 나누어 이 세부분의 상태를 검사하여야 한다.

(1) 대면검사(confrontation test)

검사자와 환자가 50~100 cm의 거리를 두어 마주 본 후 환자는 우안을, 검사자는 좌안을 가리고 환자는 검사자의 우안을, 검사자는 환자의 좌안을 주시한 상태에서 두 사람의 중간지점에서 연필 또는 시표를 주변에서 중심으로 점차 이동시킨다. 이때 시표를 두 사람이 거의 동시에 볼 수 있다면 환자의 주변시야는 정상이라 판단한다. 만일 이 방법으로 이상이 발견되면 시야계를 사용해서 검사를 실시하여야 한다. [그림 1-2-13]

(2) 주변시야측정

망막과 동심원형으로 된 반구형 또는 회전되는 弧形板이 장치된 기계를 사용하는데, 그 구조는 75 mm 폭의 둥근 금속판 1개에 저면에는 무광의 흑색 또는 회흑색이 칠해져 있는 호형판으로, 원의 반경은 330 mm이고 중앙은 고정되어 있으나 회전이 가능하게 되어 있어 호형의 중심이 0도이고 양끝이 90도가 되며, 그 원의 중심에 눈이 오도록 되어 있다. [그림 1-2-14]

(3) 중심시야측정

1 m²의 검은 삼베천이 나무기둥에 걸려 있는 형태로 5도 간격의 동심원이 그려져 있고, 원심의 양측 15.5도, 수평선 아래 1.5도 부위에 생리적 암점 범위가 그려진 탄젠트 스크린을 이용하여 1 m 또는 2 m

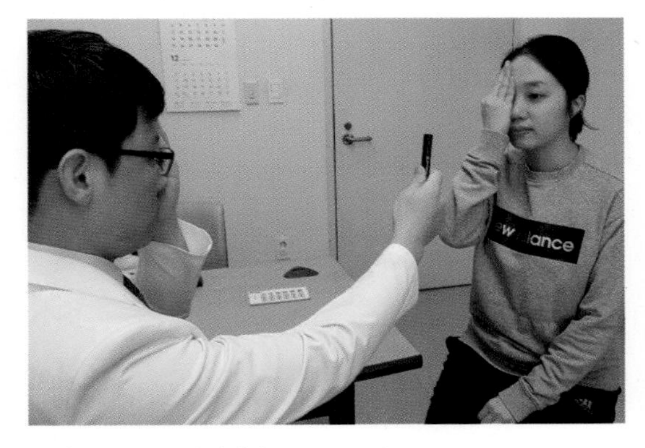

그림 1-2-13 대면검사

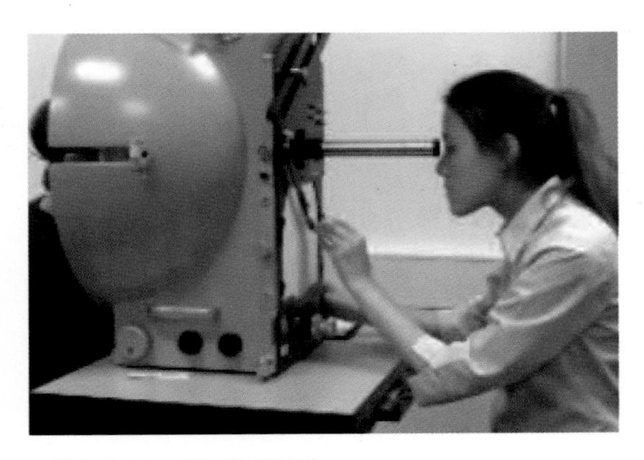

그림 1-2-14 골드만 시야계

그림 1-2-15 험프리 중심시야계

에서 검사하며 그 방법은 주변시야 측정과 동일하다. 주시점에서 약 30도 정도의 중심부의 시야가 특히 중요하다. [그림 1-2-15]

(4) 자동시야계측정

자동시야계는 미리 프로그램에 정해진 대로 예측하지 못하는 방향에서 검사시표를 자동적으로 보여주고 피검자의 반응결과를 기록하여 명암도(gray scale)로 보여주거나 검사시표의 역치로 나타낸다.

2) 色覺檢査

색각은 밝은 곳에서 물체의 색채를 구별하여 인식하도록 하는 망막의 시세포 중 추체(cone)의 주된 능력 중의 한가지이다. 눈으로 느낄 수 있는 광선은 가시광선의 약 390~675 ㎚ 범위 파장에서 나타나며 무색이나, 가시광선을 프리즘으로 분해하면 파장의 길이에 따라서 빨강은 647 ㎚ 이상, 주황은 647~585 ㎚, 노랑은 585~575 ㎚, 초록은 575~492 ㎚, 파랑은 492~455 ㎚, 남색은 455~424 ㎚, 보라색은 424 ㎚ 이하의 파장에서 색상이 나타나며 우리 눈으로 가장 밝게 보이는 색각은 555 ㎚의 노랑색 부분이다. 또 이러한 색각은 적절한 明度(luminosity, brightness)및 彩度(saturation)에 의해서 나타난다.

추체는 3종류의 색, 즉 빨강, 초록, 파랑색을 감수할 수 있는데 이를 삼원색(trichromat primary color)이라 한다. 이들 중 한 종류의 색이 자극되면 그와 같은 感光色素는 흥분이 되고 다른 두 가지 감광색소는 겨우 발생하는 정도로 서로 다른 반응을 보이게 되는데, 예를 들어 빨강이 작용하면 빨강을 감지하는 감광색소는 흥분하는 반면 녹색을 감지하는 색소는 약하게 흥분하게 되고 파랑을 감지하는 색소도 미약하게 흥분하게 된다. 따라서 추체에 한 종류의 감광색소가 결핍되거나 부족하면 선천성 색각장애를 형성하게 된다.

색각장애는 색약(anomaly)과 색맹(anopia)의 2 종류가 있다. 색맹은 감광색소가 결핍되어 완전히 색을 감별하는 능력이 없는 것을 말하고, 색약은 색을 변별하는 능력이 부족한 것을 의미한다. 삼원색 학설에 따르면 한 가지 색의 변별력이 결핍된 것을 2原色視 (dichromatic vision)라 하는데 적색맹, 녹색맹, 청색맹을 포괄하나 청색맹은 드물다. 또한 2 가지 색의 변별력이 결핍된 것을 單原色視 (monochromatic vision) 또는 1색맹이라 하는데 이것이 全色盲이다. 색약은 3原色視 (trichromatic vision)로 적색약, 녹색약, 청색약의 3가지로 분류되며 그 중에서 청색약이 또한 극히 드물다.

(1) 色覺檢査法

색맹은 색약보다 색각장애 정도가 심한 것으로 색약을 포함하여 말하는데 색맹과 색약이 색맹표로 뚜렷이 구별하기가 곤란하므로 다만 색각장애를 경도에서부터 강도에 이르는 몇 단계로 구분하

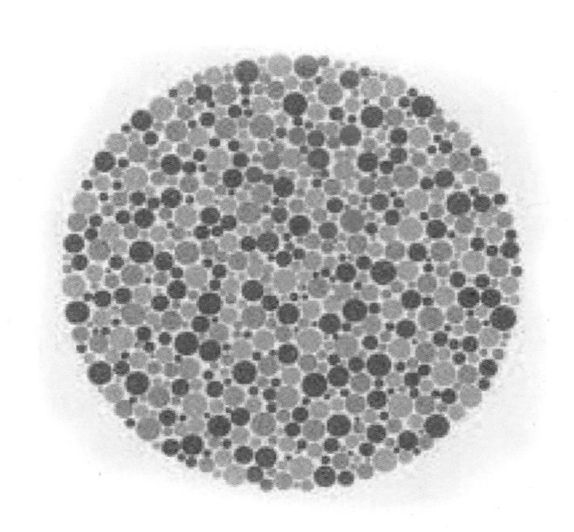

그림 1-2-16 Ishihara chart

는 법이 활용된다. 색각표에는 가성동색표(pseudo-isochromatic plate)인 한색각검사표가 있어 피검자가 그림의 선명도 혹은 농도의 진한 정도에 따라 도안이나 부호를 변별하도록 하고 정상인이 그것을 확인하도록 하는 검사이고 Ishihara표는 건강자와 이상자를 감별하는 목적에 널리 사용되며, H-R-R 색각검사표(Hardy-Rand-Rittle)는 그 종류와 정도를 판정할 수 있고, 가장 정확한 것은 Nagel의 색각경(anomaloscope)으로 모든 색각이상의 종류를 감별할 수 있으나 조작이 복잡하고, 이외 Farnworth-Munsell법에서 100-hue test가 우수하나 채점법이 약간 복잡하다. [그림 1-2-16]

3) 光覺檢查

광선의 유무를 판단하고 광선의 강도 차이를 구별할 수 있는 능력이다. 눈 속에 들어가는 광선을 약하게 조절하면, 어느 한도에 가서는 광선의 존재를 느끼지 못하게 되는데 이를 최소 광선량(light minimum)이라 하고, 두 가지 광선의 강도 차이를 최소로 구별할 수 있을 때를 최소 광선차(minimum light difference)라 한다.

(1) 광각검사 방법

광선의 강도 차이를 구별하는 검사이다. 눈 속으로 들어가는 광선의 최소 광선량을 투여하여 환자의 순응상태(state of adaptation)를 판단하는 것으로 암순응검사가 주가 되므로 암실에서 최소한 30~40분간 머물러 있게 하여 검사를 실시한다.

(2) 明順應(light adaptation)과 暗順應(dark adaptation)

밝은 장소에 있으면 명순응이 되어 물체의 형태 및 색채 등이 가장 뚜렷하게 보이는데 이는 시세포층의 추체(cone)의 활동이 주가 되어 황반의 기능에 따르는 것이며, 반대로 어두운 장소로 들어가면 처음에는 광각이 극히 불량하여 약한 광선을 인식하지 못하지만 시간이 경과함에 따라 간체(rod)의 작용으로 광각이 올라가 암순응이 되어 적응된다. 이 암순응은 시간적으로 처음 2~3분간은 광각이 급속히, 다음 5~6분은 서서히 오르는데 이는 추체의 순응에 해당되고, 다음 시기에 급속히 오르다가 30분 후부터는 서서히 광각이 올라 약 50~60분에 최고에 달하는데 이는 간체의 순응에 해당된다. 따라서 암순응 검사시 최소한 30~40분간 암실에 머물러 있어야 한다. 반대로 암실에서 밝은 곳으로 나가게 되면 처음에는 눈이 부시지만 30~40초 지나면 명순응이 되어 활동할 수 있게 된다.

4. 眼外異常 檢查

1) 淚器檢查

눈물은 광학적으로 균일한 각막표면을 유지하게 하고, 각막과 결막표면으로부터 물리적으로 세포의 노폐물이나 이물을 세척해 내며, 각막에 영양을 공급해 주고, 또한 항균 작용을 갖는다. 정상눈물의

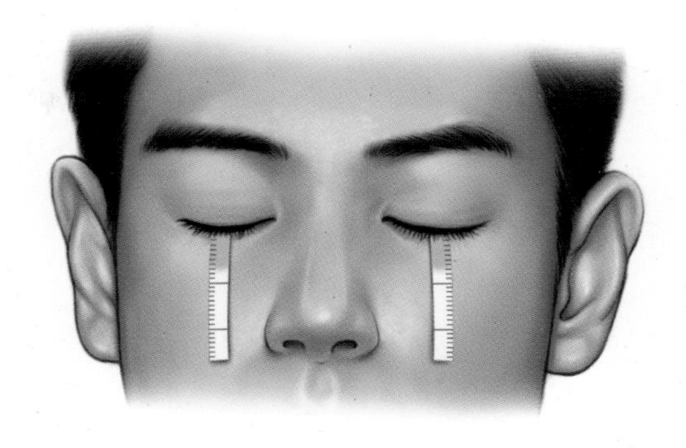

그림 1-2-17 쉬르머 I 검사

양은 양쪽 눈에 각각 6 μℓ 정도라고 추정되며, 평균 1.2 μℓ/min가량씩 새로 바뀐다.

눈물의 반사적인 분비는 눈물샘의 주된 작용이라 생각되며 평상시에는 부누선, goblet 세포와 지방분비선만으로도 충분한 눈물층을 유지할 수 있어 안구건조 증상이 나타나지 않는다. 눈물 과분비의 반사자극은 제5 뇌신경의 안분지가 자극에 가장 민감하므로 각막과 결막질환, 비점막의 자극이 반사자극의 전형적인 예가 된다.

(1) 쉬르머검사(Schirmer's test)

쉬르머 I 검사는 Whatman No. 41 여과지를 5 x 30 mm로 잘라서 한쪽 끝을 5 mm 접은 후 결막낭 내에 끼우고 환자에게 상부를 보도록 하여 5분 후 눈물로 적셔진 부분의 길이를 측정하는 것으로, 10 mm 이하면 분비저하로 생각할 수 있다. 이 방법은 신뢰도가 높지 않으나 임상적으로 안구건조증이 의심되는 환자에게 쉽게 해 볼 수 있는 검사법이다. 쉬르머 II 검사는 비강을 자극하여 반사눈물 분비 정도를 검사하는 방법이다. [그림 1-2-17]

(2) 눈물막 파괴시간(tear film break-up time, BUT)

눈물의 양을 실제로 측정할 수 있는 방법은 없으므로 눈물막 파괴시간을 측정하여 간접적으로 확인하게 된다. 방법은 플루레신(fluorescein)을 한 방울 점안한 후 눈을 여러 번 깜박거리게 하여 플루레신이 눈물과 같이 각막에 골고루 퍼지게 한 다음, 깜박거림을 멈춘 시간부터 플루레신막의 균열이 최초로 나타나는 시간을 측정한다. 세극등의 cobalt blue 필터를 사용하여 막의 균열을 관찰하는데, 눈물막 파괴시간이 10초 이하이면 비정상으로 간주한다. 한국인의 눈물막 파괴시간 평균치는 13초이다.

2) 眼窩檢査

안와질환의 증상은 안구위치 변동 또는 염증 증상을 동반한다. 안구돌출은 질환에 따라 편측 또는 양측성으로 발생할 수 있고, 안와첨에 이상이 있을 때에는 안구 및 눈부속기관에 분포한 운동신경 및 감각신경의 마비증상을 보이며 시신경위축의 원인이 되기도 한다.

(1) 眼球突出(exophthalmos) 檢査

안구돌출 검사는 Hertel의 안구돌출계를 사용하는데, 서양인의 정상 안구돌출계치는 12~20 mm이고 한국인은 10~14 mm 정도이며 양안 차이가 2 mm 이상 있으면 임상적으로 의미가 있다. 안구돌출은 안구의 용적확대, 외안근마비 등도 원인이 되나 대부분은 안와용적의 증대에 의하며 실제로 안와질환이 없으나 안구돌출같이 보이는 가성안구돌출(pseudoproptosis)은 고도근시, 牛眼(buphthalmos), 눈꺼풀후퇴 등에서 보일 수 있다.안구돌출의 진단에 있어서는 우선 안구돌출계로 측정하고 흉부 X-ray, 혈액검사 등으로 전신질환과의 관계도 살펴보아야 한다.

눈의 生理

눈은 시각기관으로 五官의 하나에 속하며 인체에서 중요한 구성 부분 중의 하나이다. 눈은 비록 일개 국소 기관이지만 눈과 전신은 특별히 臟腑, 經絡과 함께 하나의 유기체를 형성하므로 생리적으로는 서로 협조하고 병리적으로는 서로 영향을 미치게 되는 매우 밀접한 관계를 가지고 있다. 그러므로 눈의 생리, 병리와 눈병의 진단, 치료에 있어서는 반드시 눈과 臟腑, 經絡과의 관계를 파악해야만 한다.

1. 眼과 五臟六腑

《靈樞·大惑論》에서 "五藏六府之精氣, 皆上注于目而爲之精 …… 目者, 五藏六府之精也..."라 하여 눈과 臟腑가 生理的으로 매우 밀접한 관계가 있음을 말하고 있다.

1) 眼과 肝

《素問·金匱眞言論》에서 "東方靑色 入通于肝 開竅于目 藏精于肝.", 《靈樞·五閱五使篇》에서 "五官者 五臟之閱也 目者 肝之官也."라 하였다. 또한 《素問·五臟生成論》에서 "人臥血歸于肝, 肝受血而能視.", 《證治準繩·五輪》에서 "眞血者, 卽肝中升運滋目經絡之血也. 此血非比肌肉間易行之血, 因其脈絡深高難得, 故謂之眞也."라 하였다.

《靈樞·脈度篇》에서 "肝氣通于目, 肝和則目能辨五色矣.", 《難經·三十七難》에서 "肝氣通于目, 肝和則知黑白矣."라 하였다.

《素問·宣明五氣論》에서 "五藏化液, 心爲汗, 肺爲涕, 肝爲泪… 是爲五液.", 《銀海精微》에서 "泪乃肝之液."이라 하였다.

《靈樞·經脈篇》에서 "肝足厥陰之脈… 連目系, 上出額與督脈會于巓."이라 하였다.

이를 종합하면 眼은 肝系로 肝氣는 眼에 통하고 눈물은 肝의 液으로 肝과 眼은 밀접한 관계를 가지고 있음을 알 수 있다.

2) 眼과 膽

《素問·靈蘭秘典論》에서 "膽者中正之官.", 《東醫寶鑑》에서 "肝之餘氣, 泄于膽, 聚而成精."이라 하였

다. 또한 《靈樞·天年篇》에서 "五十歲, 肝氣始衰, 肝葉始薄, 膽汁始滅, 目始不明.", 《證治準繩·五輪》에서 "神膏者, 目內包涵膏液… 此膏由膽中滲潤精汁積而成者, 能涵養瞳神, 衰則有損."이라 하였다.

3) 眼과 心 • 小腸

《素問·五藏生成論》에서 "心之合脈也." "諸脈者, 皆屬于目,… 諸血者, 皆屬于心.", 《素問·脈要精微論》에서 "脈者血之府也."라 하였다.

《素問·靈蘭秘典論》에서 "心者, 君主之官, 神明出焉.", 《靈樞·大惑論》에서 "目者心之使也, 心者神之舍也.", 《素問·解精微論》에서 "心者, 五藏之專精也, 目者其竅也."라 하였다.

《靈樞·靈蘭秘典論》에서 "小腸者, 受盛之官, 化物出焉."이라 하였다.

4) 眼과 脾 • 胃

《蘭室秘藏》에서 "夫五臟六腑之精氣, 皆稟受于脾, 上貫于目. 脾者堤陰之首也, 目者血脈之宗也. 故脾虛則五臟之精氣皆失所司, 不能歸明于目矣.", 《脾胃論》에서 "脾胃虛則九竅不通."이라 하였다.

《難經·四十二難》에서 "主裹血, 溫五臟, 主藏意."라 하였다.

《素問·痿論》에서 "脾主身之肌肉.", 《靈樞·大惑論》에서 "肌肉之精爲約束."이라 하였다.

《靈樞·靈蘭秘典論》에서 "脾胃者, 倉廩之官, 五味出焉.", 《脾胃論》에서 "九竅者, 五臟主之, 五臟皆得胃氣乃能通利." "胃氣一虛, 耳目口鼻 俱爲之病."이라 하였다.

5) 眼과 肺 • 大腸

《素問·五藏生成論》에서 "諸氣者, 皆屬于肺.", 《素問·六節藏象論》에서 "肺者, 氣之本, 魄之處也.", 《靈樞·決氣篇》에서 "氣脫者, 目不明."이라 하였다.

《證治準繩·五輪》에서 "眞氣者, 蓋目之經絡中往來生用之氣, 乃先天眞一發生之元陽也, 大宜和暢, 少有郁滯, 諸病生焉."이라 하였다.

《素問·靈蘭秘典論》에서 "大腸者, 傳道之官, 變化出焉."이라 하였다.

6) 眼과 腎 • 膀胱

《審視瑤函·目爲至寶論》에서 "大抵目竅于肝, 生于腎, 用于心, 潤于肺, 藏于脾, 有大有小, 有圓有長, 皆由人稟受之異也.", "神光者, 謂目中自然能視之精華也, 夫神光原于命門, 通于膽, 發于心, 皆火之用事.", 《醫林改錯》에서 "精汁之淸者, 化而爲髓, 由脊骨上行于腦, 名日腦髓… 兩目卽腦汁所生, 兩目系如線, 長于腦, 所見之物歸于腦.", 《素問·上古天眞論》에서 "腎者主水, 受五藏六府之精而藏之.", 《靈樞·大惑論》에서 "五藏六府之精氣皆上注于目而爲之精.", 《素問·脈要精微論》에서 "夫精明者, 所以視萬物, 別黑白, 審短長. 以長爲短, 以白爲黑, 如是則精衰矣."라 하였다.

《素問·逆調論》에서 "腎者水臟, 主津液.", 《靈樞·五癃津液別》에서 "五藏六府之津液, 盡上滲于目."이라 하였다.

《素問·靈蘭秘典論》에서 "膀胱者, 州都之官, 津液藏焉, 氣化則能出矣.", 《銀海指南》에서 "治目不可不細究膀胱."이라 하였다.

7) 眼과 三焦

《素問·靈蘭秘典論》에서 "三焦者, 決瀆之官, 水道出焉.", 《難經》에서 "三焦者, 水穀之道路, 氣之所終始也.", 《證治準繩·五輪》에서 "神水者, 由三焦而發源."이라 하였다.

이상을 종합해보면 눈이 만물을 보고 장단을 살피며 五色을 변별하는 생리기능을 정상적으로 발휘하도록 하는 것은 心主血, 肝臧血하여 눈에 開竅함으로 가능하게 되는데 心血이 충족되고 肝血이 왕성하며 肝氣가 條達될 때에만 腎臟에 저장된 五臟六腑의 精氣가 脾肺氣의 輸布와 運化의 도움을 받아 經脈을 끊임없이 순환하여 눈에 주입된 결과이다. 반대로 臟腑機能의 失調로 偏盛, 偏衰의 상태가 되어 精氣와 津液, 血 등이 위로 눈에 灌漑하지 못하게 되거나, 또는 臟腑에 邪氣가 침범하여 經脈을 통해 눈에 침입하여도 眼部에 각종 병리변화가 나타나게 된다. 이 때문에 임상에서 眼部의 국소적인 병변을 제외하고는 반드시 상응하는 臟腑機能의 盛衰를 관찰하고 분석하여 전체적으로 종합, 분석함으로써 정확한 진단에 이르러야 한다.

2. 眼과 經絡, 經筋, 奇經八脈

《靈樞·邪氣臟腑病形論》에서 "十二經脈 三百六十五絡 其氣血皆上于面而走空竅 其精陽氣上注于目而爲睛.", 《靈樞·口問篇審》에서 "目者, 宗脈之所聚也."라 하여 눈 주위에 인접하고 관통된 經絡이 臟腑와 유기적인 관계를 유지하므로 經絡이 氣血, 津液을 끊임없이 輸送하여 눈의 시각기능을 유지하도록 함을 알 수 있다.

1) 眼과 十二經脈

각각의 經脈과 眼과의 관계를 자세히 보면 다음과 같다.

足陽明胃經: 鼻翼 兩側의 迎香穴에서 기시하여 위로 鼻根部로 진행한 후 內眥의 睛明穴에 연결되어 足太陽經과 交會하였다가 하행하여 承泣, 四白, 巨髎를 지나 上齒齦內로 진입한다. 本經에서 별도로 나와 진행하는 正經(足陽明之正)은 또한 鼻根 및 눈자위로 상행하여 目系와 연결된다.

足太陽膀胱經: 目內眥의 睛明穴에서 기시하여 위로 前額의 攢竹穴을 순행하고 神庭, 通天穴을 지나 斜行하여 督脈의 巓頂 百會穴에서 交會한 후 頭頂部를 거쳐 속으로 들어가 腦에 연락된다.

足少陽膽經: 目外眥의 瞳子髎穴에서 기시하여 위로 향한 후 額角部의 頷厭穴에 도달하였다가 耳後로 하행하여 風池穴을 지나 頸部에 이르게 된다. 그리고 한 支脈은 耳後에서 耳中으로 들어가 耳前으로 나온 후 다시 目外眥의 瞳子髎穴 후방으로 지난다. 또 다른 한 支脈은 目外眥에서 나뉘어 나온 후 大迎穴에서 足陽明經과 交會한 후 手少陽經과 會合하여 눈자위 아래에 도달하게 된다.

手陽明大腸經: 缺盆穴에서 支脈이 나와 위로 頸部로 올라가 面頰部를 통과하여 人中의 뒤에서 좌우가 서로 交會한 후 위로 鼻孔을 挾하게 된다. 鼻孔 兩側의 迎香穴로 분지하여 足陽明胃經과 서로 연접하게 된다.

手太陽小腸經: 缺盆穴에서 支脈이 나와 頸部를 거쳐 위로 面頰部로 올라간 후 顴骨部를 거쳐 위로 目外眥에서 交會한 후 되돌아 耳中으로 들어간다. 頰部의 支脈은 상행하여 눈자위 아래에서 鼻傍을 거쳐 目內眥의 睛明穴에 이르러 足太陽膀胱經과 서로 交會한다.

手少陽三焦經: 胸中에서 나온 支脈은 項部로 올

라가 耳後에 이르러 翳風穴을 지나 상행하여 耳角으로 나온 후 陽白, 睛明穴을 통과하고 다시 구부러져 하행하여 面頰部를 지나 눈자위 아래에 도달한다. 耳部에서 나온 支脈은 耳後에서 耳中으로 진입하고 耳前으로 나와 앞의 經脈과 面頰部에서 교차하여 目外眥의 絲竹空穴의 아래에 이르러 足少陽膽經과 서로 연접하게 된다.

足厥陰肝經: 本經은 咽喉에 연접한 후 위로 頏顙으로 들어가 大迎, 地倉, 四白, 陽白穴의 외측으로 순행하여 目系에 연결되고 다시 나와 前額과 督脈의 巓頂에서 會合한다.

手少陰心經: 心中에서 기시하여 心系에 속하게 된다. 心系는 위로 향하는 經脈으로 위로 咽喉를 끼고 目系에 연결된다. 별도로 나온 大絡을 通里라 하는데 또한 目系에 속한다. 이와 별도로 本經에서 나와 진행하는 正經(手少陰之正)은 위로 面部로 나와 手太陽經의 支脈과 目內眥의 睛明穴에서 會合하게 된다.

2) 眼과 奇經八脈의 關係

任脈은 中極의 아래에서 기시하여 腹里를 순행하여 위로 關元을 지나 咽喉에 이르게 되고 다시 상행하여 口脣을 감싼 후 面部를 지나 눈자위 아래의 承泣穴로 進入하고 督脈은 小腹內에서 기시하여 아래로 會陰部로 나온 후, 하나의 支脈은 곧바로 咽喉와 아래턱으로 올라간 후 두 눈의 아래 중앙에서 聯系되고 다른 한 支脈은 臀部를 감싸고 상행하여 足太陽膀胱經과 目內眥에서 交會한다.

陰蹻脈은 足跟의 내측에서 기시하여 足少陰經을 따라 상행하여 目內眥에 이르러 足太陽經, 陽蹻脈과 서로 會合하게 된다. 陽蹻脈은 足跟의 외측에서 기시하여 足太陽經과 함께 상행한 후 目內眥로 진입하여 足太陽經, 陰蹻脈과 서로 會合하고 다시 足太陽經에 접해 前額部로 올라간 후 足少陽經과 風池穴에서 會合한다.

陽維脈은 足跟의 외측에서 기시하여 위로 外踝를 경유하고 足少陽經을 따라 상행하는데 肢體의 外後側을 경유하여 위로 前額에 이르고 眉上을 지나 다시 頭頂部까지 상행하였다가 後項部로 향하여 督脈과 交合한다.

3) 眼과 經筋의 關係

足太陽의 支筋이 目上网(상안검)이 된다. 网은 그물처럼 얽어매는 것으로 눈썹을 約束하고 開合을 주관한다.

足陽明의 經筋은 직행하여 頭面으로 올라가서 코 옆을 따라 상행하여 足太陽 經筋과 서로 교합한다. 太陽은 目上网(상안검)이 되고 陽明은 目下网(하안검)이 되니 兩筋이 협동작용을 하여 胞瞼의 운동을 총괄한다.

足少陽의 支筋이 目外眥에서 結聚하여 눈의 外維가 된다. 눈이 좌우를 구분하여 보는 것이 바로 이 筋의 역할이다.

手太陽의 經筋은 직행하여 위로 耳上에서 나와 手少陽의 經筋과 교합한 후 다시 앞으로 내려와 턱에서 結聚하여 手陽明의 經筋과 서로 교합한 다음 다시 상행하여 目外眥에 연결되어 手足少陽의 經筋과 相合하게 된다.

手少陽 經筋의 支筋이 頰車로 상행하여 足陽明의 經筋과 교회한 후 耳前을 따라 상행하여 手太陽·足少陽의 經筋과 교회하여 目外眥에 연결된 후 다시 상행하여 額角에서 結聚한다.

手陽明 經筋의 支筋이 뺨으로 상행하여 顴骨部에서 結聚하고, 직행하는 經筋은 위로 手太陽의 앞에서 나와 2가지로 나뉘는데, 左側의 支筋은 左耳前으로 행하여 額角으로 올라가 頭部에 絡하였다가 右頷으로 하행하고, 右側의 支筋은 右額角으로 상

행하여 頭部에 絡하였다가 左頷으로 하행하여 太陽·少陽의 經筋과 교회한다.

4) 眼과 五輪

古代의 醫家들은 眼部를 외에서 내로 "胞瞼, 兩眥, 白睛, 黑睛, 瞳神"의 5개 부분으로 파악하고 안구의 운동이 바퀴처럼 회전운동을 한다는 의미로 輪字를 써서 각각 "肉輪, 血輪, 氣輪, 風輪, 水輪"으로 구분하면서 총칭하여 "五輪"이라 하였다.

五輪學說의 이론적 기초는《靈樞·大惑論》의 "五藏六府之精氣, 皆上注于目而爲之精. 精之窠爲眼, 骨之精爲瞳子, 筋之精爲黑眼, 血之精爲絡, 其窠氣之精爲白眼, 肌肉之精爲約束, 裹結筋骨血氣之精而與脈并爲系, 上屬于腦, 後出于項中."이라 하여 後代의 醫家들이 이 이론을 기초로 하여 장기적인 임상을 통해 五輪學說을 창립하였다.

(1) 肉輪

胞瞼을 지칭하며 안검피부, 피하조직, 기육, 검판 및 검결막을 포함한다. 상하의 2부분으로 나뉘며 眼의 開合을 담당하여 안구보호 작용을 한다. 胞瞼은 脾臟에 속하며 脾는 肌肉을 주관하므로 肉輪이라 한다. 脾와 胃가 서로 표리가 되므로 胞瞼의 생리기능과 병리변화는 脾胃와 관련이 있다. 脾胃의 기능이 조화를 이루면 그 輪이 色黃, 潤澤하고 瞼內에도 血絡이 淡紅, 光活平整하게 되며 開合이 자연스럽다.

(2) 血輪

兩眥를 지칭하며 內外眥의 피부, 결막, 혈관 및 內眥의 淚阜, 반월상 추벽, 상·하 누소점, 누도 및 外眥 상방의 누선을 포함한다. 上·下瞼이 鼻側에서 연결되는 교차점을 內眥 혹은 大眥라 하고, 耳側에서 연결되는 교차점을 外眥 혹은 小眥, 銳眥라 한다. 兩眥는 心臟에 속하며 心은 血을 주관하므로 血輪이라 한다. 心과 小腸이 서로 표리가 되므로 血輪의 생리기능과 병리변화가 心小腸과 관련이 있다. 心氣가 조화를 이루면 心血이 충만하여 眥部의 色이 淸潔, 潤澤하며 血脈이 紅活하게 된다.

(3) 氣輪

白睛을 지칭하고 구결막과 전면 공막을 포함하여 안구의 외벽이 된다. 白睛은 肺臟에 속하고 肺는 氣를 주관하므로 氣輪이라 한다. 肺와 大腸이 서로 표리가 되므로 氣輪의 생리기능과 병리변화는 항상 肺大腸과 관련이 있다. 肺氣가 조화를 이루면 輪의 表層이 光澤, 透明, 白色을 띠고 裏層은 堅强하게 된다.

(4) 風輪

黑睛 즉 각막을 지칭한다. 안구 전면의 중앙에 위치하고 質은 透明하며 堅靭하며 광선이 眼內로 들어올 때 반드시 필요한 통로로 瞳神 및 眼內 組織을 보호하는 작용을 한다. 黑睛은 肝臟에 속하고 肝은 風을 주관하므로 風輪이라 한다. 肝과 膽은 서로 표리가 되므로 風輪의 생리기능과 병리변화는 항상 肝膽과 관련이 있다.

黑睛은 후방에 있는 黃仁(홍채)의 棕褐色의 영향으로 명명되었다. 黑睛과 黃仁 사이에 공간인 前房에는 투명한 神水(방수)가 충만되어 있다. 黃仁의 중앙 둥그런 구멍을 瞳神 혹은 金井이라 한다. 黑睛疾患은 病邪가 깊게 침입하므로 매우 쉽게 神水, 黃仁에 영향을 미치고 瞳神에 파급된다. 肝氣가 조화하고 肝陰이 충족하게 되면 그 風輪이 淸瑩하고 表面이 光滑하게 된다.

(5) 水輪

瞳神을 지칭하며 동공 및 그 후방의 방수, 수정체, 유리체, 포도막, 망막, 시신경 등을 포함한다. 瞳神

은 眼의 神光(시기능)으로 깊이 저장되어 있는 곳이다. 瞳神은 腎臟에 속하고 腎은 水를 주관하므로 水輪이라 한다. 腎과 膀胱이 서로 표리가 되므로 水輪의 생리기능과 병리변화는 일정 정도 腎, 膀胱과 관련이 있다. 水輪은 여러 종류의 조직을 포괄하며 그 결합이 복잡하여 病因이 매우 많으므로 瞳神疾患에서는 腎과 膀胱의 기능 이상과 관련된 것을 제외하고는 전신의 장부기능 실조와 밀접한 관련이 있다. 腎精이 충만하면 瞳神이 清榮하고 眼光이 光彩를 띠게 된다.

5) 外障과 內障

古代로부터 眼病으로 열거된 증상이 매우 많으나 모두 內障과 外障으로 歸類된다. 外障이란 외부로부터 차폐되는 것으로, 《審視瑤函》에서 "外障者, 乃睛外爲雲翳所遮, 故云外障."이라 하였다. 內障이란 내부로부터 차폐되는 것으로, 《審視瑤函》에서 "內障者, 外無雲翳, 而內有蒙蔽."라 하였다.

(1) 外障

肉輪, 血輪, 氣輪, 風輪 등의 부위에서 발생하는 병변의 총칭으로, 현재의 胞瞼, 兩眥, 白睛, 黑睛에서 발생하는 眼病을 가리킨다.

病因은 대부분 六淫이 침습하거나 外傷을 입어 발생하며 食滯, 濕毒, 혹은 痰火 등의 원인에 의해 발생하기도 한다.

발병 특징은 대부분 돌발적으로 발병하며 변화가 신속하고 外症이 비교적 분명하게 보이는데, 예를 들면 胞瞼腫脹如桃, 瞼弦赤爛, 風赤瘡痍, 白睛紅赤, 眵多粘結, 熱淚如湯, 上胞下垂, 胬肉攀睛 등이 그것이다. 동시에 국소적인 자각증상도 뚜렷하게 보이는데 예를 들면 目痒, 目痛, 羞明, 流淚 등과 함께 風熱頭痛, 二便不利 등의 전신증상이 동반되기도 한다.

일반적으로 外障眼病은 脾胃積熱로 인한 胞瞼腫脹 등과 같은 有餘證, 實證이 대부분이나 脾虛하여 위로 氣가 올라가지 못해 발생하는 上胞下垂와 같은 虛證도 있으므로 外障은 모두 實證에 속한다고 단정해서는 안된다.

(2) 內障

內障이라는 명칭은《秘傳眼科龍木論》에서 보이는데, 크게 협의의 의미와 광의의 의미로 구분된다. 협의의 內障은 단지 瞳神中에 발생하는 翳障으로, 주된 병변이 수정체에만 국한되는 것을 말한다. 광의의 內障은 水輪에 발생하는 모든 질환을 지칭하는데, 이는 瞳神 및 그 뒤의 모든 眼內 組織에서 발생하는 병변을 가리킨다. 외관상 眼部는 정상이나 다만 시각방면에서 변화가 있는 內障 眼病이 많으므로 현대의 검안경, 안저 촬영 등의 검사와 함께 眼內組織에 충혈, 삼출, 수종, 혹은 위축 등의 병변 유무를 살피는 것이 좋다.

病因은 대부분 七情傷, 시력의 과다 사용 및 피로 과도 등으로 인해 精氣가 耗損되고 血脈이 阻滯되며 臟腑 經絡 혹은 氣血의 기능이 실조되어 발생하게 되며, 外傷으로 인해서도 발병될 수 있다.

발병 특징은 瞳神의 외관이 정상이거나 이상이 있는 2가지로 나눌 수 있는데, 모두 視物昏蒙을 수반한다. 瞳神의 외관이 정상인 경우의 眼病으로는 시각이상이 주가 되는데, 예를 들면 視物昏蒙, 暴盲, 青盲, 혹은 眼前黑花, 螢星滿目, 視物變形, 夜盲 등이 있다. 瞳神의 외관이 이상을 보이는 眼病으로는 瞳神緊小, 瞳神散大, 綠風內障, 青風內障, 圓翳內障 등이 있다.

內障 眼病 초기에는 虛證, 實證, 혹은 虛實夾雜證 등으로 다양하나 병변이 장기간 지속되게 되므로 대부분 虛證에 속하게 된다.

눈의 病因病理

眼病을 일으키는 病因은 다양하여 기후의 이상, 疫癘의 전염, 정신적 자극, 음식, 노권 및 외상 등을 포괄한다. 또한 병리산물인 痰飮, 瘀血 등도 眼病을 발생시키는 원인이 되기도 한다.

邪氣가 인체에 침입하면 반드시 正氣가 흥분하여 邪氣에 저항하게 되므로 正邪相爭을 형성하는데, 이로 인해 인체의 陰陽이 조화를 잃게 되고 臟腑氣血의 升降이 정상적으로 이루어지지 못하게 되어 질병이 발생하게 된다. 또한 질병의 종류도 다양하여 임상에서 복잡하게 뒤섞여 표현되어 진다.

1. 病因

眼科의 病因學說은 춘추전국시대의 《黃帝內經》에서 기원하여 隋代 巢元方의 《諸病源候論》에서 정해진 이후 역대 의가들의 부단한 노력과 발전으로 당송시대에 이미 비교적 정비된 眼科 病因學說이 형성되었다.

眼病을 발생시키는 原因은 매우 복잡하여 내재된 인자가 있으면 外來한 인자가 있고 국소적 인자가 있으면 전신적 인자도 있게 된다. 古代 眼科에서는 "三因說"을 대부분 따르고 있으나 李梴이 病因을 內因과 外因의 2대 분류로 나눈 이후로 현대의 韓方 眼科에서도 대부분 內·外因의 學說을 따르고 있다. 외부 자극이 인체의 조절 적응 능력을 초과하는 것이 外因이고, 체내의 저항력이 외계의 각종 발병인자의 능력에 미치지 못하거나 체질상 어떤 결함이 있어 질병 발생을 야기하는 것이 內因이다. 內經에서 말한 "正氣存內, 邪不可干", "邪之所湊, 其氣必虛"는 外邪가 체내의 기능실조 정황을 거치면서 발병하게 되므로 內因의 작용을 소홀히 볼 수 없으며 더욱이 여러 難治病 또는 쉽게 재발하는 眼病에 있어서도 內因의 작용을 중시해야 한다는 의미이다.

眼病을 발생시키는 病因은 주로 六淫 및 疫氣, 七情內傷, 飮食失宜, 勞倦, 外傷, 先天과 遺傳, 老衰 및 其他 痰飮, 瘀血 등이 있다.

1) 六淫

六淫으로 病에 이른다는 것은 임상에서 보면 기후

적 인자를 제외하고 생물(세균, 병독 등), 물리·화학 등의 因子에 의해 인체에 유발되는 병리반응을 포괄한다. 六淫이 害가 되는 경우는 대부분 外界의 기후 이상과 관련이 있으므로 계절성이 명확하다. 六淫 중에서도 특히 風·火·濕이 眼病을 일으키는 경우가 비교적 많아 外障 眼病에서 많이 보이는데, 이는 현대의학에서 안저 검사소견 등을 종합해 살펴보면 火邪가 眼內의 염증, 출혈성 질환을 발생시키는 주요 병인중의 하나일 뿐 아니라 風邪도 안저 병변을 일으킬 수 있으므로 이런 관점에서 眼科 六淫病因學을 발전시키고 六淫으로 인한 眼病의 범주를 확대할 수 있을 것으로 보인다.

(1) 風

《素問·太陰陽明論》에서 "傷于風者, 上先受之"라 하였는데, 風邪는 陽邪이어서 升發하는 특징이 있고 眼이 五官 中에서 최상부에 있기 때문에 쉽게 風邪가 眼에 침범한다. 風은 "百病之長", "善行而數變"이어서 단독적으로 침입하기도 하나 다른 外邪와 겸하여 병을 일으키게 되므로 風은 外邪를 이끌어 眼病을 발생시키는 先導的인 작용을 한다. 또한 風邪는 발병이 신속하고 변화가 심하며 증상이 분명하므로 알레르기성 질환이나 세균 또는 병독 감염 및 眼外傷 등으로 인한 경우가 모두 風邪와 관련이 있다.

風邪로 인해 나타나는 眼病의 증상은 目痒, 目澁, 流淚, 羞明, 目脹痛, 目赤 등이 있는데, 특히 畏光, 流淚, 痒澀의 증상이 風邪와 매우 밀접한 관련이 있다. 질환으로는 暴風客熱, 黑睛起翳, 瞳神散大, 綠風內障, 目偏視, 胞輪振跳, 胞瞼紅腫 등이 있다.

(2) 寒

寒邪는 陰邪로 陽氣를 쉽게 상하게 하고 性이 凝滯하고 收引를 하는 특징이 있다. 寒邪로 인한 眼病은 대부분 風邪와 결합하여 초기에 침입하는 경우가 많고 인체에 침범한 후 조금 지나면 모두 熱로 변화되므로 임상에서 寒邪로 인한 眼病은 보기 어렵다. 또한 "天寒日陰則血凝泣", "寒則腠理閉 氣不行 故氣收也"라 하여 寒邪가 인체에 침입하면 經絡, 臟腑의 기능이 실조되고 氣血凝滯가 되어 眼病이 발생된다. 아울러 眼病이 오래되어 寒邪에 의한 증상처럼 보이는 경우도 있는데, 이는 대부분 陽虛한 체질이거나 苦寒한 약을 과다하게 복용하여 발생할 수 있으므로 陽氣를 비축하는 것도 고려해야 한다.

寒邪로 인해 나타나는 眼病의 증상은 頭痛, 冷淚, 翳膜, 視物昏花, 白睛에 赤脈이 紫暗, 혹은 淡紅하게 보이고 緊澁不快 등이 있고, 질환으로는 胬肉壅腫, 白內障, 迎風流泪, 雲翳, 口眼喎斜, 目珠偏斜 등이 있다.

(3) 暑

暑邪는 陽邪이고 性은 炎熱하며 升散하므로 쉽게 津氣를 耗傷하고 쉽게 濕邪와 挾하여 夏令의 主氣가 되므로 暑로 인한 眼病은 火熱病과 유사하고 증상은 夏季에 目赤腫痛, 視物昏朦 등이 나타난다.

(4) 濕

濕邪는 陰邪로 陽氣를 쉽게 상하게 하고 性이 重濁粘膩하며 濕邪에 감수되면 病勢가 纏綿하고 발병이 多有定處하며 반복적으로 나타나게 된다. 內濕은 脾失建運으로 升淸降濁하지 못하고 水濕이 停滯되어 발생된다. 濕邪로 因한 眼病은 內·外障 眼病에서 모두 볼 수 있는데, 만성 증식성 염증, 삼출성 염증, 지연성 알레르기 반응 등이 있다.

濕邪로 인해 나타나는 眼病의 증상은 胞瞼이 腫脹, 濕潤하며 粟瘡이 발생하거나 瞼弦이 赤爛, 濕潤, 瘙痒, 潰爛하여 黃水가 흐르며 眥部에도 糜爛과 穢濁한 結痂가 나타나기도 하고 白睛에는 黃赤 혹은 汚紅하며 黑睛의 변연이 혼탁하고 중앙에 회백색의 霧狀의 翳膜이 보이기도 하며 甚할 경우에는 변연에 蟲蝕한 것처럼 회백색의 함몰이 나타나고 視瞻昏渺, 雲霧移睛, 視瞻有色 등이 나타난다.

(5) 燥

燥邪는 陽邪로 性이 乾燥하고 津液을 쉽게 상하게 하며 臨床에서 夏·秋季에 火에 속하는 溫燥와 冬季에 寒에 속하는 凉燥로 구분한다. 眼科에서는 溫燥로 인해 발병하는 경우가 거의 대부분이며 秋季에 많이 발생하고, 단독으로 발병하거나 또는 다른 邪氣와 함께 침입하여 발병하기도 한다. 임상 증상은 眼이 乾澁하고 乾結한 眵糞이 발생되며 白睛이 紅赤少津하게 보이고 黑睛에 光澤이 소실되어 翳膜으로 변하기도 하며 視物不爽한 증상이 나타난다.

(6) 火

火邪는 陽邪로 性이 炎上하고 燔灼하여 쉽게 津液을 耗傷하게 하고 血을 動하게 하며 火毒이 結聚되면 쉽게 腫脹하게 되는데 眼은 上部에 위치하여 쉽게 火邪의 害를 입게 되고 동시에 風·寒·暑·濕·燥의 邪氣들도 일정한 조건하에서 쉽게 火로 변화하므로 火邪가 眼病을 일으키는 경우가 가장 많다.

火邪로 인해 나타나는 眼病의 증상은 眼痛甚, 灼熱拒按, 腫脹, 堅硬, 熱淚如湯, 畏光, 眵多黃稠 或乾結, 白睛混赤, 視力急降 등이 있고, 질환으로 目赤腫痛, 生瘡, 胬肉攀睛, 白睛赤腫, 白睛溢血, 火疳, 赤脈貫目, 黑睛生翳, 黑睛翳潰, 黃液上衝, 血灌瞳神, 瞳神乾缺, 瞳神縮小, 綠風內障, 視瞻昏渺, 雲霧移睛, 暴盲 등이 나타난다.

2) 癘氣

癘氣는 疫癘, 時氣, 天幸, 戾氣, 毒氣, 時氣邪毒, 天行瘟疫이라고도 하며 병세가 급격하면서 광범위하게 유행하며 강한 전염성이 있는 外邪이다. 癘氣에 의한 眼病은 風火로 발생되는 外障眼病 증상과 비슷하여 目赤腫痛, 熱淚頻流, 羞明 등과 天行赤目이 대표적이다. 癘氣로 인해 발병이 되었을 경우 증상의 경중은 正氣의 虛實과 관계가 매우 깊은데, 특히 인체의 積熱, 火熱이 蘊積한 상태와 밀접한 관련이 있다.

3) 七情

情志 變化는 일상생활 중의 정상적인 정신활동인데, 만일 이것이 돌발적으로 강렬하거나 장기적이고 반복적인 이상 자극이 되어 정상범위를 넘어서는 경우 인체의 氣機가 문란해져 氣血 및 臟腑기능이 실조하게 되므로 眼病이 유발된다. 특히 七情 中에서 憂鬱, 憤怒, 悲哀로 발생되면 심해지는데, 과도한 憤怒는 肝氣를 上逆시켜 氣逆이 되어 暴盲, 綠風內障 등이 되고, 장기간의 憂思는 氣機가 울체되거나 脾失健運으로 視物䀮䀮, 視瞻有色 등이 나타나 盲이 되며, 悲哀가 풀리지 않으면 心肺가 鬱結되어 上焦가 壅塞되거나 玄府가 閉密하여 目에 濡養이 되지 못하여 視瞻昏渺, 青風內障, 圓翳內障 등이 나타나게 된다.

4) 飮食不節

暴飮暴食, 飢飽失常, 過食生冷하게 되면 脾胃의 運化機能이 失調하게 되어 水濕이 內停하므로 眼內에 삼출, 수종 및 심하면 망막 박리 등의 증상이 나타나고, 운화기능이 실조되어 精微한 것이 눈에 濡養하지 못하게 되면 안피로, 근시 등이 나타난다. 또한 辛辣炙煿, 膏粱厚味, 흡연, 음주 등을 많이 하면 濕熱이 발생하여 鍼眼, 胞生痰核, 瞼弦赤爛, 風赤瘡

痺 등이 나타난다.

5) 勞倦

勞倦內傷이란 눈, 정신피로, 房勞, 체력 등의 과도한 사용을 포함하는 것으로, 특히 눈의 과도한 사용이 안병과 관련이 많다. 勞力 및 房勞過多하면 氣血이 耗傷되고 肝腎이 虧損되고 장시간에 걸쳐서 讀書를 오래하면 心神을 상해 陰血이 손상되거나 혹은 肝血이 상해 風熱이 상충하여 視物昏淸이 나타난다. 이외 思慮過度로 인해 心火上炎 또는 心腎不交가 되어 目珠脹痛, 肝勞, 視瞻昏渺, 靑盲, 暴盲 등이 나타난다.

6) 外傷

모래, 먼지, 작은 곤충, 금속 분말 등의 여러 가지 이물이 目內에 들어가 瞼內나 白睛 및 黑睛 표면을 자극하여 澁澁不快, 畏光, 流淚, 眼脹痛과 심하면 눈을 뜨기가 어렵고 眼赤痛하며 星翳가 나타난다. 또한 돌연한 跌仆 혹은 타박 등으로 인해 目內에 瘀血이 울체되어서 目珠脹痛, 目赤, 灼熱이 나타나며 심하면 瞳神散大, 血灌瞳神 등과 함께 視物昏淸이 나타난다. 이외 火傷으로 인해 眼이 손상되는 燒灼傷目도 있다.

外傷으로 인해 나타나는 眼病에는 振胞瘀痛, 物損眞睛, 瞳神驚散, 驚振內障, 目眶骨傷, 物傷睛突, 靑珠破損 등이 있다.

7) 其他

(1) 先天과 遺傳

先天的인 稟賦不足이나 유전, 또는 태어날 때부터 가지고 나오는 眼病을 통칭하여 先天性 眼病이라 하는데, 近視, 遠視, 白內障, 胎患內障, 小兒靑盲, 色覺障碍, 上瞼下垂, 瞳孔先天異常 등이 있다.

(2) 老衰

老年에 이르러 氣血이 점차 쇠약해지고 장부기능이 부족해져 여러 가지 眼病이 발생하게 되는데, 老花眼, 老年性 白內障, 老年黃斑變性, 圓翳內障 등이 있다. 이들 老年에 많이 보이는 眼病들은 精血衰少가 대부분이며 또한 陰虛陽亢의 경우도 있다.

(3) 藥物

국소적 약물이나 전신성 약물은 모두 안구에 손상을 초래할 수 있어 과민 반응 또는 부작용 등을 일으켜 眼病이 발생한다. 예를 들면 어떤 안약이나 용액이 眼部에 과민반응을 일으켜 안검 피부 및 결막에 紅赤灼痛, 澁痒 등을 일으키기도 하고, 국소부위에 스테로이드를 장기간 사용함으로써 白內障, 靑光眼 등을 발생하기도 한다.

이외에 전신 질병으로 氣血의 기능이 失調되어 조성되는 痰濕, 瘀血 등의 병리 산물 등도 眼病을 발생하기도 한다.

2. 病機

1) 肝膽의 機能失調

(1) 肝氣鬱結

情志不舒, 鬱怒不解 등으로 肝의 疏泄機能이 이루어지지 않아 氣機가 鬱滯되면 眼痛, 視瞻昏渺, 靑風內障 등이 발생하고 經脈에 肝氣가 鬱滯되면 시력저하나 失明에 이르게 된다. 또한 肝鬱이 오랫동안 지속되어 氣滯血瘀하게 되면 眼部에 腫塊가 생기거나 眼底 脈絡에 瘀滯가 되어 暴盲, 視直爲曲, 靑盲,

青風內障 등이 발생한다.

(2) 肝火上炎

肝氣鬱結이 오래되어 火로 변하면 氣火가 上逆하거나 혹은 肝陽化火하여 氣火가 上炎하면 羞明, 流淚, 目赤腫痛 등이 발생한다. 氣火가 風輪에 침범하면 聚星障, 凝脂翳, 심하면 궤파되어 蟹睛이 발생하고 瞳神에 침범하면 瞳神緊小, 黃液上衝, 안저 황반충혈, 망막수종 등이 발생하며 脈絡에 침범하여 迫血妄行하면 眼內 出血이 발생한다. 또한 熱極生風하여 風火가 上攻하면 綠風內障, 暴盲 등이 발생한다.

(3) 肝經濕熱

外感風濕이 울체되고 熱로 변화하여 肝經에 蘊結하거나 평소 陽盛한데 熱邪가 內蘊하고 外感風濕과 내에서 울체되면 瞳神緊小, 瞳神乾缺이 발생하며 또는 濕熱이 風輪에 침범하여 混睛障이 발생한다.

(4) 肝陽上亢

肝陰虛로 肝陽을 억제하지 못해 陰虛陽亢이 되어 頭目脹痛, 目赤視昏, 眩暈耳鳴 등이 발생하고 虛火가 上炎하면 抱輪紅赤, 星翳, 瞳神乾缺, 雲霧移睛 등이 발생하며 虛火가 上炎하여 血分을 핍박하면 血灌瞳神, 眼底出血, 심하면 暴盲이 발생한다.

(5) 肝風內動

肝陰血이 매우 耗損되어 陰虛陽亢하면 肝陽化火하고 火盛하여 風이 動하면서 風火가 相煽하여 頭目痛, 目赤, 昏暗 등이 발생하고 肝風內動하여 津液을 灼傷하면 痰이 형성되어 風痰이 되어 침범하므로 眼脹痛, 瞳神散大, 혹은 目珠偏斜, 口眼喎斜가 발생한다. 또한 肝血不足으로 筋脈을 滋養하지 못하게 되면 血虛生風하여 目痒, 視物昏花, 胞輪振跳 혹은 目劄 등이 발생한다.

(6) 肝血不足

七情이 과도하여 陰血을 耗傷하거나 久病으로 失血을 과도하게 하여 발생하는 것으로 肝血이 不足하게 되면 眼乾澁, 眨目, 視物昏花, 無時冷淚, 황반 담백색, 수정체 혼탁 등이 발생한다. 小兒에 있어 疳積上目하게 되면 夜盲, 黑睛生翳, 失明이 발생한다.

2) 心小腸의 機能失調

(1) 心火亢盛

五志化火, 五氣化火 또는 辛溫한 것을 過食하거나 溫補한 것을 過服하여 兩眦의 赤脈이 粗大하거나 努肉攀睛, 漏睛生瘡 등이 발생하고 氣鬱化火하여 진액을 灼傷하게 되어 痰이 형성되면 痰熱이 上冲하여 視瞻有色, 視瞻昏渺 등이 발생한다. 또한 心火熾盛하여 血分에 침입하면 目絡이 상해 망막혈관이 확장되고 出血이 되며 황반에도 수종, 출혈이 발생한다.

(2) 心血瘀阻

勞倦으로 心을 상하여 心氣不振하고 推動이 無力해지면 氣滯가 되어 脈絡에 血瘀가 되므로 망막혈관이 怒張되거나 銀絲처럼 가늘어지고 심하면 출혈, 수종, 삼출, 시력저하가 발생한다.

(3) 心陽不足

老年에 체력이 쇠퇴하거나 久病으로 耗損되거나 汗·下를 과도하게 하여 心陽不足하면 心氣도 鼓動되지 못하고 血脈이 溫通하지 못하여 青盲, 視瞻昏渺, 심하면 안저 혈관 폐색, 暴盲 등이 발생한다.

(4) 心陰虧虛

勞心過度하여 心陰이 耗損되거나 熱病·久病으로 心陰을 耗損하거나 出血過多 등으로 心陰이 부족

하게 되면 虛火가 內動하여 시력저하, 眼前黑影飄動, 目乾澁, 眼球疼痛, 眉稜骨痛 등이 발생한다. 陰虛血虧하면 兩眦의 脈絡이 淡紅하고 視物昏花, 白睛溢血, 赤脈傳睛, 雲霧移睛 등이 발생한다.

3) 脾胃의 機能失調

(1) 胃火熾盛

辛熱, 炙煿, 膏粱厚味를 과다하게 섭취하여 胃熱이 생겨 火邪가 經絡을 따라 頭目에 侵入하여 나타나며, 火毒이 壅滯되면 目赤疼痛, 焮熱, 腫痒, 滲澁하고 瞼弦에 微細한 顆粒이나 片狀의 瘡瘍이 발생되며 甚해지면 黃液上衝, 瞳神緊小 등도 발생한다.

(2) 脾胃濕熱

辛熱, 炙煿, 膏粱厚味, 醇酒을 過食하여 濕熱이 內蘊되거나 外感 濕熱邪를 반복 감수하여 胞瞼紅腫赤痛, 瞼弦赤爛 등이 발생하고 濕熱이 內蘊하여 濕痰이 형성되면 顆粒과 痰核이 발생한다.

(3) 脾虛氣弱

飮食失調, 勞倦, 思慮過度로 인해 脾胃를 손상하게 되고 脾胃가 虛弱하게 되면 視瞻昏渺, 眼花, 高風內障, 雀目, 疳積上目 등이 발생한다.

(4) 脾不統血

勞倦으로 傷脾하거나 久病으로 脾氣가 虛損되어 脾氣虛弱으로 脾不統血이 되므로 眼內의 血이 外溢하여 出血이 발생되는데, 輕하면 결막하 출혈, 유리체 혼탁, 망막정맥 주위염 등으로 視物昏淸, 雲霧飄移 등이 발생하고 重하면 망막중앙정맥 폐쇄, 황반부 출혈 등으로 暴盲이 발생한다.

(5) 中氣不足

脾氣虛弱으로 中氣下陷되거나 혹은 久病, 大病 후에 나타나는 中氣不足으로 上瞼下垂, 目偏視가 발생하고, 濕濁이 停滯되면 瞼弦에 浮腫이 일어나며 甚한 경우 유리체 혼탁, 視物昏淸, 昏花가 발생한다.

4) 肺大腸의 機能失調

(1) 外感犯肺

外感風熱 혹은 風寒이 폐를 침범하여 宣發 및 肅降이 이루어지지 않고 氣血과 津液이 阻滯하여 발생한다. 風寒으로 인한 경우에는 頭痛, 目赤, 白睛이 옅은 홍적색을 띠고 淸稀한 淚가 흐르나 眵糞은 적게 보인다. 風熱로 인한 경우에는 白睛이 紅赤腫脹하고 痒澁하며 羞明, 流淚, 粘稠한 眵糞이 많이 보인다.

(2) 肺熱壅盛

外邪가 침입하여 鬱滯되면 熱로 변하게 되어 肺熱이 된다. 증상은 暴赤腫痛, 白睛浮腫, 白睛에 血絲가 布滿하며 血脈이 縱橫, 粗大旋曲하게 나타난다. 또한 怕熱, 差明, 粘稠한 眵糞이 많이 생기고 肺熱이 血絡에 入하면 白睛溢血이 발생되며, 肺火熾盛되면 肺金淩木하여 黑睛生翳가 발생한다.

(3) 肺氣不足

勞力過多, 久病, 久嗽 등으로 因해 肺氣가 不足되어 視物昏淸과 눈앞에 白色의 閃光이 나타난다.

(4) 肺陰虧損

燥熱邪, 久病 등으로 肺陰이 虧虛되어 眼을 濡養하지 못해 滲澁, 眼花와 乾結한 眵糞이 나타나고 虛火가 內盛되면 白睛에 澁痛과 隱隱한 赤脈, 血絲가 보이며 粟狀 혹은 顆粒狀의 小水泡가 반복적으로 발

생된다.

5) 腎膀胱의 機能失調

(1) 腎陰虧虛

情志內傷 혹은 勞力過多, 房勞로 精血을 상하거나 年老, 久病, 熱病으로 陰이 傷해 肝腎陰虛가 되어 陰精이 目을 濡養하지 못해 頭暈目眩, 目珠隱痛, 乾澁不适, 黑花飛舞, 視物昏朦이 되어 靑盲이 된다. 또한 陰精不足으로 陽光이 有餘하면 目中의 神光이 收斂을 하지 못해 近視가 되며, 虛火上炎하면 眼痛, 羞明, 抱輪部가 微紅赤하며 黑睛에 翳膜이 발생하기도 하고 오래되면 神水混濁, 瞳神緊小 및 乾缺해진다.

(2) 腎陽虛衰

稟賦不足, 年老, 久病으로 眞陽이 損傷되어 腎陽虛衰로 眼中의 神光이 浮越하고 腎의 溫煦作用이 되지 않아 眼을 溫養하지 못해 遠視, 雀目, 黑花飛舞, 神膏混濁하며 甚하면 目暗不明해진다.

6) 氣血津液의 機能失調

(1) 氣의 機能失調

① 氣虛

年老體衰, 久病失養, 飮食失調 혹은 煩勞가 과도하여 수곡의 정미가 충족되지 못해 발생한다. 元氣가 衰微하고 臟腑 機能이 虛弱해져 眼을 溫煦 및 濡養하지 못하여 물체가 분명하게 보이지 않고 오래 쳐다볼 수 없으며 심하면 眼盲하여 볼 수 없게 된다.

② 氣陷

선천적으로 稟賦가 不足하거나 久病, 老年, 飮食不節 등으로 脾氣가 손상되어 虛弱해 지므로 上瞼下垂되어 눈을 뜨기 힘들고 오래 쳐다볼 수 없으며 黑睛이 潰陷되기도 한다.

③ 氣滯

濕熱, 痰火, 食滯不化, 情志不舒 등으로 발생하거나 外感 風熱濕邪로 肺氣가 壅滯되고 氣機가 阻滯되어 白睛紅赤, 疼痛, 結節狀의 隆起가 발생한다. 또한 氣滯로 氣機가 阻滯되면 血瘀가 되어 目珠脹硬, 疼痛, 視物昏淸, 眼花 등이 발생한다.

④ 氣逆

暴怒로 肝을 상하면 肝氣가 上逆하여 頭目脹痛하고 물체가 모호하게 보이며 안내 출혈, 綠風內障 등이 발생한다.

(2) 血의 機能失調

① 血瘀

情志不舒로 因해 氣滯, 氣逆되거나, 跌撲損傷, 각종 출혈 등으로 眼의 脈絡이 瘀滯되어 발생된다. 胞瞼이 靑紫色으로 腫痛되고 白睛에 血絲가 紫赤색을 띠며 粗大하고 구불구불하며 黑睛이 赤膜下垂, 血翳包睛, 混濁하거나 血灌瞳神으로 視物昏淸하게 된다.

② 血虛

영양부족이나 실혈 과다 등으로 頭目을 濡養하지 못해 頭暈眼花, 視瞻昏渺, 起坐生花, 雀目 등이 발생된다. 또한 胞瞼에 창백한 부종과 兩眥가 淡紅하고 白睛도 乾澁不潤, 淡紅한 血絲가 보이며 黑睛도 乾澁해지는데 甚하면 混濁, 翳膜이 발생한다. 또한 風邪가 침입하거나 血虛生風하면 瞬目이 발생하고 虛火上炎하면 目珠脹痛, 滲澁, 差明 등이 발생하며,

돌연히 失血過多하면 暴盲도 발생한다.

③ 血熱

外感熱邪나 臟腑積熱이 血分에 入하여 발생하는데 胞瞼과 白睛이 赤熱腫痛하고 白睛溢血, 眼內 出血이 鮮紅色을 띠고 實證, 熱證의 전신증상을 동반한다. 만일 虛火가 上炎하면 眼內外 出血이 비교적 완만하면서 淡紅色을 띠고 虛熱證의 전신증상을 동반한다.

(3) 津液의 機能失調

① 津液虧損

大汗, 失血, 吐瀉不止로 津液이 不足되거나 또는 辛溫한 약물을 誤服해서 臟腑 津液이 虧損되므로 眼目 乾澁, 淚液 減少, 白睛의 表面이 不瑩하고 黑睛도 暗淡하면서 白色으로 混濁해지며 視物昏朦 등이 발생한다.

② 水濕停滯

飮食失調나 勞倦에 상하여 陰寒이 凝滯되고 水濕과 痰飮이 停滯되거나 혹은 腎陽虛로 水가 氣化되지 못하여 水濕이 눈으로 上泛하게 되므로 胞瞼水腫, 網膜水腫, 網膜剝離 등이 발생한다.

③ 痰濁停聚

肺·脾·腎 및 三焦 등의 臟腑機能이 失調되어 津液의 運行에 영향을 미치므로 체내에 停聚되었다가 火氣와 만나 煎灼되거나 혹은 陰寒이 結聚되어 痰飮으로 변하면 痰濁이 胞瞼을 지나면서 脈絡에 阻滯되어 痰核을 형성하게 된다. 또한 痰濁이 오랫동안 눈에 結聚되면 火로 변화하여 眼球突出 혹은 眼部에 腫瘤를 형성하게 된다.

韓醫眼科

일반적인 눈의 증상

1. 眼痛

外障으로 유발된 안통은 항상 刺痛, 澁痛 혹은 灼熱痛으로 나타나고, 內障으로 유발된 안통은 대다수가 脹痛, 牽引痛 혹은 眼球 深部의 疼痛으로 나타난다.

일반적으로 灼熱痛은 대부분 風熱에 속하고, 澁痛은 津液不足이나 血虛生燥에 속하며, 隱痛이 지속되는 것은 陽氣不足으로 陰寒이 內生하여 氣血運行이 不暢하게 된 것이다. 脹痛은 肝膽實熱, 肝火上炎 혹은 肝陽上亢, 氣滯血瘀에 속하고 刺痛은 邪熱이 亢盛하거나 熱盛한데 瘀滯가 겸하는 경우에 발생된다.

赤痛, 胞腫과 眵糞, 流淚가 많은 것은 風熱壅盛이고, 안통, 畏寒과 때때로 淸涎을 吐하는 것은 虛寒이며, 안통이 手按하면 더욱 甚하고 冷敷하여 喜하는 것은 實熱이고, 手按과 熱을 熨하면 풀어지는 것은 虛寒이며, 안통이 있으면서 煩燥, 痞悶한 것은 肝氣가 實한 것이다. 지속적인 刺痛이 그치지 않으면 火邪가 有餘한 것이고, 眼球가 갑자기 脹痛하는 것은 氣火上逆한 것이며, 안구가 墮痛하여 빠지려 하는 것은 肝膽火熾한 것이고, 은은한 疼痛이 일정치 않게 발생하는 것은 陰虛火動한 것이며, 안통이 甚하고 紅赤하며 大小便이 不利한 것은 實火內煩한 것이고, 안구에 미약한 赤痛과 大小便이 淸利한 것은 虛火上浮한 것이며, 눈을 움직일 때 동통이 극렬해지는 것은 邪氣가 目系에 머물러 있기 때문이다.

안통이 頭痛과 연결되어 발생하는 것은 經絡의 循行과 관련이 있으니, 안통이 巓頂부터 項後에 까지 이어지는 것은 太陽經에, 양측의 頭痛이 目眥까지 이어지는 것은 少陽經에, 疼痛이 前額, 鼻, 齒에까지 이어지는 것은 陽明經에, 안통과 함께 巓頂痛이 이어지는 것은 厥陰經에 邪氣를 받은 것이다. 안통이 먼저 있고 이어서 頭腦疼痛한 것은 병정이 비교적 輕한 것이나 안통이 頭腦疼痛으로부터 전해지는 것은 頭風이 割目해서 나타나는 것으로 병정이 비교적 重한 것이다.

2. 眼痒

眼痒은 風, 火, 濕과 血虛 등 여러 원인으로 인하여 발생되나 임상에서 風邪로 인하여 발생되는 경우가

대부분으로 변증 시 眼痒의 정도, 겸하여 나타나는 증상, 계절성 혹은 어떤 음식물이나 약물에 의해 유발되었는가 등을 종합하여 분석해야 한다.

迎風으로 瘙痒이 甚해지고 目赤腫痛하면 風熱이 外襲한 것이고, 痒澁하나 赤痛이 뚜렷하지 않으면서 時發時止하면 血虛生風한 것으로 主로 老年의 婦人에서 나타나며, 眼痛이 나으려는데 瘙痒이 있는 것은 氣血은 점차 회복되는데 火나 濕의 침입으로 因한 것이다. 瘙痒이 계속되고 瞼弦赤爛하며 眵糞, 流淚가 섞여 있는 것은 濕熱內蘊에 風邪가 入한 것이고, 眼痒이 隱隱하며 乾澁한 것은 虛火가 絡脈에 入한 것이다. 時復症은 眼痒이 극렬하여 難忍하고 春夏의 계절에 다발하여 계절이 지나면 낫고 다음 해에 다시 재발하는 것으로 風熱挾濕 혹은 脾肺濕熱이 上攻하여 발생한다.

3. 眼澁

眼內가 沙澁하고 赤痛, 瘙痒, 流淚, 畏光한 것은 風熱外襲이나 혹은 肝火上攻, 異物入目에 의한 것이고, 眼內가 乾澁不爽하고 瞬目이 빈번하며 久視하지 못하면서 眼內가 不紅不腫한 것은 水虧血虛에 의한 것이다. 白睛이 微紅·微痒한 것은 乾澁證으로 肺陰不足 혹은 肝腎陰虧에 의한 것이고, 小兒가 乾澁刺痒, 目眨頻頻, 能食而瘦, 掩面而臥, 午後燥熱, 羞明喜暗하는 것은 疳疾上目으로 脾虛肝旺하여 발생한다.

4. 翳와 膜

1) 翳

翳는 黑睛 위에서 발생하는 혼탁으로 點狀, 樹枝狀, 地圖狀 혹은 虫蝕狀 등의 다양한 형태를 띠는데 이는 혼탁의 形態, 色澤, 深淺의 정도가 서로 다르므로 翳의 명칭도 매우 다양하다. 그러므로 우선적으로 新翳와 宿翳로 구분한 후에 다른 증상과 결합해서 辨證을 진행해야 한다.

(1) 新翳

新翳는 黑睛위의 혼탁이 灰白色을 띠고 표면은 거칠며 경계가 모호하고 진행이 빠르면서 目赤疼痛, 畏光, 流淚 등의 증상을 수반하는 것으로, 聚星障, 凝脂翳 및 花翳白陷 등이 여기에 속하고 대부분 外感으로 인해 발생한다. 星翳의 초기에 조직이 성글면서 淡淡한 색을 띠고 風輪에 떠있듯 보이면서 輪주위가 淡赤色을 띠고 있는 것을 聚星障이라 하며 外邪가 表에 침범한 것이다. 邪盛正實하면서 內熱이 盛하면 外邪가 쉽게 裏로 들어와 熱로 변화하므로 星翳가 중첩되어 片을 형성하면서 黃白色을 띠고 潰瘍, 白睛混赤을 많이 보이게 되는데 이를 花翳白陷이라 한다. 邪毒을 감수하여 진행이 신속하면서 翳가 風輪을 가득 채워 凝脂의 형상이 되는 것을 凝脂翳라 하는데 제때 치료하지 않으면 쉽게 黑睛이 潰破되게 된다. 오래 전부터 翳가 발생하여 호전이나 악화를 보이지 않으면 正虛邪衰를 고려해야 하는데 聚星障, 花翳白陷 등에서 모두 나타날 수 있으므로, 임상에서 新翳를 살필 때는 반드시 表裏虛實을 변별하고 그 진행 과정을 자세히 관찰해야 한다. 黑睛의 翳는 다른 눈 부위 병변에서 영향을 받아 발생하거나, 심지어 黃仁과 瞳神에까지 파급시킬 수 있으므로 인과관계를 잘 분별하여 병정이 위태로워지지 않도록 해야 한다. 新翳가 치유된 후 輕한 경우에는 消散되나 重한 경우에는 宿翳로 轉變될 수도 있으므로 주의를 요한다.

(2) 宿翳

宿翳는 혼탁된 黑睛 표면이 광활하고 경계가 분명하며 진행이 급속하지 않고 赤痛, 流淚 등을 수반하지 않는 것으로, 瑕翳, 雲翳, 厚翳와 斑翳 등이 여기에 속한다. 翳가 가벼운 뜬구름 같거나 옅은 연기와 같아서 빛을 모아 비추었을 때 보이기 시작하는 것을 雲翳라 하고, 翳가 灰白色의 혼탁을 띠면서 색이 비교적 깊게 보이거나 자연광 아래에서도 보이는 것을 斑翳라 하며, 翳가 비후되어 白色의 기와와 같고 그냥 봐도 알 수 있는 것을 白斑이라 한다. 宿翳는 新翳가 치유된 후나 外傷의 후유증으로 반흔이 남은 것으로, 조기에 치료하면 대부분 제거할 수 있으나 오래되어 邪氣가 완고해 지면 약물로도 효과를 보기가 어렵다. 翳는 시력에 영향을 주는 정도가 중요하므로 翳의 부위를 확인한 후 크기나 厚薄을 살펴야 하니, 翳가 瞳神을 遮蔽하면 시력은 뚜렷이 감퇴되고 翳가 黑睛의 주위에 있으면 비록 크기가 크고 肥厚하더라도 시력에는 많은 영향을 주지 않는다. 宿翳는 대부분 氣血瘀滯 혹은 氣血虛弱이 주가 된다.

2) 膜

白睛 혹은 黑睛과 白睛 경계부에서 一片의 障이 일어나 백색 혹은 적색을 띠면서 점차 黑睛의 중앙으로 만연되는 것을 膜이라 하며 크게 赤膜과 白膜으로 구분된다. 赤膜은 膜中에 혈관이 밀집된 것으로, 肝肺 二經에 風熱이 壅盛하여 脈絡을 瘀滯하여 발생한다. 白膜은 膜中의 혈관이 보이지 않는 것으로, 대부분 肺氣가 壅實하여 발생한다. 膜이 얇고 色이 淡白하면서 瞳神을 덮지 않는 것은 輕證이고, 膜이 비후되고 赤色을 띠면서 瞳神을 덮는 것은 비교적 重證이며, 膜이 크고 혈관 덩어리처럼 비후되며 赤色을 띠면서 黑睛을 완전히 덮는 것이 가장 重證이다. 膜이 비후하면서 紅色을 띠는 것은 대부분 實證에 속하고, 膜이 菲薄하면서 白色을 띠는 것은 虛中夾實에 속한다.

赤膜과 胬肉은 감별을 요하는데, 胬肉은 眥部에서 白睛을 가로질러 黑睛의 표면에 들어가는 것으로 筋膜이 翼狀의 혹과 같으며 心肺經에 熱이 壅滯하여 발생한다.

5. 紅腫

紅赤과 腫脹은 서로 겸하여 나타나는 증상으로 外障眼病에서 항상 보이는데, 胞瞼과 白睛에서 다발한다.

胞瞼이 微紅, 微腫, 微痒한 것은 眼病 초기에 風熱邪가 침범한 것이고, 胞瞼이 紅腫痛한 것은 脾胃熱盛한 것이다. 胞瞼이 桃처럼 홍종하고 작열 동통하면서 간혹 硬結, 膿點이 있어 만지기를 싫어하는 것은 脾胃熱毒이 壅盛한 것이고, 胞瞼이 홍종하면서 濕爛한 것은 濕熱이 蘊結한 것이다. 瞼弦이 赤爛하면서 인설이 있거나 수포가 생기면서 痒痛하거나 혹은 눈썹이 탈락하면서 심한 경우 瞼弦이 변형되는 것은 脾胃에 濕熱이 蘊結한데 다시 風邪를 감수하여 발생한 것이다. 胞瞼이 球와 같이 腫起되나 皮色이 光亮하면서 赤痛을 수반하지 않는 것은 脾腎陽虛로 水氣가 上泛하여 발생한다.

白睛이 갑자기 적색을 띠고 부종, 痒痛하면서 眵糞이 많은 것은 肺經風熱한 것이고, 白睛이 불처럼 紅赤한 것은 肺經實熱 혹은 三焦熱盛한 것이다. 白睛에 물고기 부레와 같이 부종이 있는 것은 肺氣가 壅盛하거나 과민반응으로 인한 것이다. 白睛이 은은한 紅赤色을 띠고 乾澁한 것은 肺經虛熱한 것이다.

大眥가 赤痛하거나 赤脈이 白睛에 침범하는 것

은 心經實熱에 의한 것이고, 眥部가 赤爛한 것은 濕熱의 邪氣가 침범하여 발생한다.

6. 眵糞

眵糞은 外障眼病에서 항상 나타나는 증상이다. 眵糞이 많은 것은 주로 熱에 속한다. 眵糞이 많고 硬結하면 肺經實熱에 의한 것이고, 眵糞이 많고 묽으며 黏結하지 않으면 肺經虛熱에 의한 것이며, 眵糞이 많고 黃色, 稠膿하면 肺胃熱毒이 熾盛한 것이고, 眵糞이 많고 粘膠하면 脾肺濕熱에 의한 것이다.

7. 流淚

迎風流淚하면서 胞瞼이 약간 腫脹하고 目痒한 것은 風邪外侵에 의한 것이고, 熱漏가 끓는 물과 같은 것은 肝經風熱에 의한 것이다. 冷淚가 장시간 흐르는 것은 肝腎不足이나 눈물 배출로의 폐색으로 인해 발생한다.

8. 眼昏

眼昏은 사물을 볼 때 몽롱하여 분명하지 못한 것으로 目昏瞑, 目昏渺, 視瞻昏渺, 目䀮䀮, 目茫茫, 目昏昧, 目昧, 目昧不明, 昏昧不淸, 目䁩, 目瞀症 등으로 표현된다.

시력이 떨어지면서 白睛이 紅赤한 것은 外感風熱에 의한 것이고, 시력이 하강하면서 翳膜이 黑睛을 遮蔽하고 灼熱赤痛, 羞明, 流淚하며 간혹 瞳神緊小한 것은 肝膽火熾에 의한 것이다. 시력이 갑자기 떨어지나 외관은 정상이고 頭暈, 頭痛을 수반하는 것은 氣血이 瘀滯하여 脈絡이 鬱閉된 것이다. 시력이 급격히 떨어지면서 안구 운동 시 牽引痛이 있는 것은 肝氣鬱結로 目系에 邪氣를 감수한 것이고, 시력이 급격이 떨어지면서 눈앞에서 紅光이 가득한 것은 血熱妄行, 肝氣上逆, 혹은 虛火上炎하여 脈絡이 瘀滯한 것이다. 暴怒傷肝하여 시력이 갑자기 떨어진 것은 肝氣가 上逆하여 淸竅가 요동된 것이고, 시력이 완만히 떨어지면서 외관은 정상인 것은 血少神勞, 肝腎兩虧, 陰虛火旺 혹은 肝鬱氣滯에 의한 것이다. 內障이 오래되어 물체가 보이지 않거나 겨우 光覺만 판별할 수 있는 것은 氣血兩虧에 의한 것이다. 저녁이 되면 目暗해지는 소아의 신체가 瘦弱하다면 肝血虛少에 의한 것이고, 시야가 축소되거나 협착되는 것은 肝腎陰虛 혹은 腎陽不足에 의한 것이다. 또한 老人에 있어 발생하는 眼昏은 대개 血氣가 衰弱하여 肝葉이 薄하고 膽汁이 감소되어 神膏, 眞精이 제 기능을 하지 못해 발생한다.

9. 眼盲

眼盲, 目盲은 눈앞이 전혀 보이지 않는 것으로 크게 暴盲과 靑盲으로 나눌 수 있다.

暴盲은 눈에 별다른 질환 없이 외관은 정상이나 돌연히 單眼 혹은 兩眼의 시력이 급격히 떨어지거나 상실되는 것으로 火·熱·瘀가 上攻하거나 또는 氣血이 虛弱하여 발생한다.

靑盲은 눈에 아무런 이상이 없고 외관도 정상이며 瞳神에도 翳障이 없으나 점차 시력이 저하되거나 시야가 좁아지고 심하면 실명하게 되는 것으로, 邪熱이 阻竅하거나 혹은 脾虛氣弱, 肝腎陰虛로 인해 발생한다. 또한 소아가 瞳神에 翳障은 없으나 사물이 보이지 않아 해·달·별을 구분하지 못하며 瞳神이 산대되는 것은 小兒靑盲으로 濕熱病 후에 邪熱

이 經絡에 머물러 臟腑의 精氣가 눈에 영양을 공급하지 못하여 발생한다.

10. 夜盲

야맹은 주간에 사물은 분명이 보이나 황혼이 되면 사물이 흐려지고 야간에는 사물을 볼 수 없는 것으로 雀目이라고도 하며 크게 肝虛雀目과 高風雀目으로 나눌 수 있다. 病變은 완만하게 진행되므로 병의 초기에는 밝은 곳으로 나오면 시력이 회복되며 점차 진행되어 오래 지나면 주간에도 시력이 점차 떨어져 靑盲이 되기도 한다.

肝虛雀目은 肝虛血少하여 발생하는 것으로, 특히 소아에게 발생하는 경우 小兒雀目이라 한다. 이것은 영양이 부족하여 生化之源이 결핍되므로 精氣가 눈에 영양을 공급하지 못하므로 발생한다.

高風雀目은 저녁이 되면 사물이 보이지 않고 낮에는 사물을 볼 수 있으나 오래되면 시야가 점차로 축소되어 바로 앞의 사물만 볼 수 있게 되는 것으로 高風內障이라고도 하며 元陽不足이나 腎臟이 虛勞하여 陽氣가 上升하지 못하므로 발생한다.

11. 妄視

망시란 눈의 외관은 정상이나 사물이 분명하지 않고 혼탁하게 보이거나 중심에 어두운 음영이 보이거나 혹은 사물이 變形 또는 變色되어 보이는 것으로 視惑이라고도 한다.

눈앞에 黑花가 흩날리거나 구름이나 안개가 이리저리 떠도는 것 같은 雲霧移睛은 痰濁이 上泛하거나 肝腎不足으로 陰虛火旺하여 발생한다. 또한 앉았다가 일어설 때 眼花가 보이는 坐起眼花는 精血이 虧少하여 눈에 영양하지 못하여 발생한다.

視直爲曲, 視大爲小, 視小爲大 등의 視物變形은 痰濁이 內阻하거나 肝氣鬱結하거나 혹은 肝腎不足으로 인해 발생한다.

12. 近視

근시는 눈에 별다른 이상이 없이 멀리 있는 사물이 분명하지 않고 모호하게 보이면서 가까운 것은 비교적 깨끗하게 보이는 것으로, 심한 경우에는 멀리 있는 사물이 거의 보이지 않고 黑花가 날리는 것만을 느낄 수 있는데 이것은 陽氣不足으로 陽虛陰盛하거나 傷神氣弱하여 눈속의 神光이 外로 發越하지 못하여 일어나거나 先天稟賦不足으로 인해 발생한다.

13. 遠視

원시는 눈에 별다른 이상이 없이 멀리 있는 사물은 뚜렷이 잘 보이나 가까운 것은 모호하여 잘 보이지 않는 것으로, 腎陰이 不足하고 陰精이 虧損되어 陰虛陽盛하므로 陽을 수렴하지 못하고 神光이 散亂되어 발생한다.

辨證 및 治療

眼病은 크게 內治와 外治로 구분하여 치료한다. 內障眼病은 內治를 위주로 하고, 外障眼病은 點眼, 洗眼, 敷眼, 手術 등의 外治를 많이 배합하게 되며, 이외에 針灸, 推拿, 氣功 등의 방법을 배합하여 응용할 수 있으므로 眼病의 治療方法은 매우 다양하다.

1. 內治法

眼과 臟腑經絡 關系의 理論에 근거할 때 韓醫學에서 眼病을 치료함에 있어 內治法이 매우 중요하다. 內治法의 목적은 內服藥物을 사용하여 病邪를 제거하고 臟腑經絡과 氣血陰陽의 失調를 조정하며 환자의 자가 치유력을 키워 眼病의 치료와 시력 증진에 도달하도록 하는 것이다.

1) 祛風解表法

風邪로 인해 眼病이 되는 경우가 매우 많고 또한 다른 兼證을 많이 띠게 되므로 眼科에서는 이 치료법을 응용하는 경우가 비교적 많다. 주로 風邪가 침습하여 발생한 外障眼病의 초기에 적용하게 되는데, 白睛이 돌연히 紅赤하고 黑睛에 翳障이 새로 발생하며 胞瞼에 瘡瘍이 생기면서 頭痛, 惡寒, 發熱, 脈浮 등의 증상이 있을 때 활용한다. 風邪가 侵襲하는 경우는 風寒, 風熱로 구분할 수 있는데, 風熱로 야기되는 外障眼病이 가장 많다.

(1) 疏散風熱法

辛凉宣散하거나 苦寒淸熱한 약물로 구성된 方劑로 疎風散熱하는 治療法으로 風熱이 침범하여 야기된 外障眼病의 초기 즉, 眼痒疼澁, 熱淚頻流, 羞明, 灼熱, 眵多, 胞瞼腫脹, 白睛紅赤, 黑睛生翳浮嫩 등의 증상이 있으면서 전신에 惡風發熱, 頭痛, 鼻塞, 舌紅苔薄黃, 脈浮數 등의 증상이 있을 때 주로 활용한다. 眼病中에는 暴風客熱, 聚星障, 凝脂翳, 針眼, 瞳神緊小症 등의 초기에 모두 활용할 수 있다.

風熱邪가 침습하는 경우에 크게 風이 熱보다 重한 경우와 熱이 風보다 重한 경우로 구분할 수 있고 風熱邪가 內로 깊이 침입하면 裏熱이 壅盛하게 될 수 있으므로 반드시 風甚, 熱甚, 偏表, 偏裏를 구분해야 한다. 만일 風이 熱보다 重하여 疼痛, 流淚의 증상이 현저하면 소량의 辛溫解表藥을 배합해야 하고 또한 黑睛에 翳障이 있으면 祛風止痛, 止淚, 退翳의 효과를 증가시켜야 한다. 반대로 熱이 風보다 重하여 紅腫의 증상이 현저하면 淸熱藥을 증가시켜야 한다.

處方으로는 銀翹散, 羌活勝風湯, 驅風散熱飮子, 還陰救苦湯, 菊花決明散, 防風通聖散 등이 있으며 金銀花, 連翹, 桑葉, 菊花, 薄荷, 蔓荊子, 牛蒡子, 蟬退 등의 發散風熱하는 辛凉한 藥物과 羌活, 獨活, 防風, 荊芥, 白芷, 川芎, 藁本, 麻黃 등의 發散風寒의 辛溫한 藥物과 黃芩, 連翹, 生石膏 등의 淸熱藥物을 사용한다.

(2) 疏散風寒法

辛溫解表한 약물이 위주로 구성된 方劑로 辛溫解表, 逐邪通絡하는 治療法으로 風寒이 침입하여 야기된 眼病 즉, 眉心作痛, 淚多難睜, 淚冷眵稀, 眼感緊澁不爽, 瞼硬睛疼, 胞瞼虛浮, 白睛淡紅하면서 전신에 惡風寒, 發熱頭痛, 身疼無汗 或少汗, 舌苔薄白, 脈浮緊 등의 증상이 있을 때 주로 활용한다.

疏散風寒法은 疏散風熱法에 비해 적게 사용된다. 주로 外障眼病의 초기에 熱證이 절대로 없는 경우에 활용한다. 또한 經絡辨證과 함께 고려하여 引經藥을 선택하게 되는데, 前額痛에는 白芷, 巓頂·後項痛에는 藁本, 眉棱骨痛에는 羌活, 太陽穴痛에는 柴胡, 風痰으로 발생한 眉棱骨痛에는 白附子를 배합하여 활용한다. 風寒의 邪氣가 침입하면 쉽게 蘊積하여 熱로 化하게 되는데 熱로 化한 후에는 이 治療法을 활용하지 못한다.

處方으로는 荊防敗毒散, 驅風一字散, 川芎茶調散, 羌活退翳湯 등이 있으며 麻黃, 細辛, 羌活, 防風, 荊芥, 川芎, 白芷, 藁本 등의 辛溫한 藥物을 사용한다. 특히 祛風散寒法은 陽虛自汗 혹은 陰虛內熱한 경우에는 愼重하게 사용해야 된다.

2) 瀉火解毒法

眼科에서 매우 광범위하게 활용되는 治療法이다. 寒凉한 약물을 사용하여 瀉火解毒함으로써 邪毒을 제거하는 것으로 火熱邪毒으로 야기된 眼病을 치료한다. 熱毒·時邪가 침입하거나 六淫의 침습이 오래되고 失治 혹은 誤治하여 火로 변해 內功하거나, 평소 脾胃에 積熱이 있거나, 肝膽에 火熱이 치성하여 眼目을 침범한 경우에 주로 활용된다. 火熱毒邪로 야기된 眼病은 병정이 엄중하여 胞瞼이 紅赤漫腫 혹은 潰膿하거나, 白睛이 紅赤壅腫 혹은 混赤하거나, 黑睛이 凝脂처럼 潰爛되거나, 黃液이 黑睛과 黃仁사이에 結聚되거나, 瞳神緊小 등이 있으면서 시력이 갑자기 하강하고 疼痛拒按, 灼熱羞明, 熱淚如湯, 眵多粘結 등의 자각증상을 항상 수반하면서, 전신증상으로 身熱, 煩渴, 便秘, 尿短赤, 舌紅苔黃燥, 脈數實 등이 나타난다. 眼病中에는 針眼, 漏睛瘡, 天行赤目, 火疳, 凝脂翳, 瞳神緊小 등에 활용한다.

(1) 淸熱瀉火法

火의 성질은 上炎하므로 火熱毒邪는 經絡을 타고 쉽게 위로 目竅를 침범하므로 이 淸熱瀉火法을 사용할 때는 반드시 臟腑辨證을 근거로 하고 五輪辨證을 참고로 하여 활용해야 한다. 만일 眼胞가 焮腫赤痛하고 口渴喜飮하며 便秘, 溲赤 등의 脾胃熱毒에 의한 병증에는 淸瀉胃火法을, 胞輪이 紅赤하고 黑睛에 翳膜이 생기며 目珠疼痛하고 面紅煩躁하면서 舌邊紅, 苔黃한 肝火上炎의 병증에는 淸瀉肝火法을, 赤脈이 白睛을 침범하거나 血翳가 白睛을 감싸면서 刺痛, 淚出하고 漏睛에서 膿이 溢出하며 心煩不寐하면서 舌尖紅, 苔黃한 心火上炎의 病證에는 淸瀉心火法을, 白睛이 紅赤하고 灼熱疼痛하며 口乾咽燥한 肺火上攻의 病證에는 淸瀉肺火法을 활용한다.

處方으로는 龍膽瀉肝湯, 瀉心湯 등이 있으며 龍膽草, 梔子, 大黃, 黃連, 黃芩 등의 藥物을 사용한다.

(2) 淸熱解毒法

火熱과 毒邪가 간혹 서로 겸하면 瀉火와 解毒을 겸해야 하는데 火와 毒의 輕重 여부를 살피고 臟腑辨證을 결합하여 방제를 선정해야 한다.

處方으로는 黃連解毒湯, 五味消毒飮, 普濟消毒飮, 銀花解毒湯, 散熱消毒飮子, 仙方活命飮, 三黃解毒湯 등이 있으며 蒲公英, 金銀花, 紫花地丁, 野菊花, 大靑葉, 黃連, 黃芩, 連翹, 梔子 등과 같은 淸熱解毒의 藥物을 사용한다. 또한 熱毒으로 인한 眼病에 表邪가 있으면 升麻, 白芷, 荊芥, 防風 등과 같은 疏風散邪의 藥物을 加하고, 紅腫焮痛이 甚하면 牧丹皮, 赤芍, 大黃, 硫黃, 沒藥 등과 같은 淸熱凉血의 藥物을 加하며, 瘡癰의 膿이 盛하나 不潰하면 穿山甲, 皂角刺, 生黃芪 등과 같은 托毒透膿의 藥物을 加한다.

(3) 瀉火通腑法

眼은 五輪으로 나누어 五臟에 배속시켰는데 臟腑의 표리관계로 臟火가 腑를 따라 해소될 수 있으나 邪毒이 熾盛해진 急性의 重症 眼病에서는 몇몇 臟의 火가 并存하게 되며 그 중에 陽明의 火가 가장 극렬하여 가장 위협적이다. 그러므로 大便燥結한 경우에는 瀉火通腑法을 사용하여 陽明의 火를 내려야 各臟의 火를 경감시킬 수 있고 眼症도 따라서 편하게 된다.

處方으로는 瀉肝散, 通脾瀉胃湯, 眼珠灌膿方, 內疏黃連湯 등이 있으며 大黃, 芒硝, 石膏 등의 藥物을 사용한다.

(4) 淸熱凉血法

熱邪가 表에서 裏로 들어오거나 臟腑의 毒이 熾盛하여 깊게 血分으로 들어오게 되므로 火熱邪毒이 熾盛하여 內外眼에서 出血이 있는 경우에 淸熱凉血法을 많이 사용한다.

處方으로는 犀角地黃湯 등이 있으며 犀角, 生地黃, 白芍藥 등의 藥物을 사용한다.

3) 滋陰降火法

甘寒滋陰하고 寒凉降火하는 藥物 위주로 구성된 方劑를 사용하여 滋養陰液, 淸降虛火하는 治療法으로 陰液이 虧損되고 虛火가 上炎하여 眼目을 上攻한 경우에 활용한다. 이들은 대부분 발병이 비교적 완만하고 증상이 時輕時重하며 병정이 길면서 쉽게 반복 발작하거나 주기적으로 가중되는 특징이 있다. 白睛에 隱隱한 紅赤이 보이거나 黑睛에 星翳가 보였다 없어졌다 하거나 瞳神이 乾缺하여 변형되거나 瞳神散大, 眼壓上升, 網膜出血, 黃斑部 水腫 등이 보인다. 전신증상으로는 頭暈失眠, 兩顴潮紅, 盜汗夢遺, 五心煩熱, 煩躁易怒, 耳鳴耳聾, 口苦咽乾, 舌紅少苔, 脈細數 或虛數 등이 나타난다.

眼病中 金疳, 火疳, 白澁症, 聚星障, 瞳神乾缺, 靑風內障, 雲霧移睛, 視瞻昏渺 등에서 볼 수 있다.

處方으로는 滋陰降火湯, 知柏地黃湯, 養陰淸肺湯, 補心湯, 十珍湯 등이 있으며 當歸, 白芍藥, 生地黃, 知母, 麥門冬 등의 藥物을 사용한다. 滋陰降火藥은 대부분 寒凉하면서 滋膩한 성질이 있으므로 外感의 諸邪氣로 인한 경우나 脾胃虛弱 혹은 痰濕이 內蘊한 경우에는 마땅히 사용을 禁하여야 한다.

4) 祛濕法

芳香, 淡滲, 苦寒, 健脾 등의 藥物 위주로 구성된 方劑로 祛濕化濁, 利水通淋 등의 작용을 하여 濕邪로 야기된 眼病에 활용한다. 이들은 濕邪가 外侵하여 발생하거나 濕濁이 內蘊하여 야기되거나 外障 혹은 內障眼病을 막론하고 胞瞼水腫, 瞼重難睜, 瞼弦濕爛痛痒, 胞內粟瘡, 白睛汚黃, 黑睛翳如虫蝕, 混睛障, 神水混濁, 眼底滲出水腫, 網膜剝離, 視物昏蒙, 雲霧移睛 등이 보이면서, 전신증상으로 頭痛如裹, 口不渴 或渴不欲飮, 胸悶食少, 腹脹便溏, 四肢乏力, 或咳吐痰涎 등이 나타난다.

濕邪가 침습하는 부위와 겸하는 邪氣에 따라 內濕, 外濕으로 구분한다. 그러나 外濕이 內로 臟腑까지 전해지기도 하고 內濕이 또한 外로 肌膚로 滲溢할 수 있으므로 外濕과 內濕은 서로 겸하여 보일 수 있다. 또한 濕邪는 寒邪를 겸하거나 熱邪를 겸하기도 하며 脾虛不運하여 水濕이 停聚되는 경우와 腎陽不足으로 陽虛水泛하는 경우 등의 여러 경우가 있을 수 있다. 따라서 이에 상응하는 祛濕法도 또한 적지 않으니, 風濕이 眼에 침범하여 胞瞼이 濕痒하면 除濕에 祛風을 兼하고, 痰濕이 阻絡하여 眼胞에 痰核이 생기면 化濕에 祛痰通絡을 겸하며, 濕濁이 上泛하여 網膜 水腫하면 利水滲濕을 활용해야 한다.

(1) 清熱除濕法

清熱燥濕하는 藥物 위주로 구성된 方劑로 濕熱로 야기된 眼病에 활용한다. 瞼弦, 胞瞼이 紅赤濕爛하고 白睛이 汚黃하면서 帶紅하며 胞輪이 紅赤하고 黑睛이 潰爛되거나 혹은 神水混濁, 網膜水腫, 瞳神緊小 등의 증상이 있으면서 전신증상으로 心煩口苦, 小便短赤, 身重乏力, 苔黃膩, 脈濡數 등이 나타난다.

濕熱邪로 야기되는 眼病이 많아 胞瞼病, 兩眥病, 白睛病에서도 적지 않게 볼 수 있고 혹은 濕鬱이 오래되어 熱로 化하여 발생하기도 한다. 이외에 聚星障, 混睛障, 瞳神緊小 등도 또한 濕熱과 관련이 있다.

處方으로는 脾胃濕熱에 疏散風濕湯, 通脾瀉胃湯, 除濕湯 등을, 肝膽濕熱에는 石決明散, 龍膽瀉肝湯, 四物龍膽湯, 銀花復明湯 등을 활용하고 黃芩, 黃連, 梔子, 龍膽草, 澤瀉, 茵蔯, 滑石, 車前子, 木通, 薏苡仁 등과 같은 藥物을 사용한다.

(2) 健脾化濕法

辛溫燥濕, 芳香化濕하는 藥物 위주로 구성된 方劑로 脾虛하여 水濕을 운화하지 못하므로 濕邪가 中阻하거나 혹은 痰飮이 되어 야기된 眼病에 활용한다. 胞瞼虛腫, 視物昏蒙, 視瞻有色, 眼前黑影 如蚊蠅飛舞, 眼底黃斑 水腫滲出 등의 증상이 있으면서 전신증상으로 倦怠乏力, 食少納差, 舌淡苔白, 脈濡而弱 등이 나타난다.

일반적으로 外障眼病中에 健脾化濕法을 사용하는 경우는 비교적 적으나 胞虛如球, 白澁症 등의 脾虛濕滯로 인한 경우에는 사용이 가능하고, 內障眼病中에 雲霧移睛, 視瞻昏渺, 青盲 등에서도 健脾化濕法을 활용할 수 있다.

處方으로는 神效黃芪湯, 羌活勝風湯, 人蔘補胃湯, 蔘苓白朮散, 二朮散 등을 활용하고 人蔘, 茯苓, 山藥, 薏苡仁, 扁豆, 白朮, 砂仁, 白豆寇, 陳皮, 甘草 등과 같은 藥物을 사용한다. 健脾化濕에 사용되는 藥物은 대부분 辛溫性燥하여 오래 사용하면 쉽게 傷陰耗津하게 되므로 陰虧津少한 경우에는 愼用해야 한다.

(3) 溫陽利濕法

溫陽化氣, 利水滲濕하는 藥物 위주로 구성된 方劑로 陽虛하여 氣化失常하므로 水濕이 停聚되어 야기된 眼病에 활용한다. 胞瞼浮腫, 視神經·網膜水腫, 黃斑水腫, 出血 등이 있으면서 전신증상으로 小便不利, 四肢重痛, 形寒肢冷, 舌淡苔白 或白膩, 脈沈 등이 나타난다. 이 방법은 內障眼病, 특히 視瞻昏渺, 視瞻有色, 青盲, 雲霧移睛 등에 주로 활용할 수 있다.

處方으로는 脾陽이 虛衰하여 水濕을 運化하지 못하는 경우에 苓桂朮甘湯, 補中益氣湯, 人蔘養榮湯에 桂枝, 附子, 乾薑 등과 같은 大辛大熱한 藥物과 白朮, 茯苓, 白豆寇, 薏苡仁 등과 같은 健脾利濕하는 藥物을 함께 가미하여 활용한다. 腎陽이 衰微하여 水液을 溫化하지 못하면 益火助陽法을 겸하여 활용한다. 특히 陰虛血少하면 溫陽利水法을 忌用해야 하며 또한 祛濕法도 愼用하여야 한다.

5) 理血法

眼目은 血을 受해야만 능히 볼 수 있고 血은 脈中을 운행하여 通利하는 것이나 太過 혹은 不及하여 失調되면 眼病이 발생하게 되는데, 理血法은 이러한 血이 失調되는 것을 치료하는 방법이다.

眼病에서 흔히 보이는 血分의 病은 血虛, 血熱, 出血, 血瘀이고, 治療로는 補血, 凉血, 止血, 活血祛瘀 등을 활용한다.

(1) 止血法

止血作用이 있는 藥物을 이용하여 眼部 出血을 멎게 하는 것으로 각종 出血 증상의 조기 및 반복 출혈하는 경우에 적용하는데, 예를 들면 胞瞼出血, 白睛溢血, 血灌瞳神, 網膜出血, 脈絡膜出血 및 外傷出血 등에 활용한다. 出血의 원인이 다르면 止血의 구체적인 방법도 다르게 되는데, 血熱이 妄行한 경우에는 淸熱凉血止血 혹은 淸肝降火止血하고, 陰虛陽亢한 경우에는 滋陰潛陽止血하며, 虛火로 脈絡을 상한 경우에는 滋陰凉血止血하고, 氣虛하여 血을 統攝하지 못하는 경우에는 益氣攝血하며, 眼外傷의 경우에는 祛風散瘀止血의 방법을 활용한다.

① 凉血止血法

淸熱藥과 凉血止血藥으로 구성되어 熱邪가 營血까지 深入하여 迫血 妄行하므로 脈絡 外로 溢血되는 眼病에 활용한다. 이런 眼部 出血은 天行赤目, 血灌瞳神, 出血性 暴盲 및 血管 阻塞性 暴盲 등이 있으면서 전신증상으로 煩熱不安, 口乾咽燥, 舌紅脈數 등이 나타난다.

處方으로는 三黃湯, 寧血湯, 犀角地黃湯, 生蒲黃湯 등과 仙鶴草, 旱蓮草, 生地黃, 側柏炭, 梔子, 白茅根, 白芨, 阿膠, 白芍, 牧丹皮 등의 淸熱凉血하는 藥物을 사용한다. 血熱妄行의 出血에는 凉血止血을 위주로 치료하지만 寒凉이 過하면 血이 凝滯하여 消散되기 어렵고 不利하기 때문에 活血消瘀의 방법도 고려해야 한다. 따라서 凉血하되 凝滯하지 않고 止血하되 瘀滯되지 않도록 해야 하므로 生蒲黃, 茜草根 등과 같이 凉血止血하면서 活血散瘀하는 藥物을 선택적으로 사용하여야 하는데 處方으로는 生蒲黃湯이 있다.

② 益氣止血法

益氣攝血하는 藥物로 구성되어 氣虛하여 脈을 統攝하지 못하므로 血이 脈絡 外로 溢血되는 出血性 眼病에 활용한다. 이들은 대부분 眼內出血이 있는데 血色은 비교적 淡紅하고 血量이 비교적 많으며 지속되어 잘 멈추지 않으면서 전신증상으로 頭暈乏力, 少氣懶言, 面無華, 胃納不佳, 舌淡脈弱 등이 나타난다.

處方으로는 芎歸補血湯에 人蔘, 黨參, 白朮, 黃芪, 大棗 등의 益氣補脾하는 藥物과 三七根, 阿膠, 藕節, 血餘炭 등의 養血止血하는 藥物을 함께 활용한다. 氣虛가 甚하여 出血이 많거나 急激하면 급히 獨蔘湯을 활용하여 補氣攝血하여야 한다.

止血法은 急하면 그 標를 治한다는 원칙에서 새로 出血이 있는 단계에서만 사용하고 만일 止血이 되어 다시 出血이 있을 것 같지 않다면 점차 活血祛瘀法으로 바꾸어 사용하여야 한다. 또한 반복적으로 出血이 되는 경향이 있다면 出血이 정지된 후에 곧바로 活血祛瘀法을 사용해서는 안되는데 이는 재출혈이 일어날 수 있기 때문이다. 止血하는 방법을 응용할 때는 血이 停留하여 瘀滯되는 폐단이 없도록 주의해야 하므로 항상 止血藥物을 사용하면서 行氣消瘀하는 藥物을 보조로 사용해야 한다. 止血法을 사용할 때는 항상 辨證에 맞추어 함께 활용해야 하는데 淸熱凉血, 益氣攝血, 滋陰潛陽, 심한 경우 活血祛瘀 등을 보조로 활용해야 하며 각종의 止血方中에는 仙鶴草, 血餘炭, 百草霜, 藕節, 白茅根, 棕櫚炭, 側柏炭 등의 藥物을 선택하여 지혈효과를 강화해야 한다.

(2) 活血祛瘀法

活血行氣, 化瘀通脈하는 藥物로 구성된 方劑로 消散瘀滯, 通經活絡시킴으로써 血行을 개선시켜 眼部의 瘀血 흡수를 촉진하는데 활용한다. 瘀血로 야기되는 눈의 증후는 복잡하여 胞瞼腫硬, 紅赤紫脹하거나 白睛赤絲虬脈, 白睛溢血, 黑睛混濁, 水腫肥厚하거나 혹은 赤脈伸入하여 黃仁腫脹하거나 혹은 血灌瞳神, 神水 混濁, 琉璃體 出血, 眼底 出血이 오래되어 眼底에 機化物이 생기거나 眼底 退行性 病變, 外傷損目, 手術後 出血 後期 등이 나타난다. 위의 증후를 제외하고도 眼部에 통증이 극렬하게 지속되어 그치지 않고 拒按하거나 통증이 한곳에 고정되면서 舌質에 瘀點, 瘀斑이 있고 심하면 眼底病 후기에 視力下降하는 등의 증상도 나타날 수 있다. 종합하면 內·外障眼病을 막론하고 위의 증후를 보이는 경우에 모두 活血祛瘀法을 활용한다.

處方으로는 桃紅四物湯, 血府逐瘀湯, 通竅活血湯, 歸芎紅花散, 補陽還五湯 등이 있고 當歸, 赤芍, 川芎, 牛膝, 桃仁, 紅花, 丹蔘, 澤蘭, 蘇木, 三稜, 莪朮 등의 活血祛瘀하는 藥物과 靑皮, 枳殼, 柴胡 등의 行氣破氣하는 藥物을 함께 사용한다.

血瘀의 證候에는 氣滯를 겸한 경우가 많으니 氣가 血의 師가 되어 氣行則血行하므로 이 치료법을 사용할 때는 적당한 양의 行氣시키는 藥物을 보조로 사용하여야 한다. 이 치료법에는 破瘀作用이 있으므로 오랫동안 사용하면 안되는데 正氣를 耗傷할 수 있기 때문이다. 氣血虛弱者나 孕婦는 사용을 忌한다.

6) 疏肝理氣法

疏肝解鬱, 調理氣機, 養肝和血하는 藥物로 구성된 方劑로 肝氣鬱結의 증후를 개선시키거나 제거하여 직접 혹은 간접적으로 眼部 脈絡을 和暢하게 하고 氣血運行을 調理 있게 만들어 退赤, 消腫, 降眼壓, 明目의 효과를 얻고자 하는 방법이다. 이 방법은 肝氣鬱結로 氣機가 不調해서 발생한 一切의 內·外障眼病에 광범위하게 적용할 수 있는데, 그 중 靑風內障, 綠風內障, 視瞻昏渺, 暴盲 등의 內障眼病에 많이 활용한다. 目赤脹痛, 眉棱骨痛, 視物昏蒙 혹은 視力下降, 瞳神散大, 眼壓上升 등이 있으면서 전신 증상으로 頭暈目眩, 胸脇脹悶, 噯氣, 咽部似有物阻, 神疲, 煩躁易怒, 婦女月經不調, 脈弦 등이 나타난다.

處方으로는 柴胡疎肝散, 逍遙散, 瀉肝散, 綠風羚羊角飮 등과 柴胡, 靑皮, 香附子, 鬱金, 川芎, 川楝子 등의 疏肝理氣의 藥物을 주로 활용하고, 氣鬱하여 熱로 化하면 梔子, 黃芩, 牧丹皮 등의 淸火肝熱의 藥物을 겸한다.

疏肝理氣法은 眼科에서 常用되는 치료법으로 특히 慢性 眼病 및 內障眼病에 많이 활용된다. 肝鬱하면 쉽게 火로 化하게 되므로 疏肝理氣의 藥物에 淸火하는 藥物을 적당량 加味해야 하고, 肝鬱은 항상 血虛 혹은 脾氣虛弱을 겸하므로 疏肝理氣法에는 항상 健脾養血藥을 배합하여 사용해야 한다. 또

한 肝鬱이 오래되면 氣滯血瘀되어 眼病이 면면이 지속되게 되므로 活血化瘀藥을 응용해 배합할 수도 있다. 疏肝理氣法에 사용되는 藥物은 대부분 辛溫氣燥하므로 陰虛者는 愼用해야 한다.

7) 益氣養血法

補氣養血하는 藥物로 구성된 방제로 氣血虛弱의 증후를 제거하고 아울러 明目作用에 이르도록 하는 방법이다. 慢性 內·外障眼病이면서 氣血不足의 全身證候를 겸한 경우에 많이 사용된다. 羞明, 目痛, 起坐生花, 冷淚頻流, 睜眼乏力, 久視眼脹, 夜盲, 暴盲, 靑盲, 胞瞼虛腫, 上胞下垂, 目無神光, 眥部血絲淡紅, 黑睛邊緣生翳 久而不愈, 黑睛翳陷 久不平復, 眼底網膜血管稀細, 網膜出血, 網膜脈絡膜萎縮斑 등이 나타날 수 있다. 目得血而能視, 氣脫者目不明과 같이 눈과 氣血은 서로 밀접한 관계를 가지므로 益氣養血함은 매우 중요한데 반드시 사용할 때 病因의 구체적인 정황에 근거하여 氣虛 위주인지 血虛 위주인지 판별하여 藥物 사용을 고려해야 한다.

(1) 補氣法

慢性 內·外障眼病과 함께 頭暈目眩, 睜眼乏力, 常欲閉垂, 少氣懶言, 神疲納呆, 耳鳴自汗, 舌淡苔少, 脈虛無力 등의 氣虛 證候에 활용된다.

處方으로는 益氣聰明湯, 人蔘養榮湯, 補中益氣湯 등과 人蔘, 黨蔘, 黃芪, 山藥, 白扁豆, 白朮, 茯苓, 大棗, 甘草 등의 益氣補脾하는 藥物과 升麻, 柴胡 등의 升擧淸陽하는 藥物을 함께 활용하며 만일 氣虛가 極甚하면 獨蔘湯을 사용한다.

(2) 補血法

血虛에 의한 眼病에 활용하는데 失血 혹은 久病에서 面色蒼白 或萎黃, 頭暈眼花, 不耐久視, 心悸失眠, 多夢易醒, 手足發麻, 舌質淡, 脈細無力 등의 血虛 證候에 사용한다.

處方으로는 當歸補血湯, 芎歸補血湯, 四物湯 등과 當歸, 熟地黃, 阿膠, 白芍, 鷄血藤, 何首烏 등의 滋補陰血하는 藥物을 사용한다.

(3) 氣血雙補法

氣血이 虧虛하여 발생된 內·外障眼病에 활용하는데 少氣懶言, 乏力自汗, 面色蒼白 或萎黃, 心悸失眠, 舌淡而嫩, 脈細弱 등의 氣血兩虛의 證候에 사용된다.

處方으로는 八珍湯, 益氣補血湯, 人蔘養榮湯 등과 補氣 및 補血 藥物을 함께 사용한다.

脾는 後天의 근본으로 氣血이 生化하는 근원이 되므로 補氣養血의 치료법을 활용 시에 마땅히 調理脾胃에 주의해야 한다. 補氣養血法은 주로 虛證에 활용되는데 만일 虛實夾雜에 속하면 攻補를 겸하거나 先攻後補, 先補後攻하는 방법을 사용해야 하며 邪氣가 亢盛하고 虛證이 나타나지 않으면 이 방법을 사용하지 못한다. 慢性 眼疾로 병정이 길어 복용이 편리하도록 丸劑, 散劑, 片劑 등으로 장기 복용해야 하며, 運化 吸收가 용이하도록 식전 혹은 취침 전에 복용해야 한다.

8) 補益肝腎法

補益肝腎하는 藥物로 구성된 方劑로 肝腎虧虛를 개선하고 明目作用에 도달하도록 하는 眼科에서 상용하는 치료법이다. 肝腎不足은 많은 虛證의 眼病에서 주요 病機가 된다. 肝血은 養目의 근원이 되고 腎精은 司明의 근본이 되어 肝腎同源하므로 함께 相火가 기거하고 肝腎의 陰氣는 상호 자생하게 되어 치료 시 항상 肝腎同治를 고려한다. 肝腎不足은 內·外障眼病에서 모두 나타나는데 특히 內障眼病에

서 더 많이 보여 流淚症, 白澁症, 聚星障, 瞳神乾缺, 青風內障, 圓翳內障, 雲霧移睛, 視瞻昏渺, 青盲, 高風內障 등에 肝腎不足의 證候가 보이면 모두 補益肝腎法을 활용한다. 肝腎不足으로 야기되는 眼病은 肝腎陰虛가 대부분이나 腎陽不足으로 야기되는 경우도 있다.

(1) 滋養肝腎法

補養肝腎, 滋養腎陰하는 藥物로 구성된 方劑로 肝腎陰虛로 야기되는 眼病에 활용한다. 이들 질병은 先天 稟賦不足, 年老體衰하거나 혹은 肝腎素虛하거나 혹은 過勞, 久病으로 야기되는 경우가 많으며, 乾澁, 哭而無淚 或 冷淚長流, 白睛赤脈細小淡紅, 黑睛邊緣陷翳 或星點雲翳 時陷時現, 外眼端好, 視物昏蒙 或夜視不見, 晶珠混濁, 神膏混濁, 網膜血管變細 등이 있으면서 전신증상으로 頭暈耳鳴, 口乾咽燥, 健忘失眠, 盜汗, 腰膝酸軟, 女子月經不調, 舌紅苔少, 脈細無力 등이 나타난다.

處方으로는 六味地黃丸, 杞菊地黃丸, 加減駐景丸, 石斛夜光丸 등과 菟絲子, 楮實子, 五味子, 枸杞子, 桑椹子, 熟地黃, 當歸, 天門冬 등의 藥物을 사용한다.

(2) 溫補腎陽法

滋養肝腎法에 비해 사용이 적으나 溫補腎陽하는 藥物로 조성된 方劑로 腎陽不足으로 야기된 眼病에 활용한다. 目無光彩, 視物昏花, 視物變形, 視物異色, 夜盲, 안저검사상 망막수종 및 삼출물이 오랫동안 消退되지 않는 등이 있으면서 전신증상으로 面色淡白, 刑寒肢冷, 腰酸耳鳴, 夜間多尿, 陽痿早泄, 舌淡脈弱 등이 나타난다.

處方으로는 補腎丸, 右歸丸, 夜光育神丸 등과 紫何車, 鹿茸, 鹿角膠, 巴戟天, 淫羊藿, 補骨脂, 肉桂, 附子 등의 藥物을 사용한다.

實證에서는 이 치료법을 피해야 하고, 濕邪가 未盡한 경우에도 이 방법을 일찍 사용해서는 안된다. 肝腎不足을 肝腎陰虛 혹은 腎陽虛로만 구별하였으나 임상에서는 또한 陰陽俱虛한 경우도 있으니 이 때에는 陰陽을 俱補함이 마땅하다.

9) 軟堅散結法

祛痰軟堅, 消瘀散結하는 藥物로 구성된 方劑로 痰飮으로 야기된 眼病, 즉 각종 內·外障眼病中 痰濕互結하거나 氣血瘀滯한 證候가 있을 때 활용하는 치료법이다. 外障眼病의 胞生痰核, 火疳과 內障眼病의 視瞻昏渺, 雲霧移睛 등에 사용할 수 있으며, 胞瞼이 腫核하거나 白睛에 결절이 융기되거나 안저소견상 시신경유두, 망막, 황반/에이 水腫, 滲出하면서 眼內에 機化된 실이나 막 같은 것이 형성되는 경우 등에 모두 이 治療法을 사용한다. 변증 시 이들 內·外障眼病에서 兼하는 胸悶多痰, 心悸失眠, 脈弦滑 등의 전신증상이 있는지 살핀다.

處方으로는 溫膽湯, 二陳湯 등과 海藻, 昆布, 白殭蠶, 貝母, 鷄內金, 半夏, 南星, 枳實 등의 藥物을 사용한다.

眼病의 病因에서 痰은 다른 病因들과 결합하여 나타나거나 여러 證候와 결합되어 나타난다. 예를 들면 痰은 濕과 결합하여 痰濕이 울결되기도 하고 痰濕이 오랫동안 鬱滯되면 熱로 化하기도 하는 등등 여러 경우가 발생할 수 있다. 따라서 치료에 있어서도 軟堅散結하는 藥物에 각각 다른 배합을 하게 되는데, 예를 들면 痰濕이 結成된 경우에는 祛濕化痰藥을, 氣血瘀滯한 경우에는 理氣活血藥을, 痰濕挾熱한 경우에는 清熱化痰藥을, 脾不運化하고 肺失治節하여 生痰한 경우에는 健脾理肺藥을 配伍해야 한다.

10) 退翳明目法

眼科의 독특한 內治法으로 消障退翳하는 藥物을 이용하여 黑睛의 翳障을 제거하거나 경감시키는 治療法이다. 이 방법은 오로지 黑睛에 翳膜이 발생한 경우에만 활용하는데, 黑睛의 翳膜은 주로 聚星障, 凝脂翳, 混睛障 등과 椒瘡, 火疳 등의 變證에서 발생한다.

處方으로는 撥雲退翳散, 石決明散, 退雲散, 撥雲湯, 羌活退翳湯, 羚羊角散 등과 蟬蛻, 蛇蛻, 木賊, 白蒺藜, 菊花, 穀精草, 密蒙花, 草決明, 靑葙子, 秦皮, 夏枯草, 石決明, 珍珠母, 空靑石 등의 祛風淸熱, 平肝退翳하는 藥物을 위주로 하여 羌活, 荊芥, 防風, 白芷 등의 辛溫發散하는 藥物과 當歸, 赤芍, 川芎 등의 活血消瘀하는 藥物을 함께 사용한다. 또한 肝腎이 虧虛하고 氣血이 부족하여 翳가 오랫동안 없어지지 않으면 退翳하는 處方中에 枸杞子, 菟絲子, 熟地黃, 羊肝 등의 肝腎을 滋養하는 藥物과 人蔘, 黃芪, 鷄血藤 등의 氣血을 補益하는 藥物을 함께 사용하여 退翳明目의 작용을 증강시키기도 한다.

2. 外治法

外治法은 眼病에서 중요한 治療方法 中의 하나로 消風淸熱, 除濕化痰, 활혈통락活血通絡, 祛瘀散結 및 退翳明目 등의 효과를 가진 여러 가지 약물을 이용하여 眼部의 병변을 外部에서부터 직접적으로 치료하는 방법이다. 주로 手術法, 點眼法, 滴眼法, 洗眼法, 敷眼法, 熏洗法, 熨法, 開導法, 搐鼻法 등이 있으며, 특히 外障眼病의 치료에 있어 중요한 위치를 차지하고 있어 眼病이 심한 경우 단독으로 外治法만을 사용하여도 좋은 效과를 거둘 수 있다. 또한 內障眼病中 綠風內障, 瞳神緊小 등에 外治法을 겸하면 치료효과를 더 높일 수 있다.

1) 點眼法

眼科에서 常用하는 外治法의 하나로, 필요한 藥物을 분말로 만들어 직접 眼部 또는 병소부위에 點入하여 藥力이 병소에 직접 도달하도록 함으로써 消腫痛, 退紅赤, 祛眵淚, 止痒澁, 除翳膜, 散大 或 縮小瞳孔하는 효과를 가진다. 一切의 外障眼病 및 일부의 內障眼病에서 적용되는데, 胞瞼潰爛, 椒瘡, 粟瘡, 白睛紅赤, 腫痒, 赤絲, 生膜, 黑睛生翳潰爛, 瞳神緊小, 瞳神乾缺, 綠風內障, 靑風內障 및 圓翳內障의 未成熟 등에 모두 사용할 수 있다. 點藥方法에는 點眼藥粉法, 滴眼藥水法 및 涂眼藥膏法의 3종류가 있다.

(1) 點眼藥粉法

點眼藥은 處方에 따라 藥物을 건조한 후 잘게 분말로 만든다. 祛風解毒, 收濕斂瘡, 活血化瘀, 退翳明目 등의 藥物로 구성되는데, 대부분 礦石類, 貝殼類의 약물이 위주가 된다. 안검피부염, 翼狀努肉, 결막염, 공막염, 각막궤양 회복기, 角膜宿翳, 홍채모양체염, 白內障, 靑光眼 등에 적용된다.

點藥할 때, 시술자는 먼저 左手로 上眼瞼을 가볍게 들어올리고 右手로 소독된 안과용 작은 면봉을 잡아 생리식염수에 적셨다가 깨알만 한 크기의 藥粉을 원개결막부위 또는 內眥角의 눈물이 고인 부위에 직접 點入한다. 그 후 환자는 약 5분 정도 눈을 감고 있거나 손으로 눈썹 끝을 여러 차례 문질러 氣血 運行을 도와준다. 輕症은 매일 3회, 重症은 적당히 추가하여 실시한다. 點藥時에 환자는 바람을 피할 수 있는 곳에서 坐位 혹은 仰臥位를 취한다. 또한 면봉이 黑睛에 접촉되지 않도록 해야 하며 黑睛에 新翳가 있을 때는 더욱 愼重해야 한다.

處方으로는 珍珠散, 溢化丹 등이 있다.

(2) 滴眼藥水法

滴眼藥은 淸熱解毒, 祛風活血, 明目退翳 등의 藥物을 水溶液, 油溶液 혹은 혼합액으로 만들어 직접 眼睛 局部에 點滴하는 治療法으로 최근 眼病을 치료하는데 가장 많이 常用되며 사용이 간편하고 치료 효과도 좋고 환자가 가장 쉽게 접할 수 있어 內·外障眼病, 특히 急性 眼病에서 많이 활용된다. 外眼의 염증성 질병, 홍채염, 靑光眼 및 白內障, 眼外傷 등에 적용된다. 眼藥水를 만들 때에는 필요한 處方을 煎熬하거나 浸泡한 후 藥液을 여과하여 맑은 液에 찌꺼기가 남지 않게 하여야 한다.

滴藥時에 坐位 혹은 臥位를 취하게 한 후 머리를 患眼側으로 약간 기울이게 하고 환자는 두 눈을 위로 바라보게 한다. 시술자는 左手로 가볍게 下眼瞼을 눌러 開眼하고 右手로 스포이드나 작은 병에 담아 藥水를 內眥角 혹은 白睛下에 1~2방울 點滴한다. 그 후 上眼瞼을 들어 올리면서 동시에 下眼瞼을 들어 藥液이 충분히 眼內에 골고루 분포하도록 한다. 매일 4~8차례, 重한 경우는 횟수를 증가하여 매 30분~1시간 간격으로 1차례씩 點滴한다. 點滴하는 스포이드나 약병의 끝부분이 睫毛나 피부에 접촉하여 오염되지 않도록 해야 한다.

處方으로는 三黃眼液, 黃連西瓜霜 眼藥水 등이 있다.

(3) 涂眼膏法

涂眼藥은 필요한 藥物을 정제하여 藥粉, 濃汁으로 만든 후 油脂, 혹은 白蜜 등의 賦形劑를 加하여 膏劑를 만들어 튜브나 작은 통에 담아 사용한다. 胞瞼이 濕爛痒疼하거나 白睛, 黑睛 疾患中 風熱眼, 椒瘡, 栗瘡, 凝脂翳, 綠風內障 등에 적용한다. 胞瞼疾患의 경우 단독으로 眼膏를 사용할 수 있고 黑睛이나 白睛疾患에서는 병정에 따라 낮에는 眼藥水를 點滴하고 취침 전에 眼膏를 바르도록 한다.

涂藥時는 소독된 면봉에 眼膏를 소량 묻힌 후 白睛과 下眼瞼 사이의 원개결막부위에 바르고 환자에게 눈을 감게 한 후 면봉으로 서서히 眥角 방향으로 밀어 낸다. 면봉으로 밀어낼 때 黑睛 표면을 강하게 마찰해서 찰과상을 입혀서는 안된다. 만일 환부가 胞瞼에 있으면 眼膏를 환부에 직접 바르기도 한다. 일반적으로 매일 3회, 혹은 취침 전에 1회 사용한다.

處方으로는 光明眼膏가 있다.

2) 熏洗法

熏法과 洗法을 포괄하는데, 熏法은 藥液을 끓인 후 熱氣와 수증기를 눈에 쬐는 것이고, 洗法은 煎湯液을 여과한 맑은 液이나 생리식염수로 患眼을 씻어내는 것이다. 일반적으로는 先熏後洗의 방법을 많이 사용하며 이를 熏洗法이라 총칭한다.

熏洗法은 藥液의 온도를 이용해 眼部의 氣血을 流暢하게 하여 邪氣를 疏散하고 鬱滯를 解消하는 것 외에도 藥物이 직접 眼部에 작용하여 祛邪解毒, 疏通經絡, 調和氣血, 退紅消腫, 定痛止痒收淚의 효과를 나타낸다. 이 방법은 外障 急症, 예를 들면 瞼弦赤爛, 風赤瘡痍, 椒瘡, 栗瘡, 白睛疾患, 黑睛疾患 등에 적용되는데, 특히 胞瞼이 紅腫하고 白睛이 紅赤하며 羞明, 澁痛하고 眵淚膠粘한 경우에 가장 효과적이다.

임상에서는 병정에 따라 藥物을 전탕하여 藥汁을 만들고 나서 남은 찌꺼기를 再湯하여 熏洗에 사용하기도 한다. 熏洗時 뜨거운 藥液을 그릇 안에 담고 환자는 얼굴을 구부려 熱氣로 眼部를 훈증하는데, 眼部와 藥液의 거리는 견딜 수 있을 정도의 가까운 거리가 적당하며 이때 수건을 머리부터 그릇 전체까지 덮어주어 열기가 집중되면서 비교적 오랫동안 유지되도록 하는 것이 가장 좋다. 또한 內服藥液 자체를 이용해 뜨거울 때는 熏蒸하고 조금 식으면 口服하게 할 수도 있다. 洗眼時 끓여서 여과시킨 藥液을 그릇에 담는데 반 정도 담기도록 하고 먼저 머리를 구부려 그릇 가장자리에 眼窩 가장자리가 접하도록 하였다가 고개를 들면서 눈을 깜박여 洗滌을 한다. 洗眼은 매일 3회, 매회 약 20분 정도 진행한다.

眼部의 惡性 腫瘤, 出血性 眼病의 초기 또는 재발이 잦으면서 급박한 경우, 急性 結膜炎 등에는 이 방법을 사용해서는 안된다. 處方으로는 洗眼方, 三黃湯 등이 있다.

3) 敷眼法

敷眼法은 外障 眼病 및 瞳神緊小, 外傷眼疾, 血灌瞳神 등의 증상에 적용하며, 藥物敷와 非藥物敷의 2가지로 구분된다.

藥物敷는 清熱凉血, 舒筋活絡, 散瘀定痛, 化痰軟堅, 收斂除濕, 祛風止痒 등의 藥物을 분말로 만든 후 賦形劑를 넣고 개서 胞瞼 및 주위 피부 위에 직접 貼敷하는 방법이다. 外眼의 화농성 염증, 예를 들면 眼瞼, 淚器, 眼窩 등 부위의 염증과 眼挫傷으로 인한 瘀腫疼痛에 활용한다.

非藥物敷에는 熱敷와 冷敷의 2가지가 있다. 熱敷는 疏通經絡, 宣通氣血, 疏邪導滯하여 散瘀, 止痛, 消腫, 散結하는 효과를 가진다. 안검의 화농성 염증, 각막염, 공막염, 포도막염, 안와연조직염, 급성 누낭염, 안외상 24시간 후 등에 적용한다. 冷敷는 清凉除熱, 止痛, 凉血止血 등의 효과가 있다. 挫傷性 眼部 出血의 초기에 지혈을 해야 하는 경우, 급성 결막염의 局部 灼熱澀痛이 극심한 경우 등에 적용한다.

4) 冲洗法

藥汁, 鹽水, 清水 등으로 직접 눈의 結膜囊을 冲洗하는 치료법이다. 그 목적은 2가지로, 첫째는 결막낭을 冲洗하여 이물, 분비물 등을 청결하게 소독하는 것으로 結膜異物, 外障眼病에서 분비물이 많은 경우나 內·外眼 手術前 消毒에 활용한다. 둘째는 眼部의 化學傷으로 화학물질을 제거하거나 中和하기 위하여 사용한다.

冲洗時 藥液을 담을 용기와 고무관이 연결된 장치를 준비한다. 환자가 仰臥位에서 머리를 약간 환측으로 돌린 후 물을 받을 그릇을 耳前 皮膚에 밀착하게 하고 외이도는 솜뭉치로 막아 冲洗한 液이 耳內로 들어가는 것을 방지한다. 시술자는 左手 拇指·食指로 가볍게 患眼의 上下眼瞼을 잡고 右手로 고무관을 잡아 2~3 mm 거리에서 眼外 및 瞼緣을 먼저 씻은 후 結膜囊을 冲洗한다. 冲洗가 끝나면 消毒된 가아제로 눈 주위 피부를 건조시킨 후 물 받은 용기를 제거한다.

5) 熨烙法

熨烙法은 藥物을 加熱하거나 掌心을 마찰하여 열을 내거나 혹은 火烙으로 특별히 제작된 烙器나 火針에 加熱하여 적당한 온도가 되면 환부를 눌러 덥히거나 지지는 방법으로 熱敷, 按摩, 藥物 治療 등의 종합적인 효과가 있는 치료법이다. 주로 胬肉攀睛, 贅生物 등의 수술 후 재발을 예방하고 아울러 止血시키는 경우에 활용한다.

3. 鍼灸治療

일반적으로 外障 및 內障眼病, 急性 및 慢性 眼病에 대부분 응용되는데, 특히 風熱으로 인한 眼痛, 針眼,

風牽偏視, 上瞼下垂, 圓翳內障, 綠內障, 靑內障, 暴盲, 靑盲, 眼昏, 眼花, 視瞻昏渺, 能近怯遠, 眼睛疲勞 등에 활용한다.

1) 體鍼法

體鍼法은 毫鍼으로 人體 經絡 穴位를 針刺하여 疏通經絡, 調和氣血, 祛除病邪함으로써 眼病을 치료하는 방법이다. 안구 주위 및 안와 내에는 혈관이 풍부하여 刺針時 血絡을 손상하여 출혈이 자주 발생할 수 있으므로 주의를 요하므로 捻轉提揷의 방법이나 灸法은 가급적 사용을 忌한다.

眼주위 近位取穴로는 睛明, 上·下睛明, 承泣, 球後, 瞳子髎, 絲竹空, 陽白, 魚腰, 攢竹, 魚上, 健明 및 健明1, 健明2, 太陽穴 등을 활용한다.

遠位取穴로는 風池, 翳風, 翳明, 合谷, 曲池, 內關, 足三里, 三陰交, 太衝, 肝兪, 腎兪, 神明, 巨髎, 商陽, 上星, 期門, 光明穴 등을 활용한다.

2) 特異針法

(1) 開導法

開導法은 三稜針을 사용하여 환부를 찌른 후 비비거나 放血함으로써 開鬱祛邪, 逐瘀消滯의 효과를 나타내는 방법으로 放血療法과 挑刺療法을 포괄하는 치료법이다. 放血法은 삼릉침으로 穴位의 피부를 點刺하여 소량의 혈액이 나오도록 하는 것으로 攻逐邪毒, 泄熱破瘀의 작용으로 消腫, 止痛, 退赤의 효과를 나타낸다. 挑刺法은 삼릉침으로 일정한 부위의 反應點이나 皮膚의 紅點을 挑破하여 粘液 혹은 血水가 나오도록 하여 創傷을 만들어 자극을 주는 방법이다.

赤熱腫痛하는 外障眼病의 實證, 예를 들면 目暴赤腫, 頭風目眩, 頭痛睛疼, 眼脹硬瘀血, 頸項强急 등에 활용하고, 주로 耳尖, 魚腰, 上星, 太陽, 印堂, 上下胞瞼, 攢竹, 絲竹空, 迎香穴 등을 사용한다.

(2) 梅花針法

梅花針法은 梅花針 혹은 皮膚針 5~7개의 針柄을 단단하게 묶어 星狀으로 만든 후 이것으로 피부상을 두드리듯이 자극하는 방법으로 疏通經絡, 調理氣血의 효과를 나타내는 치료법이다. 叩梅花針이란 완력을 써서 강하게 자극하는 것으로, 가볍게 叩하는 것은 힘을 작게 써서 국소 피부가 潮紅하는 정도로만 하는 것이고 무겁게 叩하는 것은 피부상에 미량의 出血을 유발하는 정도로만 자극한다. 주로 안저병, 시력저하, 안정피로 등에 활용한다.

먼저 後頸部 및 안와 주위의 피부를 소독하고 梅花針으로 頸椎 양측에 각각 叩刺 3회를 시행한 후 안와 상연 가까이에 叩刺 3~5번 하고 아울러 攢竹, 魚腰, 四白, 太陽穴에 叩打를 행하며 肝兪, 腎兪穴 등의 背部 穴位에도 추가로 叩刺를 시행한다.

(3) 電鍼法

주로 目偏視, 口眼喎斜, 內障眼病 등에 활용한다. 전침의 사용 시 아주 작은 자극에서 점차 강한 자극으로 증대해 나가야 하는데, 특히 눈과 그 주위의 안면근육 및 신경은 다른 부위보다 약하기 때문에 갑자기 증대시키면 자극받은 부분이 강렬하게 수축되어 도리어 강직될 수 있다. 또한 전침의 자극이 너무 강하면 다른 부위에서 사용할 때보다 鍼暈이 쉽게 발생할 수 있으므로 주의를 요한다.

(4) 耳針法

耳針法은 毫鍼이나 耳針으로 耳穴 혹은 耳部 壓痛點을 針刺하여 眼病을 치료하는 방법이다. 주로 胞生痰核, 鍼眼, 風火眼, 黑睛生翳, 綠風內障, 靑盲, 暴盲, 目偏視, 口眼喎斜 등에 활용하는데, 耳尖, 神

門, 目1, 目2, 腎, 肝, 脾, 口, 心, 肺, 眼, 面頰穴 등을 사용한다.

耳廓의 凍傷 혹은 피부 손상이 있는 경우, 습관성 유산이 있는 임산부는 針刺를 禁한다.

(5) 藥針療法

藥針療法은 인체의 일정 부위 혹은 穴位에 정제된 藥液을 注入하는 것으로 針刺와 藥液의 이중효과를 통해 眼病을 치료하는 방법이다.

藥液을 1~20 ㎖ 소독 주사기에 담아 일반 穴位에 주입하는 것으로 항상 환부를 소독한 후 毫鍼을 자입하듯 穴位에 자입한 후 주사기를 잡아당겨 혈액이 주사기내로 還流하는지를 살핀 후 서서히 藥液을 주입한다. 일반적으로 頭面部에는 0.3~0.5 ㎖, 四肢部에는 1~2 ㎖, 胸背部에는 0.5~1 ㎖, 腰臀部에는 2~10 ㎖를 주입한다.

주로 足三里, 三陰交, 曲池, 腎俞, 肝俞, 球后, 風池穴 등에 주입한다.

3) 艾灸法

艾灸法은 艾灸를 이용하여 溫通經絡, 祛瘀散寒, 行氣活血, 回陽救逆, 消腫散結시킴으로써 眼病을 치료하는 방법으로 强壯作用도 있어 주로 眼病의 虛證이나 風, 寒, 濕邪로 인한 眼病에 사용된다. 艾炷灸와 艾條灸로 나눌 수 있는데 眼病에서는 주로 艾條灸를 사용한다.

管理 및 豫防法

眼病의 관리와 예방은 임상에서 眼病을 방어하고 치료하는데 중요한 내용의 하나로, 《內經》에 "聖人不治已病治未病"이라 하여 예방을 강조한 이래로 여러 서적에서 언급되어 왔다. 管理方面에서는 《太平聖惠方》, 《秘傳眼科龍木論》중에 煎藥, 服藥 方法이 기재되어 있고, 豫防方面에서는 《千金要方》에서 生食五辛, 接熱飮食, 熱餐面食, 飮酒不已, 房室不節 등 눈을 손상시키는 여러 원인들을 열거함으로써 사람들에게 주의하여 피해야 할 것들을 알려주고 있다.

1. 眼病의 管理

정확한 관리는 병정을 단축시키고 치료효과를 높일 수 있다. 일찍이 《內經》 중에 적지 않은 관리 지식이 기재되어 있으니, 예를 들면 四時養生의 방법, "謹和五味", "飮養盡之"의 飮食 管理, "觀其情志, 與其病也"의 精神 管理 등이 그것이다. 眼病 환자는 일반적인 관리 외에 아래와 같은 방면에서 주의를 요한다.

1) 醫學的 管理

眼病의 관리는 辨證에 따라 관리를 시행해야 한다. 傳染性 眼病 환자가 사용한 수건, 손수건, 베개 등의 용구는 煮沸消毒을 실시해야 한다. 의사는 眼病 검사 후에는 반드시 소독액으로 洗手한 후에 다른 사람을 검사해야 한다. 傳染性 眼病이 있으면 단독으로 격리하거나 같은 환자들끼리만 거주하게 하고 엄격히 격리하여 교차 감염을 방지해야 한다. 전염성 안병 환자간에도 서로 접촉하거나 물건 또는 안약 등을 교환하는 것을 禁하게 하고 사용 후 소독을 엄격하게 실시하도록 해야 한다. 동시에 單眼에만 발생한 환자는 수면 시에도 患側으로 눕도록 하여 患側의 눈물이 다른 눈으로 흘러 감염되지 않도록 해야 하며, 안약 사용 시에도 복용방법, 횟수, 복용 후 반응 등을 모두 분명하게 환자가 알고 있도록 해야 한다. 안약을 點眼할 때에는 약병이 睫毛에 접촉되지 않도록 하고 한손으로 안검을 누를 때 안구에 강한 압력이 가해지지 않도록 주의해야 한다.

2) 病情에 근거한 합리적인 調養

眼病에서 藥物治療를 제외하고 시력, 체력, 정신 등의 방면에서도 調理가 매우 중요하니, 七情의 과도한 변화도 臟腑機能의 失調를 유발해 질병을 발생 또는 악화시킬 수 있다. 그러므로 우선 환자를 도와 질병에 대항할 수 있는 신념을 가지도록 하고, 고민거리를 없애 情志를 조화시키도록 한다. 또한 평소 시력을 최소한으로 사용하도록 주의시키는데, 특히 급성기에는 책을 읽는 것과 같이 시력의 부담을 가중시키는 작업은 피해야 한다. 아울러 빛을 피해야 하는 眼病도 있으니 광선이 너무 강하면 流淚, 眼痛을 일으키고 병정을 가중시키게 된다. 따라서 실내에서는 커튼과 같은 가림막을 이용하여 불빛이 직접 眼部에 조사되지 않도록 하고, 불빛 아래에서 작업하는 경우에도 불빛을 적당히 가리도록 주의시켜야 하며, 태양광선이 극렬할 때에는 반드시 선글라스를 착용하도록 해야 한다. 반대로 장시간 어두운 곳에 있어서는 안 되는 眼病, 예를 들면 靑光眼, 老年性 白內障, 視神經疾病 등도 있으니 저녁 늦게 전깃불이나 전등하에서 책을 보는 것은 금지시켜야 하며, 환자의 거처 혹은 병실은 안정되고 편안해야 하며 공기의 유통이 잘 유지되고 청결해야 하며 외부의 간섭을 받지 않도록 해야 한다.

3) 飮食의 管理

眼病 환자의 음식은 병정을 살펴가며 정해야 하는데, 일반적으로 흡연, 음주는 禁하고 辛辣하거나 비린내 나는 자극성이 강한 음식물도 피해야 하며 기름에 볶거나 튀긴 음식은 적게 섭취하도록 하고 과일이나 야채와 같은 음식물은 많이 섭취하도록 한다. 老年의 비대한 체격의 환자에서는 肥甘厚味를 섭취하면 濕痰이 만들어져 다른 증상으로 변하게 될 수 있으므로 이를 피하도록 하고 淸淡한 음식을 섭취하도록 한다. 幼年의 체력이 허약한 환자는 偏食을 피하고 신선한 야채와 동물성 단백질 식품을 많이 섭취하도록 한다. 眼內 手術後 환자는 유동식 혹은 반유동식 음식을 위주로 섭취하게 하고 1~2일 후부터는 영양이 풍부하고 소화가 용이한 음식을 섭취하도록 한다.

2. 眼病의 豫防

飮食에 절제가 있고 起居에 일정함이 있어야 體質을 증강하고 抗病力을 높여 眼病의 발생을 예방할 수 있다. 또한 七情이 조화되고 四時에 순응하여야 時邪의 침입을 피할 수 있다.

좋은 위생습관은 질병의 예방과 감소에 효과적인데, 예를 들면 傳染性 眼病 환자와 접촉을 피해야 하고 수건이나 의복 등도 별도로 관리해야 하며 접촉 후에는 반드시 소독약이나 비누 등으로 철저히 소독해야 한다.

교육받는 兒童에게는 눈 사용 습관을 잘 들이도록 해야 하는데 예를 들면 독서할 때 자세를 단정하게 하고 물체와의 거리는 약 30~40 cm가량 유지하도록 해야 한다. 차를 타거나 침대에 누워서 책을 봐서는 안되고 일반적으로 독서를 1시간 하면 5분 정도는 눈을 감거나, 멀리 쳐다보거나, 눈 주위의 穴位를 按摩하는 등으로 안피로를 제거해야 한다.

1) 外氣法

外氣法은 양 손바닥을 서로 마찰하여 뜨거워지면 눈 위에 얹어 온열자극을 주는 방법으로 일반에서 가장 많이 활용되는 방법 중의 하나이다. 주로 이른 아침에 실행하며 안정피로를 느낄 때에도 활용 가능하며 안구를 가볍게 눌러 주거나 안구자체를 회전시키는 방법을 병행하면 더욱 효과적인데 안구자체를 직접 자극해서는 안되므로 반드시 손바닥이 안구에 닿지 않도록 한다. 이 방법은 손바닥을 마찰하여 활성화된 인체의 氣가 직접 안구를 통해 들어가서 안피로를 개선시키는 것이다.

2) 眼球 自體의 運動法

안구 자체의 운동법에는 한 점을 直視하는 방법과 안구를 여러 방향으로 直視하면서 회전하는 방법으로 나눌 수 있다. 대부분 상하좌우로 直視한 다음 시계방향 또는 반시계방향의 순서로 회전하며 때에 따라서는 대각선으로 이동하기도 한다. 이는 外氣法과 더불어 많이 활용되고 있는 안구 자체의 도인법으로 안구를 둘러싼 여섯 개의 外眼筋을 신장시키고 강화하여 눈을 건강하게 하는 방법이다.

3) 眼球 刺戟法

안구 자극법은 눈을 감은 상태에서 상안검 위를 식지로 지그시 누르거나 이동함으로써 안구를 마사지하는 방법으로 대부분 눈에 무리를 주지 않는 정도로 부드럽게 시행하여 안구를 이완시키고자 시행하는 방법이다.

4) 眼窩 및 眼球周邊의 刺戟法

안와에는 눈썹과 더불어 눈으로 가는 많은 經絡 穴位가 있으므로 안구의 주변과 眼瞼, 前額, 顴骨, 鼻根을 안마 또는 추나하여 안피로를 없애고 눈을 보호하며 근시를 예방할 목적으로 시행하는 방법이다. 睛明, 攢竹, 攢竹下 三分의 天應, 四白, 太陽, 絲竹空, 瞳子髎, 魚腰, 承泣 등의 經穴이 주로 활용된다.

제2장

眼科 各論

Ⅰ. 안검질환

Ⅱ. 눈물 및 눈물배출계 질환

Ⅲ. 결막질환

Ⅳ. 공막질환

Ⅴ. 각막질환

Ⅵ. 포도막질환

Ⅶ. 녹내장

Ⅷ. 수정체 질환

Ⅸ. 유리체 질환

Ⅹ. 망막

Ⅺ. 시신경 질환

Ⅻ. 굴절 이상

XIII. 사시

韓醫
眼科

안검질환

안검(눈꺼풀)은 胞瞼, 眼胞, 睥 등으로 부르며, 상하 안검으로 나눠진다. 옛날에는 上胞. 下瞼으로 칭해졌다. 안검은 안구를 개합하고, 보호하는 기능을 한다.

안검질환은 外障眼病이다. 外障眼病은 外邪에서 오는 것이 많고, 그중에 風熱이 눈꺼풀에 침습한 경우가 가장 많다. 風熱이 壅滯하여, 毒邪가 축적되고, 腐熟되어 안검질환을 형성한다.

눈꺼풀은 五輪 중 肉輪에 속하고, 안으로는 脾에 응하고, 脾와 胃는 서로 표리가 되므로 그 장부병기는 脾胃와 유관하다. 가령 脾胃濕熱은 눈꺼풀에 紅赤糜爛을 일으키거나 혹 椒粟顆粒이 모여 생길 수 있다. 脾胃虛弱, 淸氣不升은 眼瞼을 무력하게 하여 안검하수 증상을 일으킬 수 있다.

눈꺼풀 병의 實證은 대부분 風熱이 外因이 되고, 脾胃濕熱이 內因이 되어, 內外가 서로 相搏하여 이뤄진다. "審證救因"에 의하면, 고대 의가들은 風盛하면 가렵고, 濕盛하면 문드러지고, 火盛하면 아프고 붉어진다는 것으로 결론을 내렸고, 이것이 임상에서 가장 의의가 있는 결론이라 할 수 있다.

치료는 첫째 外邪를 제거하고, 둘째 脾胃를 조리하는 것을 원칙으로 한다. 風熱外襲자는 마땅히 祛風淸熱하고, 脾胃熱毒자는 淸脾瀉火解毒해야 한다. 脾胃濕熱자는 마땅히 祛濕淸熱하고, 脾胃氣虛자는 補脾益氣한다. 수술치료를 병행해야 하는 질환도 있다. 椒瘡 등과 같은 전염성질환은 전염을 예방하는 데 주의해야 한다.

눈꺼풀질환은 대다수가 豫後가 양호하다. 단, 失治나 誤治가 있으면, 輕하게는 반흔을 남기거나 기형을 만들고, 重하게는 邪毒이 內陷하여 생명이 위험할 수 있다. 그러므로 반드시 주의 깊게 지켜봐야 한다.

1. 눈꺼풀피부염(안검피부염)

안검에는 각종 피부질환이 발생할 수 있으며 인접한 결막, 각막, 안구내 조직으로 확대되기도 한다. 농가진, 단독, 결핵, 하감, 안부대상포진, 접촉성 피부염 등이 잘 나타난다. 특히 피부가 얇기 때문에 각종 화장품이나 점안약, 혹은 안경태의 직접 혹은 간접 접촉에 의해 접촉성 피부염이 잘 나타나고 또 자주 재발한다.

瞼眩赤爛, 風赤瘡痍, 胎風赤爛 등이 여기에 속한다.

1) 概要

脾胃濕熱에 기인하고 風邪가 胞瞼으로 침범하여, 肌膚에 울체되어, 안검이 紅赤疼痛하게된다. 바이러스성 단순포진의 경우 丘疹이 일어나고 水疱가 생기고 계속되면 膿疱 등 瘡痍현상이 생겨 風赤瘡痍로 이름지어졌다. 유소아에게 발생하는 경우 胎風赤爛이라 하였다. 안검에서 단독으로 발생할 수 있고, 전신 혹은 국부 병변의 일부분으로 발병할 수 있다. 병정의 길이는 같지 않아 어떤 것은 쉽게 낫고, 어떤 것은 반복해서 발병하여 치료기간이 오래 걸린다.

2) 病因

(1) 風濕熱邪가 眼瞼肌部에 침입한다.
(2) 脾胃濕熱이 鬱積하여, 눈으로 上經하여 眼瞼에 울체되어 생긴다.
(3) 병정이 길어지고 낫지 않으면, 熱邪가 진액을 태우고 血虛風燥를 형성하여 발생한다.

3) 症狀

자각적으로 안검피부가 가렵고 灼熱한다. 급성은 초기에 潮紅腫瘡이 생기고, 계속되면 구진, 수포, 미란, 結痂가 된다. 계속되면 邪毒이 침습하여 膿疱를 형성한다. 만성은 급성전염에 의해 발병하는데, 반복되어 시간이 지연되고 낫지 않은 소치다. 발병 즉시 병정이 만성이 되기도 한다. 眼瞼 기부가 비후되고 거칠게 될 수 있다. 표면에 인설 양 물질이 부착되고, 경계는 비교적 뚜렷하고, 일반적으로 수포는 없고 자각 증상은 가려움 위주이다. 손톱으로 긁은 후에는 邪毒이 침입하여 紅腫 혹은 糜爛流水증상이 나타날 수 있다.

4) 辯證 및 治法

대개 風濕熱 三邪가 병이 되는 것인데, 三邪가 편성할 수 있다.
(1) 風邪偏盛: 祛風淸熱, 消風散加減
(2) 濕熱偏重: 淸熱除濕, 淸脾散加減
(3) 血虛風燥: 養血潤燥祛風, 當歸飮子加減

2. 맥립종

1) 概要

맥립종, 즉 눈다래끼는 눈꺼풀샘 감염이다. 마이봄선이 침범되면 속다래끼가 된다. 동통, 발적, 부종이 주된 증상이며 동통의 강도는 눈꺼풀의 부종의 정도에 따라 다르다. 대부분은 포도상구균, 특히 황색 포도상 구균이 원인이며 치료는 하루 3~4회의 10~15분 정도의 온습포이다.

眼瞼淺部의 膿瘡으로 대다수가 단순히 눈에 발병한 것인데 속눈썹 부위 근처에 발병한다. 계절을 가리지 않고 발병하며, 피부에 경미한 찰과상이 있거나 체력이 허약한 사람에게 발병하기 쉽다. 색이 붉고, 작열, 동통하고 돌기뿌리가 淺層에 있고, 부종의 성세가 국한되어 있으며 범위가 작고, 농이 나온 즉시 낫는다는 것이 특징적이다. 병발하는 증세가 없고 쉽게 낫는 질환이다.

眼瞼瘡, 眼丹, 鍼眼,土疳, 偷鍼, 目眥瘍 등의 다양한 명칭으로 불렸다.

2) 病因

邪毒이 침입한 소치다. 장부병기는 脾胃와 비교적 밀접하다. 가령 辛辣炙煿한 것을 과식하여 脾胃火毒이 울결하고, 眼瞼으로 上攻하여, 氣血이 凝滯하고, 국부에 膿이 생긴다. 가령 함부로 힘을 가한다거나 밀치면, 邪毒이 內陷한다. 邪氣가 제거되지 않으면 熱毒이 울결되어 잠복하고, 正虛하고 邪氣는 남아 병정이 길게 된다.

3) 症狀

초기에 眼瞼에 국한성 腫瘡이 생기고, 紅赤疼痛하며 수일 후에 膿이 생긴다. 結節頂部에 黃綠色의 膿이 생긴다. 眼瞼이 붓고 膿이 차며, 疼痛이 심해진다. 수일 후에는 膿이 피괴되어, 膿血이 바깥으로 넘친다. 半정도가 耳前部 림프절에 腫痛이 있고, 체온이 오르고, 심하면 해면상 혈전을 형성한다. 본병은 적극적으로 치료하면 일반적으로 10일 안에 나을 수 있으며 조기일 경우 능히 消散할 수 있다. 일반적으로 깊은 곳에 만연하지는 않으나, 부주의하게 밀치거나 누르게 되면, 瘡毒이 內陷하여 생명에 영향을 미칠 수도 있다.

4) 辨證 및 治法

火毒所致이므로 瀉火解毒을 본병의 기본 치료로 삼는다. 膿毒이 內陷하면 반드시 清營涼血해야 한다. 瘡口가 오래되어 낫기 어렵고, 正虛하여 邪氣가 머무르는 자는 扶正去邪해야 한다.

(1) 火毒內蘊: 清熱瀉火解毒, 五味消毒飮 合 黃蓮解毒湯加減
(2) 瘡毒內陷: 清營涼血解毒, 清營湯加減
(3) 正虛邪戀: 扶正托毒, 托裏消毒散加減

3. 산립종

1) 槪要

眼胞에 痰核이 생기는 것은 痰濕이 눈꺼풀 피하에 응집되어 核狀硬結이 생기는 것으로, 붉지 않고 아프지 않으며, 정상 피부색이고, 밀면 움직이는 눈병이다. 임상에서 上胞에 많이 보이고, 上下眼胞가 병발할 수 있다. 한 개만 발생할 수 있고, 오래된 것과 새로운 것 여러 개가 동시에 존재할 수 있다. 痰核의 크기는 일정치 않다. 병의 진전은 완만하고, 豫後는 일반적으로 양호하다. 胞生痰核에 해당한다.

2) 病因

辛辣하고 肥厚한 음식을 많이 먹고, 과식이나 음주과도, 痰濕이 眼胞에 많이 盛하면 血氣가 구분되지 않아 혼탁해져 이루어진다. 또는 針眼이 오래도록 낫지 않아 硬結되어 없어지지 않고 만성화된다.

3) 症狀

초기에 결막 표면으로 돌출되며, 약간 빨갛고, 튀어나와 있다. 압통이 없으며 밀면 이동하는데 피부와 유착되지 않는다. 眼瞼을 뒤집으면 안쪽 면에서 크기가 일정치 않은 원형의 핵상 경결을 만질 수 있고, 腫核에 상응하는 바깥부위는 푸른색 혹은 자홍색을 띈다. 크기가 클 경우 안구를 누르고 난시를 일으킬 수 있다. 반복적으로 발생하는 어린이는 검사를 통해 癆瘵病(결핵)이 아닌지 알아야 한다.

4) 辨證 및 治法

痰濕이 응결되어 형성된 것으로 치료는 마땅히 化

痰散結시켜야 하며 化堅二陳丸加減을 쓴다. 일반적으로 비교적 작은 것은 치료할 필요가 없거나, 혹은 본법을 참고하여 실시하는데, 병정을 짧게 단축시킬 수 있고, 痰核흡수 속도를 더해준다.

양방적 치료는 외과적 절개를 하기도 하고 작은 병변은 스테로이드 주입만으로도 치료할 수 있다. 마이봄선 암이 콩다래끼와 비슷할 수 있기 때문에 반복적으로 발생하는 콩다래끼에는 조직검사를 하기도 한다.

4. 안검단독(眼瞼 丹毒)

1) 概要

丹毒은 화농성연쇄상구균(strep, pyogenes)과 관련되어 있다고 여겨지며 흔하지 않은 질환이며 피하로 퍼져나가는 급성 연조직염(erysipelas)이다. 대부분 작은 피부상처를 통한 strep. pyogenes의 감염으로 인한다. 熱毒內蘊으로 인한 것으로서, 眼瞼의 紅腫이 높게 형성되고, 硬化되고, 경계가 뚜렷해지고, 피부색이 光滑하고, 선홍색으로 된 눈병을 眼丹이라고 일컫는다. 面部에 많고 혹은 기타부위에 丹毒이 上下眼瞼까지 전이된 것이다. 빠르고 적절한 치료를 하면 병변은 수일 내 소멸된다. 만약 치료시기를 놓치면, 병변은 수주 동안 지속되고, 심하면 毒이 營血로 들어가서 다른 증상을 일으키고, 생명을 위급하게 할 수 있다.

2) 病因

風熱火毒外襲과 연관되며, 眼瞼肌膚에 생긴다. 만약 치료시기를 잃으면 毒이 營血에 침습하여 위증이 된다.

3) 症狀

眼瞼의 환부는 국한성 腫膿이 있고 丹砂를 칠한 것 같은 선홍색을 띠며, 경계가 명확하고 굳은 홍반성 피하판이 생긴다. 크기가 점점 커지며 융기되고 딱딱해지며, 표면이 緊脹하고 밝아진다. 표면에 수포가 있고, 귀 앞 혹 턱 아래에 림프선압통이 명확하다.

심해지면, 眼瞼피부색이 암흑해지고, 심하면 광범위한 심부조직괴사가 일어나며 체온과 백혈구가 정상치보다 높다. 흉막염이 발생해서 생명이 위급해진다. 眼瞼에 고도부종이 생기면 눈을 뜨기 어렵고, 극심한 통증을 견디기 힘들고, 전신에 畏寒증이 있고, 發熱과 몸이 불편한 증상 등이 생긴다.

4) 鑑別

다래끼와 감별진단을 해야하는데, 다래끼는 眼瞼의 가장자리에 있고, 병변은 안검에 국한되며, 밀알 모양이며, 조기에 압통점이 있고, 수일 후 농이 형성된다. 농이 파괴되면 낫는다. 일반적으로 전신에 오한 발열증상이 나타나지 않는다.

5) 辨證 및 治法

적극적인 치료를 하면 豫後가 양호하다. 다만 합병증의 발생을 예방하는 것을 주의해야한다. 본병이 나은 후에 면역력이 떨어지면, 한랭 혹은 외상을 입게 되었을 때 재발할 수 있다. 여러 번 재발하면 병이 천천히 진행되어 만성병이 된다.

(1) 熱毒壅盛: 清熱解毒, 普濟消毒飲加減

(2) 毒入營血: 清營涼血解毒, 犀角地黃湯 合 黃連解毒湯加減

양방적 치료는 Phenoxy methyl penicillin을 경구

투여한다.

5. 안검대상포진(眼瞼 帶狀疱疹)

1) 槪要

眼瞼대상포진은 한쪽 眼瞼으로 수포가 모인 것을 가리킨다. 극렬한 동통을 수반한다. 특징은 삼차신경의 분포구역의 전부 혹은 그 일부분의 피부에서 발생하는 염증성 포진군이다.

한쪽 눈에서 발병하고, 노인과 허약자에게 발병하기 쉬우며 봄, 가을에 다발한다. 본병은 적극적으로 치료하면, 보통 2~3주에 완쾌하지만 나은 후 영구성 피부 반흔을 남긴다. 본병이 나은 후에는 일반적으로 재발하지 않으나, 눈 부위 합병증을 일으키는 것을 치료하지 못하면 聚星障, 瞳神緊小, 風牽偏視가 생긴다.

2) 病因

脾胃濕熱이 경락을 따라 위(上)로 침범하여 본병에 이르거나 肝膽濕熱이 眼瞼으로 상승하여 발병한다. 수두-대상포진 바이러스(varicella-zoster virus)에 의해 생긴다.

3) 症狀

주로 한쪽에만 생긴다. 발병 전에 전신이 不便하고 發熱 등의 전조증상이 있다. 眼瞼과 이마부위에 극렬한 동통을 자각한다. 수일 후 한쪽 眼瞼과 이마부위에 있는 삼차신경분포구역에 홍적, 부종, 무수한 투명한 작은 水疱가 생긴다. 이 수포의 기저는 暗紅色이고 수포군 사이의 피부는 정상 색이다. 그 범위는 안면의 정중선을 넘지 않는다. 水疱는 초기에 투명하다가 진행되면, 썩은 고름이 형성되고, 곪은 후 약 2~3주 후에 痂皮가 탈락되고, 이곳에 피부가 형성되고 영구히 凹陷性 瘢痕이 생긴다. 종신토록 없어지지 않는다. 병변은 안구와 눈썹을 침범하여 聚星障, 瞳神緊小, 風牽偏視증 등을 야기한다.

4) 鑑別

熱瘡과 감별해야 하는데, 熱瘡은 發熱 후 혹은 高熱시 병소에 발생하는 일종의 급성피부병이다. 부위는 口角, 鼻翼, 下胞 피부에 발생하며 편측에 국한되지 않는다. 소양증, 작열감의 자각증상이 있다. 일반적으로 일주일 내에 痂皮가 생기고 낫는다. 다 나은 후에는 흉터를 남기지 않는다.

5) 辨證 및 治法

濕熱浸淫이 위주다. 고로 淸利濕熱이 기본 治法이다.

(1) 脾胃濕熱: 淸脾除濕, 淸脾除濕飮加減

(2) 肝膽濕熱: 淸利肝膽濕熱, 龍膽瀉肝湯가감

전신치료로서 valacyclovir 1 g TID, famiciclovir 250 mg TID 또는 750 mg을 SID로 일주일간 투여하고, 국소치료로서 acyclovir나 peniciclovir크림, fucidin-H나 Terra- cortil 같은 스테로이드-항생제 복합제를 딱지가 떨어질 때까지 TID로 사용한다.

6. 눈꺼풀테염(안검연염)

1) 槪要

風濕熱邪가 蘊結되어 일어난 것으로, 눈꺼풀 주위

가 붉고 부어오르며 潰爛이 일어나고 찌르고 간지럽고 灼熱하는 통증이 주요 표현되는 眼病이다. 농촌에서 많이 발견되고, 대개 양 눈에서 발병하며 병정이 비교적 완고하고 나은 후에도 재발할 수 있으며 평소에 近視나 遠視, 榮養不良, 睡眠不足, 衛生習慣이 불량한 자에게 쉽게 나타난다.

瞼眩赤爛에 해당한다.

2) 病因

外因은 모두 風, 濕, 熱 3邪에 귀결되는데 風이 勝하면 癢하고, 濕이 勝하면 爛하고, 熱이 勝하면 赤한다. 脾胃濕熱이 內蘊하면, 風邪가 外襲하고, 그로써 風, 濕, 熱 3邪가 眼瞼에 모여 병이 된다. 心火가 內蘊하면, 경락을 따라 위로 범하여 눈꼬리에 이르러 병이 된다. 양쪽 눈꼬리는 血輪에 속하고 心에 내응하므로 눈꼬리의 병변은 心에 속한다.

3) 症狀

기본증상은 瞼弦赤爛刺癢이다. 눈꺼풀테가 가볍게 홍조를 띤다. 눈썹 뿌리 부분은 황백색의 피부층 혹은 가피로 덮여 있고, 속눈썹은 쉽게 떨어지며 재생 가능하다. 눈꺼풀테에 소수포나 소농포가 있으며 궤파하면 痂를 이루고, 속눈썹은 묶여 드러나는 형상이며, 膿痂를 씻어낸 후에 궤란을 볼 수 있으며, 출혈하거나 농이 흐르며, 속눈썹은 가지런하지 않거나 숱이 적고, 심하면 눈꺼풀테에 변형도 있다. 눈꼬리의 눈꺼풀테로 국한되어 紅赤糜爛하고, 刺痛이 있으며, 혹 균열이 있고 출혈이 있기도 하다. 이 병은 조기치료하면 2주 동안 지속되며 일반적으로 豫後는 양호하다.

4) 辨證 및 治法

(1) 熱邪偏盛: 清熱위주, 祛風除濕으로 보좌, 防風通聖散加減
(2) 風邪偏盛: 祛風위주, 清濕熱을 겸함, 消風散가감
(3) 濕邪偏盛: 祛風清熱로 보좌하며 除濕, 除濕湯가감
(4) 心火上攻 : 清心瀉火, 導赤散加減

앞눈꺼풀테염의 양방치료는 국소 항포도상구균 약제, flurometholone 같은 약한 스테로이드를 사용한다. 눈꺼풀 세정제나 아기 샴푸로 눈꺼풀 가장자리를 깨끗이 유지해주어야 한다. 뒤눈꺼풀테염은 Tetracycline이나 Erythromycin 또는 azithromycin을 전신 투여한다. 눈꺼풀위생, 약한 스테로이드, 인공눈물, 더운 찜질로 고형화된 피부기름을 녹이고 마이봄샘분비물의 기계적 배출을 촉진하여 마이봄샘 내의 자극적인 기름의 양을 줄인다.

7. 눈꺼풀속말림(안검내반)

1) 槪要

上下眼瞼이 緊縮되고, 눈을 똑바로 떴을 때 눈꺼풀이 약간 벌어져 있고 눈동자는 정상인 것이다. 다른 병에서 병발하는 경우가 많다. 皮急緊小, 瞼急眼小에 해당하며 퇴행성(강직성, 노인성)과 흉터에 의해 생기는 경우, 선천적인 경우 발생할 수 있다. [그림 2-1-1]

2) 病因

脾虛氣弱하면 筋脈失養하여 眼瞼이 긴축되고, 陰血不足하여 眼瞼이 영양을 전달 받지 못하면 脾急

緊小하다. 이 병은 椒瘡, 倒睫拳毛, 瞼弦赤爛 등의 병을 잘못 치료한 후에 잘 생기며 眼瞼을 수술한 후에도 생긴다.

3) 症狀

눈이 매끄럽지 못하고 불편하고 눈을 뜨기가 힘들다. 눈꺼풀이 뻑뻑하고 눈꺼풀사이가 좁아지고, 혹은 눈꺼풀 안에 瘢痕 흔적이 많고 깜빡이기가 곤란하다.

4) 辨證 및 治法

예방이 중요하다, 고로 적극적으로 발병하는 것을 막아야 한다. 국부에 瘢痕 흔적이 연이어서 있으면, 수술을 해야 하고, 그 밖에는 아래의 변증에 따라서 다스려야 한다.

(1) 脾胃虛弱: 益氣升陽, 黃芪湯加減
(2) 陰血不足: 滋陰養血, 加味四物湯

8. 눈꺼풀겉말림(안검외반)

1) 槪要

퇴행성이나 흉터에 의한 것, 안면신경마비, 종양이 기계적으로 눈꺼풀을 뒤집어서 생기는 것으로 주로 下眼瞼이 外翻되는 현상을 말한다. 임상적으로 비교적 많으며 한쪽으로 잘 발생한다.

風牽瞼出, 脾翻粘瞼, 風吹出瞼, 地傾 등에 해당한다. [그림 2-1-1]

2) 病因

풍사로 인한 것이니 五臟중에서도 肝과 脾에 의해서 많이 발생한다. 첫째로 絡脈이 공허하면 주리가 고밀하지 못하고 풍사가 이를 틈타 眼瞼에 침입하게 되어 발생한다. 둘째로 脾가 허하여 운화기능 실조하면 濕이 모여 痰이 되니 肝風이 안에서 생겨서 風痰이 絡脈을 저체하여 발생한다.

그림 2-1-1 눈꺼풀 속말림과 겉말림

3) 症狀

가벼우면 下眼瞼과 안구가 약간 떨어져 열려 있고 重한 자는 下眼瞼이 밖으로 뒤집혀져 있어 눈이 항상 완전히 감기지 않는다. 흰자가 계속 밖으로 노출됨에 따라 건조해지고 빨개진다. 눈물이 계속 흐르고 흰자와 下眼瞼이 충혈되며 肥厚될 수 있다. 심하면 시력이 감퇴된다. 이 질환은 구안와사에 의해 생길 수도 있다.

4) 辨證 및 治法

항상 풍사가 침입하여 나타나는 것이니, 따라서 풍사를 제거하는 방법을 위주로 치료한다. 경한 경우에는 낮에는 인공눈물을 넣고 잘 때 연고를 넣고 눈을 감은 채로 테이프를 붙이는 것으로 충분하다. 오래되어 낫지 않는 환자는 수술요법을 겸한다.

(1) 風中經絡 : 法風通絡, 牽正散加味

(2) 風痰阻絡 : 平肝熄風化痰, 天麻鉤藤飮加減

9. 눈꺼풀떨림(안검경련)

1) 槪要

눈꺼풀이 스스로 躁動하는 것을 제어하지 못하는 눈병이다. 보통 성인들에게서 많이 보이고, 上下眼瞼 모두에 발생할 수 있으나 上眼瞼에 많이 발생하고 단독으로 발병하며, 또한 양쪽 눈에 모두 발병할 수 있다. 가벼운 사람은 약을 쓰지 않아도 낫고 중한 사람은 濡養하는 치료를 해야 한다.

2) 病因

오래 과로하고 思慮太過 등으로 心脾가 손상되고, 心脾가 둘 다 虛해지고, 氣血不足, 筋肉失養되어 근육이 빳빳하여 경련하게 된다. 또는 肝虛不足, 血虛生風하면 虛風內動하여 근육에 이상이 오게 된다.

3) 症狀

위 눈꺼풀, 혹은 아래 눈꺼풀이 躁動하고, 때때로 계속되고 때때로 발생하고, 스스로 제어할 수가 없다. 輕한 사람은 수초에서 수분간 지속되다가 자연 치유되고, 일반적으로 오랫동안 눈을 쓰거나 睡眠不足등의 정황에 발병한다. 重한사람은 빈번하게 발생하여 수 시간 오래 지속되고 심하면 진동함이 그치지 않고, 심한 사람은 얼굴, 뺨, 입, 눈썹까지 진동한다. 주로 안면신경 및 동안신경의 이상과 안면근육의 일시적인 경련으로 나타나며 녹내장과 안압상승이 심할 경우에도 발생한다. 특히 정신적인 요인도 작용하는데 심할 경우는 하악신경에도 영향을 미친다.

4) 辨證 및 治法

증상이 가벼운 사람이나 우연히 한번 발병한 사람은 치료할 필요가 없다. 만약 빈번히 발생한다면 아래와 같은 辨證 및 治法으로 치료한다.

(1) 氣血虧虛 : 補益氣血 - 八珍湯加減

(2) 血虛生風 : 養血熄風 - 當歸活血飮加減

서양의학적 치료는 보툴리늄 독소의 주입이 근육의 일시적 마비를 일으켜 경련을 멈추게 한다. 일부 근육을 절제하는 외과 수술을 하기도 한다.

10. 속눈썹난생(첩모난생)

1) 概要

속눈썹이 안구 쪽을 향해 자라면서 각막과 결막을 손상하고 2차적인 세균감염을 일으키는 것. 대개 눈부심과 눈물, 이물감을 호소한다. 특히 아동의 경우 눈을 자구 깜박이게 되는데 이를 小兒目眨라고 부른다. 일종의 보호성 생리작용인데 단지 스스로 제어하지 못하고 자주자주 깜빡이는 것이 병태이다. 임상적으로는 양쪽 눈에 많이 발병한다. [그림 2-1-2]

2) 症狀

양쪽 눈꺼풀이 자주 깜빡거리고 스스로 제어할 수 없고 혹은 빛을 두려워하거나 가려움으로 빡빡하며 불쾌하고, 작열감에 아프고, 항상 문지르기를 좋아한다.

3) 辨證 및 治法

(1) 風熱相襲: 祛風淸熱, 銀翹散 合 桑菊飮加減
(2) 肺陰虧虛: 潤肺養陰, 淸燥救肺湯加減
(3) 脾虛肝旺: 健脾淸肝, 肥兒丸加減
(4) 血虛有風: 養血息風, 四物湯加味
속눈썹을 뽑거나 혹은 수술해준다.

11. 눈꺼풀처짐(안검하수)

1) 概要

上眼瞼을 들어 올리는데 무력하거나 들어 올리지 못해 眼瞼裂이 좁아지고, 심하면 눈의 전체나 부분을 가리게 되어, 물체를 보는데 영향을 미치는 눈병이다. 이 병은 선천과 후천적인 것으로 나뉘고 발병이 한쪽이나 양쪽으로 모두 올 수 있다. 돌연히 발생할 수 있고, 또 완만하게 발생할 수도 있다. 눈꺼풀처짐(ptosis)은 신경성(neurogenis)이나 근성(myogenic), 널힘줄성(aponeurotic), 기계성(mechanical)으로 구분한다. [그림 2-1-3]

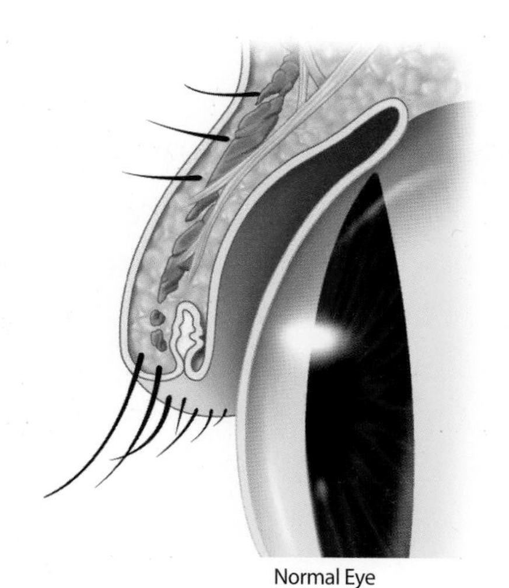

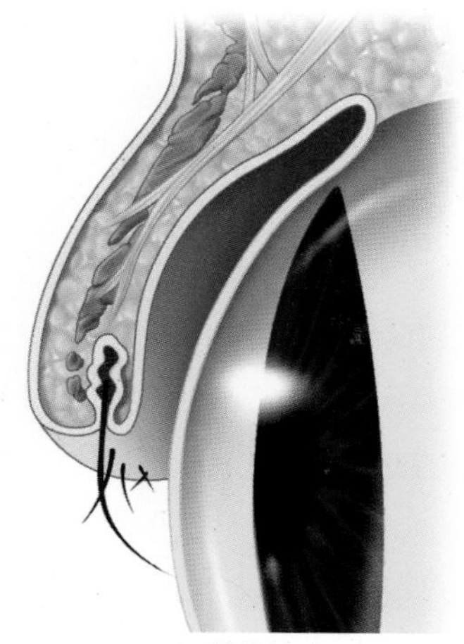

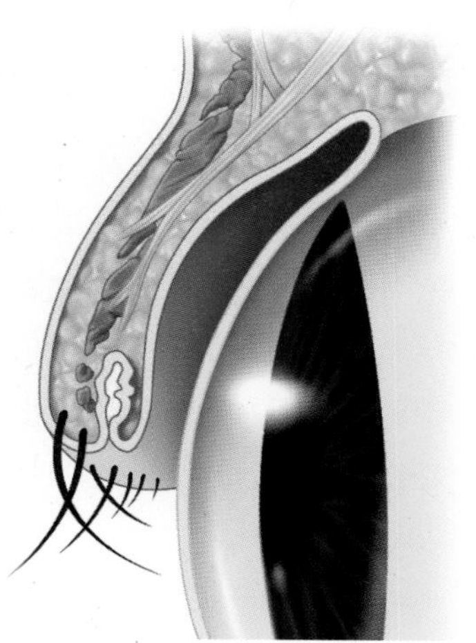

그림 2-1-2 속눈썹 난생

2) 病因

이 병은 선천과 후천의 나눔이 있고, 內因에서 주로 기인하고, 外因은 風邪와 관련이 있다.
(1) 先天稟賦不足, 上瞼肌肉의 발육불전.
(2) 脾虛氣弱, 清氣不升, 眼肊無力, 不能提擧.
(3) 風痰乘虛上襲, 阻滯胞瞼絡脈.
(4) 血氣虛弱, 皮膚空疏, 衛外不因而受風邪外襲, 以致瞼皮弛緩.
(5) 외상, 종류, 椒瘡 등 병으로 기인할 수 있다.

3) 症狀

양쪽 눈을 자연스럽게 뜨고 앞을 바라보고 平視할 때 上眼瞼이 黑睛 상연을 2 mm 이상 덮는다. 심해지면 눈썹이 높게 치솟고, 이마에 주름살이 생기고, 머리를 들어 물체를 본다. 발병이 완만하고 아침에 輕했다가 저녁에 重해지고, 혹은 휴식 후 완해하고, 지나치게 일해서 피로한 후 가중된다. 한 물체가 두 개로 보이고, 물체를 볼 때 안구를 움직일 수 없고, 눈을 깔아서 본다.

4) 辨證 및 治法

선천적인 자는 약을 먹어서 효과가 나타나기 어렵고, 마땅히 수술치료를 한다. 후천적인 자는 그의 虛實을 변별하여, 虛한 자는 氣血虧虛하거나 脾氣虛弱가 많고, 치료는 마땅히 補益氣血하거나 健脾升提한다. 實한 자는 風痰阻絡이 많고, 치료는 마땅히 法風化痰한다. 안구가 편위된 자는, 風牽偏視論을 참고하여 치료한다.
(1) 脾虛氣陷: 健脾益氣, 補中益氣湯加減
(2) 風痰阻絡: 法風化痰, 正容湯加減
(3) 血虛氣弱: 益氣養血, 人參養營湯加減

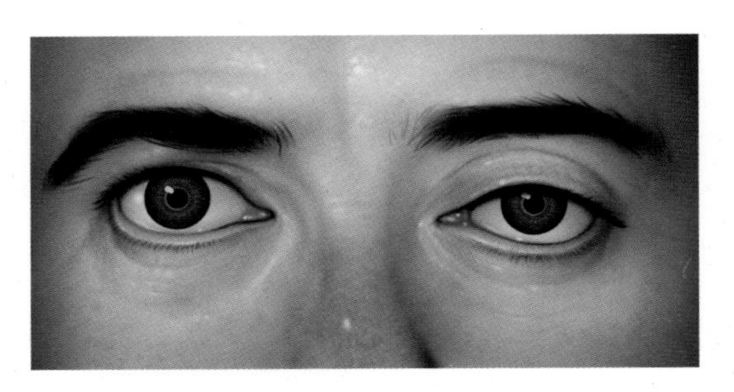
그림 2-1-3 Horner's syndrome에서의 안검하수

중증 근무력증을 제외하고 모든 종류의 눈꺼풀 처짐은 수술적 치료가 가능하다.

12. 눈꺼풀부종(안검부종)

1) 概要

눈꺼풀은 다양한 원인에 의해 쉽게 부어오르게 된다.

허증의 경우 胞虛如球, 실증의 경우 胞腫如桃라고 하였다.

胞虛如球는 胞瞼이 종창되어 공처럼 부풀어 오르고, 피부 색깔은 평소와 같은 눈병으로 비염증성 眼瞼종창으로 서양의학의 급성 알러지부종(acute allergic edema)과 유사하고 胞腫如桃는 급성 염증성 질환에 의한 눈꺼풀 부종상태와 유사하다.

2) 異名

懸球

3) 病因

胞瞼은 肉輪에 속하며 脾가 주관한다. 수액대사는 肺, 胃, 腎 三臟의 관계와 가장 밀접하며, 肺主通調

水道，脾主運化水濕，腎主水 하며, 고로 본병의 장부병기는 肺, 脾, 腎 三臟과 가장 밀접하다.

일반적으로 벌레에 물리거나 혈관부종, 두드러기, 급성화농성 염증성 질환, 급성 세균감염성 질환 등에 의해 발생하며 드물게 약물에 의해 발생하기도 한다.

눈물 및 눈물배출계 질환

眥는 大小眥로 나뉘며 총칭하여 兩眥라 한다. 大眥는 上下의 胞瞼의 코부분에 연결된 부분을 말하며, 또 다른 이름으로는 內眺, 眼大角, 眼大嘴, 眼大頭, 眼大睫이라 한다. 小眥는 上下胞瞼의 관자놀이 부위로 안검이 합쳐지는 부분을 말하며 外眥, 銳眥, 眼小角, 眼小嘴, 眼小頭, 眼小睫이라 한다. 內眥의 위, 아래 안검에는 각각 눈물구멍이 하나씩 있다. 눈물구멍의 이름은 淚堂, 淚孔이라 하여 눈물을 배설하는 구멍이다. 小眥 외상방 눈물샘 도랑 안쪽에 눈물샘이 있는데 한의학에서는 淚泉이라 칭하고, 눈물이 나오는 장소이다. 눈물은 눈물분비샘에서 나와서 눈을 적시고, 눈물구멍을 통해 眼部로 배출된다.

眥部가 外部에 폭로되면, 外邪의 侵襲을 쉽게 받게 된다. 고로 外邪火毒하여 兩眥에 뭉쳐서 局部紅赤 癢痛이 나타나고 혹 迎風赤爛, 혹은 눈물이 흐르기도 한다. 內有心火하여 內外合邪하면 즉 병정이 重하다. 또한 白睛질환과 상호영향을 끼친다. 고로 胞瞼疾病은 白睛疾病에서 眥部疾患으로 진행될 수 있고 椒瘡, 流淚症, 漏睛 등으로 진행될 수 있다.

眥部疾病은 일반적으로 시력감퇴로 진행되지는 않는다. 단지 失治하면, 白睛과 黑睛의 병변이 생겨 시력에 영향을 줄 수 있다. 努肉攀睛, 赤脈傳睛이 오래되면 白睛을 침범하며, 심하면 黑睛을 침범하여 瞳神을 가리게 되어 시력에 장애가 생긴다. 漏睛邪毒은 오래되어도 없어지지 않고 눈의 위험을 위협하며, 凝脂翳나 盲이 되게 할 가능성이 있다.

1. 눈물흘림증(유루증)

1) 概要

눈물의 순환장애로 인하여 눈물이 흐르는 증상이다. 한의학에서는 기능 이상에 의해 淸稀하고 冷한 눈물이 흐르며 熱感이 없는 冷淚와 염증을 동반한 熱淚로 대별하였다. 熱淚는 눈의 염증성 질환의 결과물이므로 눈물흘림증은 냉루에 속한다고 볼 수 있다. 冷淚症은 眼科에서 흔한 병증이고, 일반적으로 노약자와 출산 후의 임산부에 나타난다. 한쪽 눈에만 발병하거나 양쪽 눈에 先後로 생기거나 동시에 생길 수 있다. 주로 눈물배출로의 이상으로 인해 눈물의 정상 배출에 이상이 생길 때 발생하게 된다.

2) 病因

(1) 肝血不足, 淚竅不密, 風邪外引而致迎風淚出
(2) 肺氣虛弱, 衛陽不足, 衛外不固 , 風寒邪氣乘虛而入, 邪引淚出
(3) 氣血不足, 肝腎兩虛, 不能約束其液而致冷淚
(4) 기타 눈병이나 코의 질환이 발전해서 淚竅로 파급되어 淚竅가 협착되어 밖으로 흐른다.

3) 症狀

눈물흘림(epiphora)은 눈물배출로의 문제로 생긴다. 淸稀한 눈물이 시도 때도 없이 흐르는데, 차고 바람이 불면 심해지고, 따뜻하고 건조한 실내에서는 덜하다. 3가지 정도로 분류할 수 있는데 첫 번째는 위치이상(mmalposition) 즉, 눈물점의 위치 이상(눈꺼풀겉말림에 의해 이차적으로 생긴 경우)이고, 두 번째는 폐쇄(obstruction) 즉, 눈물점에서 코눈물관에 이르는 눈물배출로의 어떤 부위에서의 폐쇄로 인한 것이다. 마지막으로 눈물펌프의 기능상실 즉, 아래 눈꺼풀의 이완이나 눈둘레근의 약화(안면신경마비)로 생기는 경우이다.

4) 辨證 및 治法

冷淚는 虛症이 많다.
(1) 肝血不足, 復感外邪: 補養肝血 兼以怯風 - 止淚補肝散
(2) 肺氣不足, 感受外邪: 補益肺氣, 法風止淚 - 補肺湯加減
(3) 氣血不足, 收攝失司: 益氣養血, 收攝止淚 - 人珍湯加減
(4) 肝腎兩虛, 約束無權: 補益肝腎, 因攝止淚 - 左歸飮加減

눈물길이 완전히 막히지 않은 冷淚症은 약물과 침구치료에 효과가 모두 좋다. 만약 눈물길이 완전히 막히면 침구와 약물치료에 효과가 나타나기 어렵고 정확하고 적절한 수술을 활용하여 일반적으로 치유할 수 있다.

2. 만성 눈물주머니염(만성 누낭염)

1) 槪要

漏睛이라고 하며 눈의 大眥에 항상 涎水 혹은 膿汁이 漏竅에서 밖으로 나오는 것을 특징으로 하는 眼病이다. 비교적 흔한 질환으로 성인 혹은 노인이 가장 많고 청년이나 아동은 비교적 적다. 여성이 남성보다 많다. 한쪽 눈에만 발병하는 경우도 있고 양쪽 눈에도 발병하는 경우가 있는데 한쪽 눈에 발병하는 경우가 더 많다. 椒瘡의 合倂症 중 하나이다. 轉變하여 漏睛瘡이 될 수 있다. 本病의 병정은 길어서 邪毒이 장기간 內眥에 潛伏하여 膿汁이 不盡하고, 만약 눈에 外傷을 받거나 眼部 手術을 하게 되면 邪毒이 그 틈으로 들어와 凝脂瞖, 黃液上沖 등의 엄중한 질환이 될 수 있다. 이 때문에 本病의 치료에 대해서 매우 조심해야 하고 눈 주위의 질환을 말끔히 없애야 한다.

2) 病因

(1) 風熱外侵, 停留淚竅, 淚液受灼, 積伏日久, 潰而成膿.
(2) 心有伏火, 脾蘊濕熱, 流注經絡, 循經上攻內眥, 熱伏日久, 積聚成膿, 浸漬淚竅.
(3) 素有椒瘡, 邪毒侵犯淚竅, 淚道不暢, 淚液受灼, 積聚成膿.

3) 症狀

隱澀不舒를 자각하며 단지 통증이 없다. 시도 때도 없이 눈물이 흐르고 눈가가 항상 축축하며 닦아도 또 생긴다. 눈에서는 赤腫이 확실하지 않고 大眥頭의 피부색은 윤택하고 혹 조금 紅赤하고 睛明穴下方에서 작은 융기가 있고 닦으면 粘濁膿汁이 漏竅로부터 스며나오고 병정은 완만하고 오래도록 낫지 않는다. 淚道를 물로 씻으면 膿性分泌物이 나오고 淚道가 閉塞된다. 이는 영아와 폐경 후 여성에게 흔한 질환으로 편측성이 흔하며 항상 코눈물관의 폐쇄에 의해 이차적으로 생긴다. 성인의 경우에서 대개 폐쇄 원인은 불분명하다. 영아와 폐경 후 나이에서는 드물며 대개는 외상이나 눈물주머니 결석에 의해 생긴다.

4) 辨證 및 治法

주요 病理變化는 邪深久伏, 積久必潰이다. 병리성질은 邪實이 많고 오래되면 實에서 虛로 혹은 虛實挾雜이 된다.

(1) 風熱停留: 疏風清熱, 解毒消滯 - 白薇丸
(2) 心脾濕熱: 清心利濕 , 解毒排膿 - 竹葉瀉經湯
(3) 正虛邪留: 扶正祛邪 托裡排膿 - 托裏消毒飮

서양의학에서 급성형은 대개 전신적 항생제 치료에 반응하며, 만성형은 항생제 점적이 필요하지만 폐쇄증상을 감소시키는 것이 유일한 치료이다.

3. 급성 눈물주머니염(급성 누낭염)

1) 槪要

漏睛瘡이라고 하며 目大眥에 熱毒蘊結한 것이다. 臨床적으로 睛明穴下方에 突發적으로 紅腫이 高起하고 계속해서 膿液이 潰破되는 것을 특징으로 한다. 급성눈물주머니염은 비교적 드물게 발생한다.

2) 病因

(1) 心經蘊熱, 蓄結日久, 複感風邪, 內外合邪, 風熱搏結, 壅塞經脈, 上攻內眥, 結瘡潰膿.
(2) 素嗜辛辣炙煿, 心脾熱毒蘊盛, 上攻目竅, 氣血鬱滯, 營衛失和, 經絡壅塞, 結聚成瘡, 熱勝肉腐, 爲膿成漏.
(3) 氣血不足, 脈絡失養, 營衛不調, 氣機不暢, 而發本病.

3) 症狀

睛明穴부위의 압통, 붉은 긴장성(tense) 부종과 눈물흘림이 아급성으로 나타난다. 심한 경우에는 안와사이막 앞연조직염이 동반되기도 한다. 소아의 급성 누낭염은 인플루엔자 감염의 결과로 생긴다. 신속하고 즉각적인 치료는 안와봉소염 예방을 위해 필요하다. 성인에서 급성누낭염은 주로 황색 포도상구균에 의해 생기며, 용혈성 폐렴구균의 원인이 되기도 한다.

4) 辨證 및 治法

漏睛瘡은 발병이 急하고 병세가 맹렬하여 반드시 제때 치료해야 한다.

(1) 風熱上攻: 疏風散熱, 消腫散結 - 仙方活命飮加減
(2) 熱毒熾盛: 清熱解毒, 消瘀散結 - 黃連解毒湯 加減
(3) 正虛邪留: 益氣養血, 托裏排膿 - 托裏消毒散加減

국소적으로 온찜질을 하고 서양의학에서는 flucloxacillin 같은 경구항생제를 투여한다.

결막질환

結膜病은 구결막과 검결막의 질병을 말한다. 한의학에서의 白睛은 구결막의 개념을 포괄한다. 《張氏醫通》에서는 金鍼으로 內障을 열어내는 것에 대해 논하면서, "進針時外膜有血"라 하였는데, 여기서의 外膜은 현재의 구결막를 말한다. 검결막은 瞼板 안쪽 면을 덮는데, 그 질병은 胞瞼病의 범주에 속한다. 그러나 양자는 항상 서로 영향을 준다.

구결막은 대부분 외부에 노출되어서 風熱, 疫毒 같은 外邪의 침습을 받거나 기타 물리, 화학적 자극을 받기 쉽다. 그래서 구결막 발병 기회가 많고, 임상에서 흔히 볼 수 있다.

구결막의 질환은 염증이 다수를 차지한다. 가장 두드러진 증상은 充血이고, 한의학에서는 白睛紅赤이라고 표현하며 이는 白睛淺層이 紅赤한 것이다. 붉고 빨간 경우 熱盛於風한 경우가 많고, 빨갛고 눈물이 많고, 眵가 적은 자는 風盛於熱한 경우가 많다. 만약 만성 출혈을 겸한 경우는 熱入血分한 표현이다.

구결막병과 관련이 있는 장부는 주로 "肺"이다. 肺는 白睛을 주관하는데, 肺氣가 失調되면 衛表不固하고, 腠理疏松하기 때문에 外邪의 침습을 쉽게 받고, 暴風客熱, 天行赤眼 등의 증상을 나타낸다. 만약 肺陰不足하면 目失濡養하고, 만성질환에 쉽게 걸리고, 눈이 건조하고 꺼끌꺼끌하며, 건조증 등이 있을 수밖에 없다. 따라서 白睛질환을 치료하려는 자는 먼저 肺에서 시작해야 된다. 예를 들어 肺經風熱의 경우 祛風淸熱, 肺經風寒의 경우에는 祛風散寒, 肺經燥熱의 경우 潤燥淸熱, 肺陰不足의 경우 滋養肺陰등의 治法을 사용해야 한다. 이 외에 국부치료도 중요하니 소홀히 하면 안된다.

天行赤眼이나 暴風客熱은 전염성이 강한 질환이다. 환자의 눈물이나 손, 수건, 물건을 통해 전염이 되기 때문에 격리, 소독이 필요하다. 환자를 진찰한 의사도 손 소독을 잘 하여 감염을 예방해야 한다. 학교나 공장, 유원지 등 공공장소의 위생관리를 잘 하여 감염을 방지하여야 한다.

1. 세균성 결막염

1) 槪要

세균성 결막염은 매우 흔한 질환으로 일반적으로

급성으로 나타나고 간혹 부주의한 치료 및 관리로 인해 만성으로 이행하기도 한다. 직접 접촉에 의해 전염하기 때문에 전염력이 아주 강하지는 않다. 한의학의 暴風客熱에 해당한다. 봄, 가을에 호발하고, 유행성이 있으며, 탁아소, 초등학교 등 집단생활을 하는 장소에서 호발한다. 發病이 급하고, 대부분 시력에는 손상이 없으며, 豫後는 좋은 편이다. 일반적으로 2주 정도면 좌우 모두 치료가 된다. 만약 즉시 철저하게 치료하지 않으면 병정이 연장될 수 있다.

2) 症狀

단순 세균성 결막염은 치료하지 않아도 10~14일 내에 좋아진다. 눈꺼풀에 딱지가 앉고 부을 수 있다. 분비물이 처음에는 물 같아서 바이러스 결막염과 유사하나 하루정도 지나면 점액고름성으로 된다. 충혈은 결막구석에서 가장 심하고 각막가장자리에서 가장 약하다. 눈꺼풀판 결막은 벨벳같고 고기처럼 빨개지며 약한 유두성 변화를 보인다.

3) 辨證 및 治法

(1) 風重於熱: 祛風清熱 - 羌活勝風湯加減
(2) 熱重於風: 清熱祛風 - 瀉肺飮加減
(3) 風熱并重: 祛風清熱, 表裏雙解 - 防風通聖散加減

증상이 심한 경우는 항생제 안약, 연고를 사용한다. 염증이 심하지 않다면 국소 스테로이드제제는 피해야 한다.

2. 바이러스성 결막염

1) 概要

바이러스성 결막염은 전염력에 강하며 인두결막염, 유행성각결막염, 급성출혈성 결막염 등이 있다. 한의학에서는 天行赤目이라 불렸는데 天行이라 일컫는 것은 광범위로 유행되어 한 사람이 감염되면 남녀노소 다 전염되기 때문이다. 봄가을에 많이 나타나고 두 눈에 같이 나타나거나 先後차이가 있고 일반적으로 1~2주면 낫는다. 만약 검은자위까지 침범하여 星點이 생겨 어둡게 가렸다면 병 지속시간이 길어져 치료되기까지 몇 개월 혹은 몇 년 걸릴 것이다.

2) 病因

疫病의 氣가 위로 올라 白睛을 침범한 것이다. 혹은 肺胃積熱로 인해 서로 疫癘之氣를 부른 것으로, 內外의 邪가 합해진 것이다. 熱毒熾盛하여 위로 공격하여 이루어 진 것이다. 혹은 환자의 眵淚에 의해 감염된 것이다.

3) 症狀

인두결막염은 38도 이상의 고열과 함께 인후통이 나타나면서 양안에 급성 여포성 결막염이 나타난다. 어린이에게 심하고 대체로 10~14일 이내에 자연 치유된다.

유행성 각결막염은 발병초기에 충혈, 동통, 다수의 눈물 흘림이 있고 이전 림프선의 비대를 종종 볼 수 있으며 3~4주간 지속된다. 특히 어린이에게는 눈의 증상뿐 아니고 전신 질환화하여 고열, 인두통, 설사 등이 함께 나타날 수 있다.

급성 출혈결막염(acute hemorrhagic conjunctivitis)은 장내바이러스 제70형이 원인이며 드물게는 콕사키바이러스 A24형도 원인이 된다. 아프리카 가나에서 처음 확인(1969년)된 질환으로 발생 시기가 아폴로 11호의 달착륙 시기와 일치해서 아폴로눈병이라고도 부른다. 짧은 잠복기(8~24시간)와 경과기간(5~7일)이 특징이다. 자각증상은 갑작스런 통증, 이물감, 눈부심, 다량의 눈물흘림, 타각증상으로는 결막충혈, 결막하출혈, 결막여포를 볼 수 있고, 때로는 결막부종도 나타난다. 상피각막염이 생길 수도 있으며 대부분의 환자에서 이전 림프절병증을 볼 수 있다. 환자의 25%에서는 열, 무력감, 전신근육통을 보이며 드물게는 하지가 마비된 예도 있다.

4) 辨證 및 治法

(1) 初感疫病: 疏風清熱 - 驅風散熱飮子加減
(2) 熱毒熾盛: 瀉火解毒 - 瀉肺飮加減

바이러스성 결막염은 특별한 치료가 없으며 무엇보다도 전염예방에 주의해야 한다. 직접, 간접 접촉으로 옮겨지므로 병원 내 전염도 조심해야 한다. 급성출혈성 결막염의 경우 환자는 격리를 시키는 것이 좋다.

3. 만성 결막염

1) 概要

白睛이 붉고 脈이 종횡하고, 거칠고 세밀함이 일정하지 않고, 심하면 蟣蟠旋曲하고 오래되어도 낫지 않는 것을 일컬어 赤絲虯脈이라 한다. 임상에서 비교적 자주 나타난다. 양쪽 눈에 발병하는 경우가 많고 暴風客熱 등 外障眼病에서 遺留되어 오는 완고한 만성 질환이다. 급성결막염 후에 나타나는 만성적인 결막혈관의 이상과 유사하다.

2) 病因

白睛에 위치해 있어, 氣輪에 속하고, 肺에 속한다. 또한 眥部에 위치하여 心에 속한다. 氣輪과 또 風輪이 서로 접한다. 風輪은 肝에 속한다. 따라서 本病은 臟腑病機가 肺, 心, 肝과 가장 밀접하다. 일부 外障眼病을 시기에 적절한 치료를 못하였거나 철저하지 못하였을 때 餘邪가 未盡하여 오래되어 발생하거나, 장기간 風沙刺激으로 인해, 혹은 煙火를 오래 쐬거나 혹은 항상 고온에 가까이 있을 때, 熱鬱脈絡되어 赤脈縱橫된다. 혹 음주와 흡연의 습관이 있거나 辛熱炙縛한 음식을 과식하여 釀成積熱, 上熏目하여 생긴다. 또는 너무 오래 보거나 눈을 과도하게 사용하여 陰津暗耗, 虛火上炎하여 血絡鬱滯되어 생긴다.

3) 症狀

눈이 건조하고 가려우며 灼熱感이 있고 淚出하며 눈곱이 많을 때도 있으며 안검이 沈重하여 오래보기 힘들며 白睛의 淺層에 赤脈縱橫하여 粗細가 균일하지 않고 疏密不等하다. 심하면 蟣脈粗赤하고 蟣蟠旋曲한 것이 때때로 輕하다 重하다를 반복하며 오래되어도 없어지지 않으나 시력손상은 없다.

4) 辨證 및 治法

赤絲蟣脈은 대부분 外障眼病이 오래되거나 失治하여 생긴다.

(1) 熱鬱脈絡: 涼血活瘀 - 退熱散加減
(2) 脾胃濕熱: 淸熱利濕 - 淸脾散加減
(3) 虛火上炎: 滋陰降火 - 知柏地黃丸加減

만성결막염의 경우는 병을 일으킨 미생물을 확인하기 위해 실험실 결과를 기다리는 동안 항생제

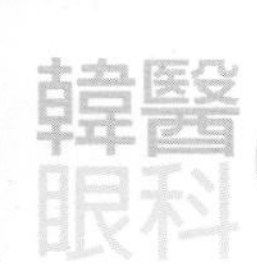

점안 치료를 시작한다. 만성세균결막염은 자연 치유되지 않아 치료에 어려움을 겪을 수 있다. 검열반의 경우는 성장이 매우 더디거나 멈추기 때문에 보통 치료는 필요하지 않다. 그러나 종종 검열반에 급성으로 염증이 생길 수 있는데 이때는 fluorometholone같은 약한 스테로이드를 단기간 사용한다.

4. 춘계 각결막염

1) 概要

눈에 기이한 소양감이 드는 것이 참을 수 없을 정도에 이르는 것을 특징으로 한다. 일정한 주기로 발작하는 특징이 있는데 봄, 여름에 날씨가 따뜻해지면 발작하고, 가을철에 한랭해지면 풀린다. 때에 따라서 왕복하므로 時復症이라고 하였다. 대부분 남성 청소년에게서 보이며 양쪽 눈에 동시에 발병한다. 병정은 수년 또는 십여 년까지 연장되며 연령에 따라서 길어지고 매년 완화되다가 자연히 소실된다. 봄철각결막염과 유사하다.

2) 病因

眼瞼 內面과 흰자위에 병변이 주로 생긴다. 眼瞼은 肉輪이 되고 장부상으로는 脾에 속한다. 흰자위는 氣輪이 되고 장부상으로는 肺에 속한다. 이로 인해 본 병은 장부병기로 脾, 肺와 친밀한 관계가 있는 것이다.

(1) 肺主皮毛, 肺衛不固, 風邪外侵, 上犯白睛, 혹은 眼瞼部나 눈의 소양감이 참기 힘들다.
(2) 濕熱蘊積, 復受風邪, 風濕熱邪相搏, 瘀滯包瞼, 白睛而發病

3) 症狀

양측성이며 자주 재발하고 따뜻하고 건조한 기후에서 소년이나 성인에서 일차로 나타난다. 환자의 3/4에서 아토피가 있거나 2/3에서 아토피 가족력이 있으며 이러한 환자들은 유아기에 종종 천식과 습진 피부염을 동반한다. 대개 5세 후에 병이 발생하고 결국은 사춘기경에 회복되지만 드물게는 25세 이후까지 지속되는 경우도 있다. 심한 눈가려움증이 주 증상이며, 눈물, 눈부심, 이물감, 작열감 등이 나타날 수 있다. 진한 점성 분비물과 눈꺼풀 처짐도 나타난다.

4) 辨證 및 治法

(1) 風邪外侵: 祛風止癢 - 消風散加減
(2) 濕熱上犯: 清熱化濕 - 凉膈清脾飮加減

봄철각결막염(vernal kerato conjunctivitis, VKC)에 대한 국소치료는 스테로이드나 비만세포안정제, 항히스타민제, Acetylcysteine 0.5%, cyclosporine 2%를 쓰고 심한 환자에게는 스테로이드를 상검판내에 주사한다. 내과치료에 듣지 않는 경우 수술치료를 한다.

고초열 결막염(hay fever conjunctivitis)의 급성기에는 혈관수축제(epinephrine 1:1000)을 국소점안하면 보통 30분 이내에 결막 부종이 가라앉게 된다. 또 항히스타민제를 경구 또는 국소 투여하는 것도 도움이 되며 심한 가려움증을 해소하기 위해 냉찜질을 한다. 원인이 되는 항원이 제거되지 않으면 언제나 재발될 수 있으나 환자의 연령이 증가함에 따라 발작 횟수는 감소하고 증상도 가벼워진다.

5. 트라코마

1) 概要

클라미디어감염으로 인한 전염성 결각막염으로 瞼이 거칠고 울퉁불퉁해서 형태가 모래알갱이 같으므로 이름을 沙眼이라고 한다. 트라코마는 眼科에서 가장 일반적인 전염병이고 일반적으로 병정은 慢性이고, 양쪽 눈에 발병한다. 이 병으로 인한 합병증과 후유증은 시력에 심각한 영향을 미쳐 심하면 失明에까지 이르게 한다고 한다.

주로 이집트, 아프리카 등 덥고 불결한 환경에서 잘 발생한다. [그림 2-3-1]

2) 病因

外로는 風熱毒邪에 감촉되고 內으로는 脾胃積熱이 있어 外邪와 內熱이 相合하여 瞼裏에 뭉쳐 胞瞼脈絡을 막고, 氣血이 不和하여 本病이 발생한다.

3) 症狀

트라코마는 주로 직접 접촉으로 전염되며 때로는 곤충이 트라코마 전염의 매개체가 될 수도 있다. 잠복기는 5~14일(평균 7일)이다. 증상은 어린이들의 만성 여포결막염으로 시작하나 점차 결막반흔으로 진행한다. 심한 경우 결막 반흔으로 인해 눈꺼풀속말림 및 속눈썹 난생이 생긴다. 눈물, 羞明, 동통, 눈꺼풀부종, 구결막 부종, 충혈, 유두비대, 눈꺼풀판 및 각막윤부 여포, 상부 각막염, 판누스 형성, 그리고 압통성의 이전림프절 등의 증상과 징후를 보인다.

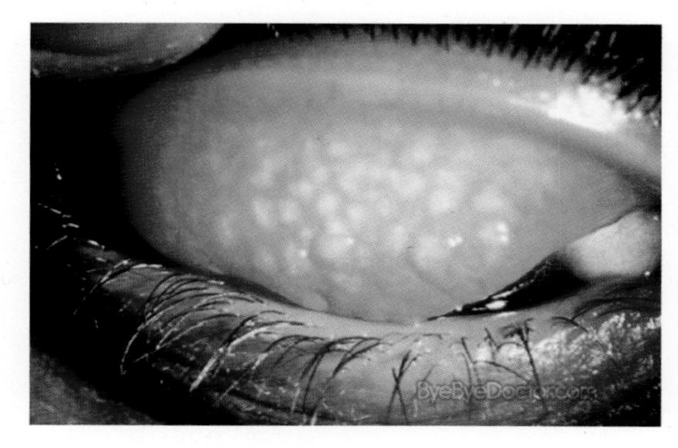

그림 2-3-1 트라코마

4) 辨證 및 治法

慢性眼病으로 치료는 內外兼治한다. 輕症은 국부점안약으로 치료가 가능하고, 重症은 點眼藥과 동시에 內治를 配合해야 한다. 필요시에는 수술치료를 한다. 本病의 初起에는 風熱初犯으로 일어나고 치료는 祛風清熱시킨다. 中後期에는 脾胃濕熱挾風 혹은 血熱瘀滯로 일어나고 治療는 除風清脾 혹은 涼血散瘀한다.

(1) 風熱初犯: 法風清熱 - 銀翹散加減

(2) 濕熱挾風: 清熱法濕, 除風消滯 - 除風清脾飮加減

(3) 血熱蘊滯: 涼血散滯 - 歸芍紅花散加減

서양의학으로는 Tetracycline 1~1.5 g을 하루에 4번으로 나누어 3~4주간 경구로 투여한다.

6. 포성 결막염

1) 概要

흰자위의 표층에 회백색의 과립이 突起하는데 구슬모양을 띄고 있다. 주위에는 실핏줄이 얽혀 있는 눈

병인데 이를 金疳이라고 한다. 임상에서 비교적 많이 발견되며 대부분 봄과 가을에 발병한다. 한 쪽 눈에 발병하는 경우가 많으며 양쪽 눈에 발병하거나 시차를 두고 발병하는 경우도 있다. 영양실조, 체질허약한 사람에게서 쉽게 반복 발작하고 豫後는 양호하다. 《目經大成》에서 흰자위는 肺에 속하고 肺는 金에 속하므로 金瘡이라고 명하였다. 泡性 角結膜炎과 유사하다.

2) 病因

(1) 外感燥熱의 邪氣가 肺經을 침범하여 肺火가 偏盛하게 된다. 이에 따라 눈을 침범하여 울결되어 생긴다.
(2) 肺陰不足으로 虛火가 上炎하여 흰자위에 울체되고 聚結하여 疳이 된다.
(3) 脾胃虛弱으로 運化失調하고 肺失所養하여 氣化不利, 氣血鬱滯로 金疳이 생기게 된다.

3) 症狀

소아 및 성인에게서 모두 발병할 수 있다. 자각증상은 비교적 가벼워서 겨우 눈 부위의 깔깔함을 느낄 수 있을 뿐이다. 眼球檢査를 통해서 흰자위에 淺層으로 흰 구슬 모양의 과립이 있는 것을 볼 수 있다. 크기는 일정하지 않고 수는 1~2개, 거의 대부분 검은자위의 양측 흰자위 상에 위치한다. 과립주위에는 실핏줄이 둘러싸서 얽혀있다. 과립이 궤파되면서 자연이 낫는다. 나은 후에는 대부분 반흔을 남기지 않으나 재발할 수 있다.

4) 辨證 및 治法

(1) 肺經燥熱: 瀉肺淸熱 - 瀉肺湯加減
(2) 肺陰不足: 養陰潤肺 - 養陰淸肺湯加減
(3) 脾肺兩虛: 健脾補肺 - 蔘苓白朮散加減

7. 결막하출혈

1) 概要

흰자위 淺層 아래로 片狀의 출혈반이 출현하며 심하면 흰자위 전체에 고루 퍼지게 되는데 이를 白睛溢血이라고 한다. 대부분 50세 이상의 사람에게서 보이며 일반적으로 발병 2주경이 되면 스스로 소실된다. 豫後는 양호하나 재발할 수 있다. [그림 2-3-2]

2) 病因

(1) 熱客於肺, 肺氣不宣, 頓咳不已, 震破脈絡, 致白睛溢血.
(2) 年老陽精不足, 脈絡脆弱, 絡破血溢, 致白睛溢血.
(3) 外傷及目, 或眼部手術, 或結膜下注射, 誤傷白睛脈絡, 致白睛溢血.

3) 症狀

자각증상이 명확하지 않고 일반적으로 다른 사람에게서 발견되는 경우가 많다. 결막하출혈은 자연적으로 발생할 수 있으며 보통 편측성이고 어떤 연령층에서도 생길 수 있는 질환이다. 갑자기 시작되고 밝은 적색을 띠어 환자들이 크게 놀라는 경향이 있다. 작은 결막 혈관의 파열로 생기며, 심한 기침이나 재채기가 선행되기도 한다.

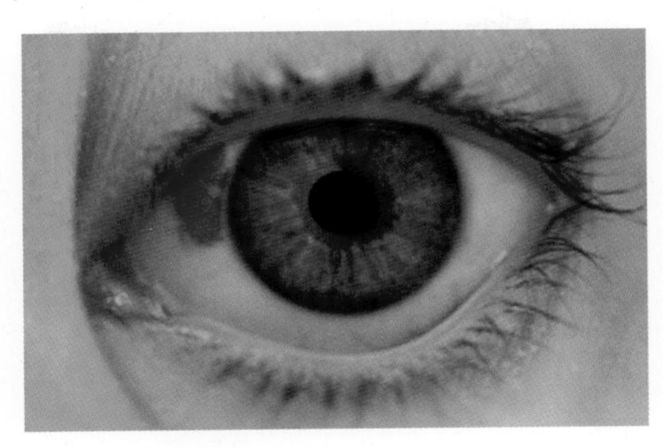

그림 2-3-2 결막하출혈

4) 辨證 및 治法

시간이 지나면 자연스럽게 소실된다. 그러므로 임상에서는 병인병리에 따라서 약보다는 침을 주로 쓴다.

(1) 肺熱傷絡: 清肺瀉熱 - 退赤散加減
(2) 肝腎陰虛: 滋補肝腎 - 六味地黃湯加減
(3) 外物傷目: 活血化瘀 - 桃紅四物湯加減

8. 익상편 (군날개)

1) 概要

內眥 혹은 外眥部에 脂膜胬肉이 일어나서, 眥角으로부터 白睛을 橫貫하고, 黑睛(각막)을 攀侵하는 慢性 外障眼病이다. 밖에서 일하는 노동자가 많이 걸리고 남성이 여성보다 많고, 성인이 거의 대부분이며, 病變은 一般적으로 進展이 緩慢하다. 만약 각막에 이르러 瞳神을 막으면 시력에 영향을 미친다. 病程은 數月 혹은 數年에 이른다. 大眥에서 생기는 것은 많고, 小眥에서 생기는 것은 적다. [그림 2-3-3, 그림 2-3-4]

2) 病因

(1) 外感風熱, 客於心肺, 壅塞經絡, 熱鬱血滯, 脈絡瘀阻, 致使胬肉脹起.
(2) 飮食不節, 嗜好煙酒, 恣食五辛, 使脾胃積熱, 邪熱蘊滯於目眥.
(3) 目眥屬心, 因憂思勞怒, 擾動心神, 心火盛而刑金, 上蘊於目所致.
(4) 過勞縱欲, 耗損心陰, 暗奪腎精, 使水虧不能制火, 水火不濟, 虛火上浮, 致生胬肉.
(5) 長途跋涉, 風餐露宿, 塵沙刺激, 日久則目眥經絡瘀滯, 而發胬肉.

3) 症狀

군날개는 변성된 구결막 조직이 각막윤부에서 각막 쪽으로 자라 들어가는 삼각형 모양의 상피하 섬유혈관조직이다. 이는 열대기후에 사는 사람에게 전형적으로 발생하며 만성적인 건조조건이나 자외선 노출에 의한 반응으로 볼 수도 있다. 증상으로는 코쪽 각막윤부 가까이에 작은 회색의 각막혼탁이 생긴 후 결막이 혼탁 위로 자라서 삼각형 모양으로 각막 쪽으로 자라 들어간다. 철침착물(스토커선 stoker line)이 군날개의 진행부 앞쪽의 각막 상피에 보일 수 있다. 합병증으로는 만성적인 자극증상, 시축을 침범한 경우에는 시력저하, 난시, 각막앞 눈물층의 파괴 등이 있다

4) 辨證 및 治法

(1) 風熱壅盛: 祛風清熱 - 梔子勝奇散加減
(2) 脾胃實熱: 泄熱通腑 - 凉膈連翹散加減
(3) 心火上炎: 清心瀉火 - 瀉心湯 合 導赤散加減
(4) 三焦壅熱: 瀉火解毒 - 黃連解毒湯加減

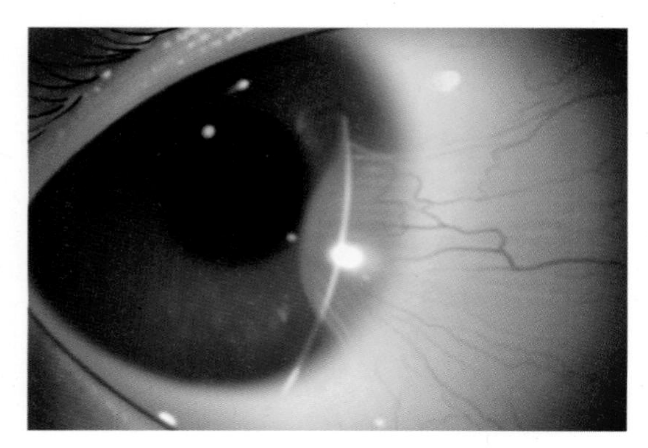

그림 2-3-3 익상편

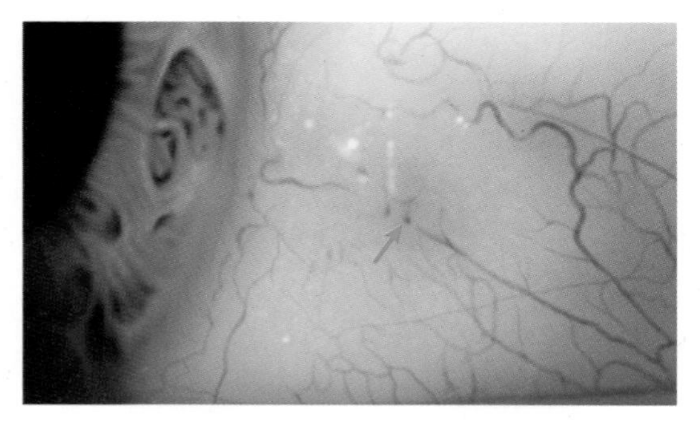

그림 2-3-4 검열반

(5) 陰虛火旺: 滋陰降火 - 知柏地黃丸加減
미용상 문제가 있거나 시축으로 자라 들어가 시력에 영향을 줄 수 있는 경우 치료가 필요하다. 서양의학에서는 군날개 절제 후에 절제부위에 자가 결막을 이식하거나 conjunctival autograft 양막을 이식하는 방법을 많이 쓴다. 염증이 생긴 경우에는 국소적 스테로이드 치료가 필요하다.

9. 건성 각결막염

1) 概要

淚液 감소로 인하여 고갈이 심해져 白睛과 黑睛에 淚液이 없고 건조하여 윤택함을 잃게 된다. 심해지면 黑睛이 혼탁해지는 등의 증상이 생기는데 그 증세를 白澀症, 혹은 神水將枯라고 한다. 증상은 대개 양쪽 눈에 발병하고, 임상적으로 眼乾, 口乾, 鼻乾이 주요 증상이다. 만약 병세가 오래되어 낫지 않으면 항상 黑睛疾患이 나타나고 시력손상이 오고 豫後가 불량하다.

2) 病因

(1) 外感燥熱之邪, 內客於肺, 致肺陰不足, 不能上潤於目, 而發生神水將枯.
(2) 肝腎陰虛, 致淚液生化無源, 兼有虛熱蒸灼, 故神水將枯.
(3) 脾虛氣弱: 運化水濕失職 : 淸陽不升, 氣化不利, 液淚不能上營, 故神水將枯.

3) 症狀

안구건조감, 口乾, 鼻乾 또는 多飮, 淚液減少, 白睛無光澤, 黑睛暗淡不潤의 증상이 있는데 위의 증상은 점진적으로 가중되는 추세로 발전한다. 심하면 각막이 混濁하며 시력감퇴가 있고, 重하면 失明에까지 이른다. 淚液減少로 인해 Schirmer test를 통해 정상에 비해 감소한 淚液의 정도를 판별할 수 있다.

4) 辨證 및 治法

(1) 肺陰不足: 益肺養陰 - 生脈散合淸燥救肺湯加減
(2) 肝腎陰虧: 滋補肝腎 - 杞菊地黃丸加減
(3) 脾虛氣弱: 益氣健脾 - 歸脾湯加減

존재하는 눈물을 보존하기 위해 실내온도를 내리고 가습기를 사용하거나 작은 가쪽 눈꺼풀을 봉합한다. 인공눈물을 점액할 수도 있다. 각막실과 점

액판을 가진 환자에게는 점안제(ilube eye drops)가 유용할 수 있다. 눈물배출의 감소를 위해 시판되는 콜라겐 마개를 눈물소관에 삽입하여 눈물점을 일시적으로 폐쇄할 수 있고 장기간 폐쇄를 할 수도 있다. 심한 건성 각결막염이 있고 반복적인 쉬르머검사에서 2 mm 이하로 나온 환자의 경우 영구적으로 눈물점을 폐쇄하기도 한다.

공막질환

鞏膜은 한의학에서 白睛의 주요 부분이다. 古代 의학서에서는 白珠, 白仁, 白眼 등으로 표현하며 공막 내부를 포괄적으로 말한다. 白睛은 질기고 견고하며, 眼珠(수정체)의 外殼이며, 眼珠(수정체)를 보호하는 중요한 결막 조직이다. 鞏膜의 血絡은 적으며, 血液循環은 왕성하지 않아 상대적으로 영양 공급이 적다. 즉 발병하면 病程이 길고 치료가 어렵다.

白睛은 五輪중에서 氣輪이며 內應於肺하여 白睛의 병변은 肺之失調와 연관성이 있다. 肺는 肺主氣, 主宣發與肅降하여 만약 肺氣失調, 血行不暢하여 白睛의 結節에 瘀滯와 隆起가 생긴다. 肅降失司, 大腸結熱, 腑實不通하여 肺火蘊結하면 自睛疾患이 발생한다. 그러나 白睛은 안구의 일부분에 불과하고 병이 肺와 밀접한 관계에서만 발생하는 것이 아니고 다른 체부와도 밀접한 관계가 있으므로 鞏膜疾患의 치료 시 整體觀念으로 局部와 全身으로 병의 진행을 살펴서 辨證 및 治法 해야 한다.

1. 상공막염

1) 概要

한의학의 火疳과 유사하다. 火疳은 火邪滯結을 말하며 白睛(鞏膜)에 국한성 紫紅色병변, 결절융기를 많이 수반하며, 疼痛, 拒按이 보이는 眼病이다. 임상적으로 증세가 가볍고 자주 나타난다. 여성에게 호발한다. 한쪽 눈에 다발하며 또한 양쪽 혹은 선후 발병하게 된다. 病因이 多端, 病程은 纏綿하여 쉽게 낫고 쉽게 발생한다. 本病은 鞏膜의 淺部에서는 輕證이고 鞏膜의 深部에서는 重證이다. 白睛의 앞부분은 쉽게 검사할 수 있지만, 後部는 검사하기가 어렵다. 수 주 내에 나은 환자는 후유증이 없고 시력손상도 없다. 病情이 頑固하며 오랫동안 낫지 않는 자는 危害가 비교적 重하다. 白睛이 靑色이거나 藍色 瘢痕이 있고, 重한 자는 潰陷, 穿破하여 目盲에 이른다. 일반적으로 風濕性 關節炎, 結節性紅斑, 結核 등의 질환과 동반하여 발생한다.

공막염은 약 50%에서 류마티스 관절염과 같은 전신질환과 관련이 있다. 수술 후에도 올 수 있으며

각막궤양으로부터 파급되어 감염성 공막염이 오는 경우도 흔하다. [그림 2-4-1]

2) 病因

白睛의 주요 병변이다. 白睛은 옆으로 黑睛, 안으로는 黃仁(홍채), 瞳神과 이어진다. 白睛은 肺, 兩眥는 心, 黑睛은 肝, 黃仁과 瞳神은 腎에 속한다. 이렇기 때문에 本病은 肺, 心, 肝, 腎와 관련이 있고 항상 風濕熱邪, 氣血上逆 등으로 발생한다.

3) 症狀

경증과 중증으로 분류할 수 있다. 火疳重證은 輕證에 비해 비교적 적으나 嚴重하여 黑睛, 瞳神으로 파급될 수 있다. 대부분 患眼에 疼痛, 視力障礙, 畏光, 流淚증상이 있다. 일부는 破壞 과정이 있고 항상 전신질환을 동반한다. 40~60歲에 많고, 여성에게 많으며, 雙眼에 先後로 발병하는 경우가 절반정도 된다.

(1) 火疳輕證

① 單純性

- 젊은 성인 여성에게서 다발, 항상 양측성이다.
- 병 발생이 급하고, 빛을 두려워하고 눈물이 흐르고, 동통과 압통이 있다.
- 공막 천층에 節段이 있거나 미만성 紫紅色 변화가 생기고, 結膜이 推動한다.
- 1~3주 후 消退, 쉽게 재발한다.

② 結節性

- 임상 표현은 단순성 증상과 비슷하다.
- 공막천층에 국한성 結節樣 융기가 생기고, 約 綠豆大, 紫紅色을 띈다.
- 일부 환자에서 痺症을 동반하고 痛風증이 있다.
- 몇몇 환자 진단 불명확할 때는 면역학적 lab-test를 시행해보는 것이 좋다.

(2) 火疳重證

① 彌漫性

- 환자 동통이 극렬, 안부주위로 파급, 일부는 시력장애, 눈부심과 눈물증상이 있고 가볍다가 심해지며 黑睛의 胞輪處에 壓痛이 있다.
- 白睛에 미만성 暗紫色 변화가 있고, 鞏膜에 赤絲盤幾, 新生血球가 있다.
- 纏綿이 수개월 혹은 수년 지속된다.

② 結節性

- 임상 표현은 미만성 증상과 비슷하다. 부분적으로 사물이 모호하게 보인다.
- 공막 심처에 암자홍색 변화, 심부에 자홍색 소결절이 고정되어 이동하지 않는다. 공막 천층으로 약간 파급된다.
- 약 반 수의 환자에게서 결절성이 다발한다. 시일을 몇 달 혹은 몇 년 지체한다. 성인 여성에게 다발한다.

③ 壞死性

- 화감 중증중의 1/10 정도이다. 환자는 안동통을 극렬히 호소, 羞明流淚明顯, 압통이 있고, 절반정도는 目盲에 이를 수 있다.
- 黑睛 근처의 鞏膜 深層에 暗紅藍色 융기, 혹 黑睛으로 둘러싸인 부분을 둘러 環形 火疳을 형성하여 白睛이 黑紫색으로 되어 白睛青藍증이 된다. 黑睛을 침범하여 翳膜이 생기고

瓷白을 띠며 혀모양이다. 病勢가 계속 발전하여 黃仁(홍채)에 파급되거나 瞳神緊少(동공축소)를 야기할 수 있고 雲霧移睛, 綠風內障, 視瞻昏渺 등의 병증에 이를 수 있다.

- 纏綿이 수개월 혹 수 년. 성인 여성에게 다발한다.

4) 辨證 및 治法

(1) 肺熱亢盛: 瀉肺利氣, 活血散結 - 瀉肺湯加減
(2) 經期血熱: 疏肝解鬱, 清熱養陰 - 加味逍遙散加減
(3) 風濕侵襲: 法風除濕 - 散風除濕活血湯加減
(4) 火毒熾盛: 瀉火解毒, 涼血散結 - 還陰救苦湯加減
(5) 濕熱困阻: 清熱化濕 - 三仁湯加減
(6) 腎陽不足: 溫腎散寒 - 腎氣丸加減
(7) 虛火上炎: 養陰清肺, 兼以散結 - 養陰清肺湯加減
서양의학에서는 경구용 NSAIDs나 스테로이드를 사용한다.

2. 공막염

1) 槪要

공막심층의 염증을 말하고 한의학의 白睛青藍과 유사하다. 白睛青藍은 白睛 안쪽 깊숙한 곳에 暗紅藍색 융기가 있는 것이다. 혹은 黑睛주위로 杯형상이 생겨 흰자위가 黑紫色이 되고 통증이 있으며 羞明流淚, 拒按의 증상이 있는 눈병이다. 白睛이 青藍色과 비슷하므로 고로 白睛青藍이라 칭한다. 성인 여성에게서 많이 보인다. 항상 두 눈이 동시에 발병하거나 한쪽씩 순서대로 발병한다. 수개월이나 수년 동안 유지되는데 재발하기 쉽고 黑睛과 瞳神에까지 파급되기 쉽다. 黑睛에 파급되면 瞳神緊少, 雲霧移

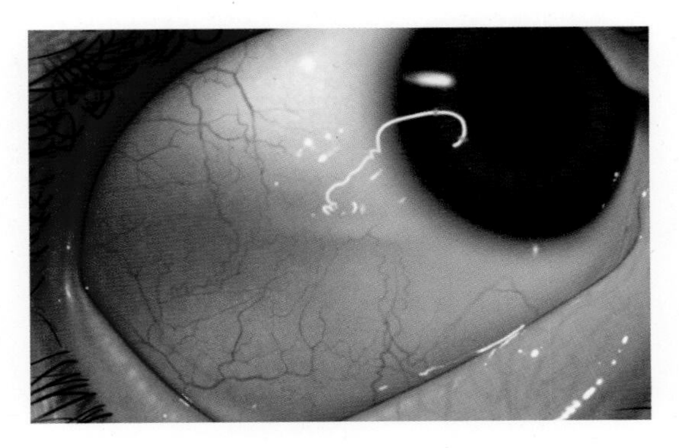

그림 2-4-1 상공막염

睛 등의 증상이 생긴다. 본병과 火疳은 병의 성질이 같으므로 참고하여 치료하되, 본 병이 더 엄중하다. [그림 2-4-2]

2) 病因

火疳이 오래되어 낫지 않거나 반복하여 발작한 것이다. 흰자위가 변하여 얇아지고, 색이 변하여 青藍색이 되었다가 돌아온다. 고로 火疳의 病因이 본병의 참고가 될 수 있다.

肺肝熱毒 혹 濕熱蘊蒸, 毒熱蒸逼로 인하여 白睛이 피곤해져서 氣血瘀滯에 이르고, 점점 青藍색이 된다.

3) 症狀

초기엔 스스로 안구 주위에 통증이 극렬하고, 羞明流淚, 압통이 명확하고, 항상 검은자위 근처의 흰자위 안 깊은 곳에 暗紅藍色 융기가 있다. 그 주위 경계가 명확하지 않고, 약간 커지기도 하며 黑睛주위를 감싸고 杯形狀을 띠게 된다. 白睛이 黑紫色이 되며 회백색 결절이 출현하여 소퇴될 수 있다. 반복하여 발작한다. 환처의 白睛 裏層이 얇아지고 광택을 잃으며 暗紫色이 되고 안압에 저항할 수 없기 때문에 팽창하고 白睛青藍을 형성한다.

黑睛을 침범하면 색은 瓷白색이 되고, 형태는 혀 모양으로 된다. 병세가 계속 진전되면, 黃仁에 파급되어 瞳神緊少, 雲霧移睛, 綠風內障, 視瞻昏渺등의 변화가 생기고 수개월에서 수년 동안 병이 지속되며 嚴重한 자는 目盲에 이른다.

4) 辨證 및 治法

火疳의 外的인 것을 참고하면 肺肝熱毒이나 濕熱蘊蒸으로 인해 毒熱蒸逼하고 白睛을 피곤하게 하여 氣血瘀滯에 이르러 점점 青藍한 病因이 된다.

黑睛과 瞳神에 파급시 白睛侵睛, 瞳神緊少, 雲霧移睛, 綠風內障, 視瞻昏渺 등의 변화를 가져오니 참고하여 치료한다.

(1) 肺肝熱盛: 清肺瀉肝 - 還陰救苦湯加減
(2) 濕熱蘊蒸: 清熱化濕 - 三仁湯加減
(3) 陰虛火旺: 滋陰清熱 - 滋陰地黃丸加減

3. 괴사성 공막염

1) 概要

괴사성 공막염은 공막염의 가장 심한 형태로 급성으로 오며 심한 통증과 국한된 충혈 및 괴사로 공막의 교원섬유가 얇아져 파괴되는 질환이다. 白睛이 潰陷穿破하는 눈병으로 偏漏라고 한다. 임상상 흔치 않고, 노년 여성에게 호발한다. 이 병은 변화가 다양하고 양측성으로 나타난다. 병정이 완만하거나 혹은 급하고 극렬하기도 하다. 오래되면 치료할 수 없게 되니 水泄膏枯하고 눈이 멀게 된다. 발병한 환자는 歷節風을 앓는 경우가 많다. [그림 2-4-3]

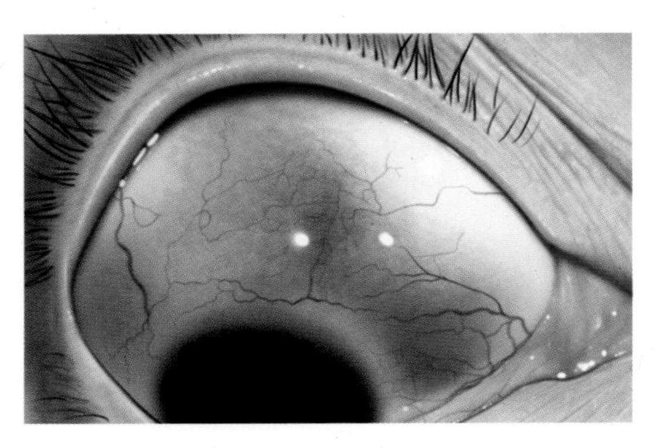

그림 2-4-2 공막염

2) 病因

(1) 痰濕結聚, 氣血瘀滯於白睛, 以致潰爛成漏.
(2) 熱毒侵漏, 導致水泄膏枯而目盲.

3) 症狀

염증을 동반한 전부 괴사성 공막염은 가장 심한 형태의 공막염으로, 대부분 관련된 전신적 혈관질환이 있으며 공막염이 나타나면 5년 내에 25%의 사망률을 보인다. 증상은 점진적인 통증과 출혈이다. 통증은 점점 심해지고 지속적이며 관자놀이, 눈썹, 턱쪽으로 방사되는 양상을 보인다. 종종 수면을 방해하며 진통제에 잘 듣지 않는다. 다음의 징후가 순서대로 나타난다. (1) 심부 혈관총의 울혈, (2) 혈관의 비틀림과 막힘으로 인한 무혈관성 구역이 생긴다, (3) 공막의 괴사와 이에 수반되는 상층부 결막의 궤양, (4) 공막 괴사가 파급되어 인접된 괴사영역과 합쳐진다, (5) 호전과 함께 공막이 얇아지면서 그 하부의 포도막이 더 잘 보이게 되어 푸른색으로 보인다.

4) 辨證 및 治法

이 병은 수술 후 補하는 것을 위주로 한다.

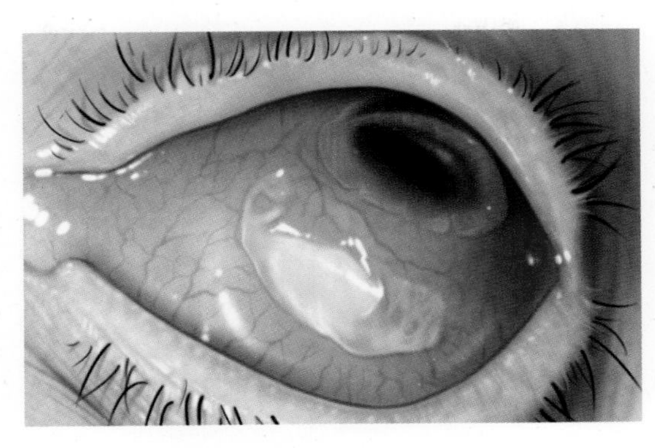

그림 2-4-3 괴사성 공막염

치료는 이 병의 초기에는 火疳症을 참고할 수 있다.

(1) 痰濕結聚: 祛痰除濕 - 半苓祛痰湯加減

(2) 熱毒入侵: 淸熱解毒 - 五味消毒飮 合 黃連解毒湯加減.

서양의학적 치료는 경구용 프레드니솔론, 면역억제제를 사용한다.

각막질환

黑睛, 또는 黑眼, 黑仁, 黑珠, 烏睛, 烏珠, 青睛, 神珠 등으로 불리는 것이 각막이다. 黑睛은 안구의 앞, 중앙에 있고, 형상은 원형에 가깝고 주위를 흰자가 둘러싸고 있다. 그 속은 맑은 옥과 같고, 神光을 發하는 중요한 조직 중 하나이다.

각막병의 특징은 첫째, 발병기회가 많다. 각막은 밖으로 나와 있어서 外界와 직접 접촉하고 쉽게 邪毒에 침습되기 때문에 외부 사물에 손상받기 쉽고 주위를 둘러싼 조직들의 병변에 영향을 받기도 쉽다. 그러므로 각막질환은 임상상 일상적으로 흔한 질환이며 많이 발병한다. 둘째, 회복이 느리다. 각막 자체에는 脈絡이 분포하지 않기 때문에, 영양이 부족하고, 저항력이 비교적 약하다. 일단 발병하면 병정이 비교적 길다. 셋째, 자각증상이 극렬하다. 각막은 감각이 靈敏하고, 보통 風熱邪에게 침습당하여 邪毒이 치성하여 경맥이 막혀서 기체혈어가 되니 극렬한 眼痛, 怕光, 流淚 등의 증상이 일어난다. 넷째, 시력에 영향을 끼친다. 각막은 맑고 투명한데 일단 병변이 발생하면 종종 瘢痕翳障등이 남아서 神光이 발하는 것을 막고 시력에도 영향을 끼친다.

각막질병의 致病因素는 外感六淫이 많고, 六淫중에도 風熱이 가장 많다. 병정의 輕重과 발전은 臟腑機能失調와 氣血失和, 正氣盛衰와 관련이 있는데 外人이 內因과 합쳐져 작용이 일어난다. 옛사람이 말하길 "目不因火則不病"라고 했다. "火"에는 外熱과 內熱이 있는데 內外가 합쳐져 邪氣가 되면 火毒이 熾盛하게 되어 火熱이 심해지고 종종 장부의 熱로 표현된다.

1. 각막혼탁

각막의 혼탁은 각막부종(각막상피, 내피의 기능장애), 각막침윤(염증성 부종과 함께 세포침윤), 각막반흔(각막실질이나 보우만 막의 손상) 등에서 나타난다.

2. 각막 신생혈관

각막. 특히 중심부에는 혈관이 없으며 대기 중의 산소에 의존하여 호기성 신진대사를 영위하나, 주변부

각막은 각막 윤부에 있는 동맥으로부터 영양을 공급받는다. 표재성혈관신생은 상피하, 보우만막 및 간질표층에 발생하는 것으로 나뭇가지 모양의 분지를 하고 결막혈관과 연속된다. 심부혈관신생은 모양체혈관에서 출발하여 결막까지 연속되지 않고 윤부에서 비로소 나타나서 각막간질 속으로 전진한다.

3. 각막반흔

각막의 상피세포층은 손상 후 재생이 되어 반흔을 남기지 않으나 각막의 보우만층(Bowman's layer), 각막실질층에 손상이 있으면 백색의 치유성 반흔이 남게 된다.

4. 각막궤양 및 각막염

각막궤양으로 반흔성 혼탁이 나타나면 시력장애가 나타나게 되므로 중요한 실명 원인의 하나이다.

1) 표층 점상 각막염(superficial punctate keratitis)

임상에서 비교적 자주 나타나고 증상은 비교적 가볍다. 病程 變化는 비교적 緩慢하고 단순하다. 치료시기를 놓치지 않아야 잘 낫는다. 성과 나이에 관계없이 발생하는 만성 질환으로 대개 양쪽 눈에 오며 쉽게 재발한다. 원인은 불확실하지만 바이러스로 인한 감염이라는 주장도 있다. 주로 동공부위에 생기며, 눈송이 모양의 난원형 혼탁이 각막상피에 보이고 플루오레세인용액에는 점 모양으로 염색된다. 눈꺼풀연축, 경미한 시력감퇴, 눈부심 등의 증세를 보이지만 결막염이나 홍채염을 동반하지는 않는다. 스테로이드 점안액으로 치료한다.

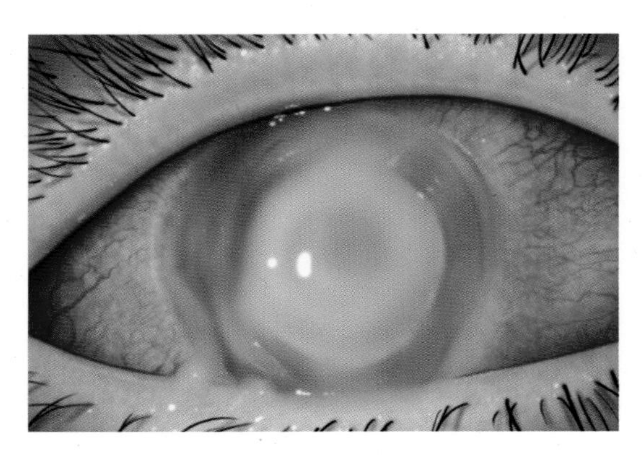

그림 2-5-1 세균성 각막궤양(녹농균)

한의학에서는 黑睛에 하나의 翳가 생기는데 색은 銀처럼 하얗고 형상은 별과 같다고 하여 銀星獨見, 聚星障 등 다양한 명칭이 있다. 虛實로 나누어야 한다. 치료는 허실로 나누어 風熱侵目은 祛風淸熱, 桑菊飮加減을 주로 하고 虛火上炎은 滋陰降火 知柏地黃湯加減을 사용한다.

2) 세균성 각막궤양

폐렴구균, 녹농균, 쌍간균, 연쇄상구균, Klebsiella pneumoniae, S.aureus, S.epidermidis 및 Streptococcus viridans 등에 의해 각막 궤양이 발생한다.

이 중 Klebsiella pneumoniae 각막 궤양은 무통의 궤양이 생기고 전방축농은 잘 나타나지 않고, 녹농균 각막궤양은 연성콘택트렌즈 착용자에서 호발하고 궤양 부근에 침윤이 나타나고 3~4일 후 단백용해효소에 의해 각막전체로 궤양이 퍼지고 심한 통증과 시력장애를 호소하는데 삼출물과 침윤부위가 녹농균 감염의 특징인 청록색을 띤다.

S.aureus, S.epidermidis 및 Streptococcus viridans 등에 의해 각막 궤양은 corticosteroid제 안약의 남용으로 인하여 새롭게 발견되는 원인균들로 전방축농을 동반한 무통성 궤양을 특징으로 한다. [그림 2-5-1]

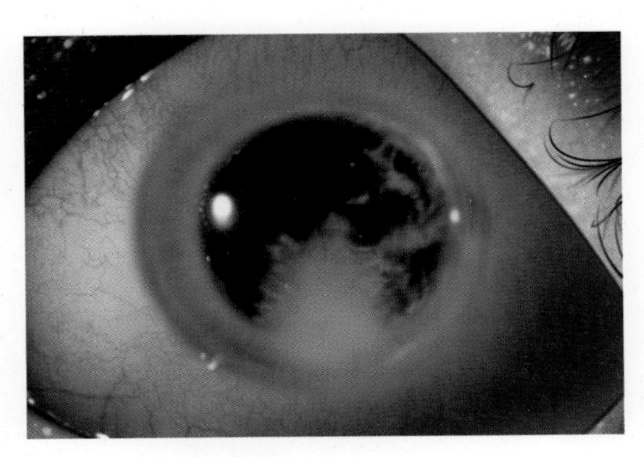

그림 2-5-2 진균각막궤양

3) 진균각막궤양

코르티코스테로이드계 안약으로 인해서 흔하게 나타나는 질환이다.

대체로 통증이 없으며 궤양에서 좀 떨어진 곳에 여러 개의 침윤이 위성처럼 발생하는 위성병소를 갖는 것이 특징이다. 진균이 데스메막을 쉽게 통과하여 전방까지 침입하므로 전방축농과 함께 궤양 밑에 불규칙한 변연을 가진 각막내피반을 갖게 된다. [그림 2-5-2]

4) 바이러스 각막궤양

(1) 단순포진각막염

인구의 90% 이상은 원발형 단순포진감염을 경험하나 그 대부분은 증상을 나타내지 않고 재발형이 궤양성 각막염을 유발한다. 대개 한쪽 눈에만 나타나고 초기에는 눈의 자극감, 눈부심 및 눈물흘림 등이 발생한다. 대표적인 각막궤양의 모양은 나뭇가지 모양의 궤양으로 플루레신 염색으로 쉽게 확인할 수 있다. 상피하 혼탁도 나타나는데 대개 1년 이내에 소실된다. 단순포진각막염은 전방축농이 잘 동반되지 않는다. 스테로이드 치료는 면역반응은 조절할 수 있어도 바이러스 번식을 촉진하므로 스테로이드계 안약을 사용할 때에는 항바이러스제로 병행해야 한다.

(2) 대상포진각막염

원발형과 재발형이 있고 눈의 감염은 재발형에서 흔하다.

재발단순포진각막염인 때에는 오직 각막상피를 침범하지만, 안부 대상포진바이러스각막염인 때에는 각막간질과 홍체, 모양체가 침범되면서 발병하는 것이 특징이고 각막지각의 소실이 특징적으로 나타난다.

5) 주변성 각막궤양

(1) 변연성 각막궤양

대체로 결막염에 병발해서 나타나며 잘 호전되지만 통증이 매우 심하다. 포도상구균의 경우는 재발이 잘된다.

(2) 고리모양 각막궤양

원인은 전신의 세균감염으로 인한 과민반응, 또는 자가면역질환의 합병증으로 나타난다.

(3) 프릭텐성 각결막염

세균단백 특히 결핵균 단백에 의한 지연성 과민성 반응 때문에 생기는 질환으로, 삼눈이라고도 한다.

(4) 자가면역질환에 있어서 변연부각막염

윤부주변 결막은 국소안질이거나, 전신질환 특히 자가면역질환으로부터 생긴 각막의 질병이다.

여러 가지 자가 면역질환에서 각막주변부에 발생된다.

5. 기타 각막궤양 및 각막염

1) 비타민 A결핍증 각막궤양

각막궤양은 회색으로 각막중심에 위치하며 양측성이고 통증이 없으며 주위각막은 광택이 없어지고 지각이 저하된다. 각막은 연화되고 괴사를 일으키며 심할 때에는 흔히 천공까지 이르게 된다. 결막과 각막변화를 통틀어 건조안이라 한다.

2) 마비성 각막염

원인은 외상, 수술, 종양이나 염증으로 삼차신경 제1지의 마비 때 발생하는데 각막지각은 소실된다. 초기증상은 각막상피층에 점모양염색이 나타나며 병이 진행되면 병소가 커지면서 궤양으로 진전된다. 치료는 각막이 외계로 노출되지 않도록 한다.

3) 노출성 각막염

눈꺼풀폐쇄가 불완전하여서 각막이 항상 외계에 노출됨으로써 발생하게 되는데 심한 안구돌출증, 안윤근의 마비, 눈꺼풀겉말림, 검구유착, 눈깜박임반사 소실 등이 원인이 된다. 각막건조가 악화되며 경한 외상에도 쉽게 궤양으로 진행하기도 한다.

4) 건성각결막염

원인은 불명하고 자가면역질환의 일종으로 눈물샘 및 덧눈물샘의 분비저하, 때로는 이들의 제거로 인한 눈물분비의 감소 때문에 생긴다. 각막상피는 건조상태가 지속되며, 치료는 인공눈물을 자주 점안한다.

5) 매독성 각막실질염

선천성 혹은 후천성 매독의 후발증상으로 나타나는 비전염성 안질환이다.

6) 결핵성 각막실질염

결핵균 단백에 대한 알러지 현상에 기인한다. 주로 한눈에 비교적 국한된 침윤이 나타난다.

6. 퇴행성 각막질환

1) 원추각막

흔치 않는 양안의 퇴행성 질환으로 대체로 상염색체 열성으로 나타나며 드물게는 원인불명으로 단안에도 나타난다.

시력저하가 유일한 증상으로 많은 환자들에서 급격한 근시성 난시의 증가를 보인다.

각막중앙부가 진행성으로 서서히 얇아져서 앞쪽을 향해 돌출되는 질환으로 어느 시기에든 진행이 정지될 수 있으나 대개는 20~60대 사이에 서서히 진행한다. 각막이 심하게 얇아지기 전에 각막이식을 하는 것이 예후가 좋다.

2) 각막 변성증

서서히 진행하는 양안의 퇴행성 질환으로 대체로 10~20대에 나타난다. 일부는 유전이고 일부는 원인미상이다.

3) 노인환

노화과정의 일부로 노인환자에서 자주 나타난다. 50세 이하에서 발생되는 경우는 고콜레스테롤혈증이 동반될 수 있으므로 혈액 검사가 필요하다.

임상적으로 2 mm 폭의 고리모양흰색혼탁이 보이며 각막윤부와의 사이에는 투명한 부분이 있으나 증상이 없고, 치료도 필요 없다.

4) 유전성 각막이영양증

원인을 알 수 없는 드문 유전질환으로 양안 각막에 비정상적인 물질이 침착되어 정상 각막구조의 변형을 일으키며 시력에 영향을 미칠 수 있다. 10세 이전이나 10대에 나타나지만 그 후에 나타나기도 하고 일생동안 서서히 진행한다.

7. 凝脂翳

1) 概要

黑睛에 凝脂 같은 모양의 翳가 생기고 黃液相衝을 자주 동반하는 위급하고 중한 눈병이다. 어떠한 연령·계절에도 발병할 수 있으나 여름과 가을에 해를 입는 경우가 많으며, 老弱者나 漏睛이 있는 사람이 많이 앓는다. 만약 제때에 치료하지 못하거나 적절한 처치가 이루어지지 않으면 黑睛(각막)潰破, 黃仁(홍채)綻出, 蟹睛 또는 黑睛潰漏, 正漏, 또는 邪毒入眼하여 眼內化膿, 眼珠(수정체)萎陷 등 나쁜 징후를 보일 수 있고 시력에 심각한 장애가 생겨 심하면 失明할 수도 있다. 세균각막궤양(bacterial corneal ulcer)과 유사하다.

2) 病因

(1) 黑睛受損, 毒邪入侵

여름, 가을 농번기일 때 각막이 벼 또는 기타 식물의 가지와 잎에 손상 받거나 이물질을 들춰낸 후 風邪熱毒이 손상을 받아 찢어진 곳을 타고 들어온 것이다. 만약 평소 漏睛이 있는 사람은 邪毒이 이미 潛伏하여 있다가 상처를 타고 쉽게 侵襲하여 병을 일으킨다.

(2) 火熱上攻, 蒸灼黑睛

風熱毒邪가 入裏化熱하거나, 辛辣炙煿이나 膏粱厚味를 嗜食하여 肝膽火熾에 이르게 하고, 臟腑에 熱이 盛하여 火熱이 上炎한 결과 黑睛을 蒸灼하고, 氣滯血壅하여 蓄腐해 膿을 형성하고 黑睛이 潰爛하게 하여서, 本病이 형성된다.

(3) 正氣不足, 外邪滯留

氣虛 또는 陰傷한 결과 正不勝邪하여 각막이 潰陷하고 오래 되어 낫지 않는다.

(4) 其他翳障, 轉化而成

聚星障·花翳白陷 등이 다시 邪毒에 감염되어 轉化하여 本病을 이룬다.

3) 症狀

결막과 각막주변의 충혈, 바닥과 가장자리 주변에 침윤을 동반한 상피결손, 기질 부종이 동반되면서 침윤의 크기가 증가하고 전방축농을 동반한 이차 무균성 전부 포도막염, 진행성 궤양은 각막천공이나 세균성 안내염을 일으킬 수 있다. (시간순) 眼部를 檢視하면 胞輪紅赤하고 각막에 翳가 생겨 上覆薄脂하고 色은 白 또는 微黃하고 邊緣은 不淸하다.

만약 제 때 치료하면 나은 후 薄翳가 남고 낫는다. 만약 제때 치료하지 않으면 正不勝邪하여 病變이 신속하여 4주 이전에 深層까지 發展한다.

4) 辨證 및 治法

급하게 발병하고 병세가 위중하며 發展이 빠르고 변화가 많다. 그 症狀은 實證과 火證을 위주로 한다.

(1) 風熱窒盛: 祛風清熱 - 新制柴連湯加減
(2) 肝膽火熾: 清肝瀉火 - 龍膽瀉肝湯加減
(3) 熱盛腑實: 清熱解毒, 瀉火通腑 - 四順清涼飮子加減
(4) 氣虛留邪: 益氣養血, 托毒退翳 - 托裏消毒散加減
(5) 陰虛戀邪: 養陰退翳 - 滋陰退翳湯 或 海藏地黃飮加減

항생제 투여를 시작하기 전에 궤양부위에서 찰과표본을 채취하여 도말표본검사, 배양검사, 항생제 감수성 검사를 해야한다. 원인균이 동정되기 전에는 퀴놀론제제를 단독으로 점안하거나 세파졸린과 아미노글리코시드를 함께 점안하며, 배양 결과에 따라 다른 항생제로 변경할 수 있다. 각막궤양이 심한 경우에는 항생제를 결막밑에 주시하거나 전신투여한다.

8. 濕翳

1) 槪要

濕翳는 濕邪로 인한 黑睛의 翳障을 가리킨다. 먼지, 이물, 손, 각종 의복, 수건, 때로는 콘택트렌즈나 점안약을 통해 직접 감염되기도 하고, 혈액 또는 림프샘을 따라 다른 조직에서 전이되기도 한다. 특히 곡물과 직물 등을 많이 취급하는 사람에게 미세한 각막상피 외상이 있을 때 감염된다. 항생제 남용으로 인해 근래 10년 동안 발병율이 현저히 증가했다. 일단 발병하면 病程이 길고 반복해서 나타나며 임상증상이 복잡해 진단과 치료가 곤란하다. 黃液上衝, 黑睛(각막)이 壞死해 穿孔되어 失明에 이르며 심지어는 안구를 잃으니 이 병은 안과에서 盲人이 되는 병 중 하나이다. 본 병은 병인을 따라 병명이 命名되었으므로 濕하며 粘膩하다. 진균각막궤양(Fungal keratitis)과 유사하다.

《凝脂翳早期와 聚星障의 鑑別》

名名	凝脂翳早期	聚星障
誘因	黑睛淺層損傷	感冒發燒
知覺	變化不明顯	病變區知覺減退
眵淚	眵淚呈膿性	眵淚哆少或無眵
翳形	初起爲單個星狀翳, 色灰白, 邊緣不清, 表面混濁, 如覆薄脂	初起爲多個針尖樣微細星點, 繼則融合如樹枝狀或地圖狀
複發	無	有反復發作作
化膿	化膿穿孔, 黃液上衝	不化膿, 不穿孔

2) 病因

여름과 가을의 농번기에 다발한다. 이 시절은 기후가 濕하고 매우 뜨거우며 밀 까끄라기와 쌀 까끄라기 같은 식물의 가지와 접촉하기 쉬워 黑睛이 외부에서 감촉된 상태에서 濕邪가 침입하거나 濕邪가 熱로 化해 濕熱이 黑睛을 熏蒸해 병에 다다른다.

3) 症狀

눈 안에 모래처럼 거칠거칠한 동통을 자각하며 빛을 두려워하고 눈물이 흐르며 시력이 떨어지고 점성 분비물이 나온다. 증상은 주로 각막 중심부에 많으며 회황색의 원형침윤이 나타나는데 그 표면은 평활하지 않고 건조하다. 중심의 침윤부가 궤양으로 진전되어도 통증이 세균각막궤양에 비해 상대적으로 적다. 앞방충농(黃液上衝)을 흔히 동반한다. 궤양이 진행되면서 현저한 염증소견이 나타나는데, 궤양에서 좀 떨어진 곳에 여러 개의 침윤이 위성처럼 발생하는 위성병소를 갖는 것이 특징이다. 진균각막궤양은 세균과 달리 진균이 데스메막을 쉽게 통과해 앞방까지 침입하여 앞방축농과 함께 궤양밑에 불규칙한 가장자리를 가진 각막내피반을 갖는다. 궤양은 서서히 흉터로 변하는 것이 보통이지만 때로는 각막기질 내로 깊숙이 침범하여 천공이 되기도 한다.

4) 鑑別

濕翳 진단은 비교하기 곤란하지만 본 병과 凝脂翳는 모두 外傷에서 비롯되고 黃色 液이 上衝된다는 점에서 주의 감별이 요구된다.

5) 辨證 및 治法

濕熱이 위주가 되므로 淸熱祛濕으로 치료한다.

(1) 濕重於熱: 祛濕淸熱 - 三仁湯加減
(2) 熱重於濕: 淸熱化濕 - 甘露消毒丹加減

서양의학에서 치료는 amphotericin B, natamycin, nystatin의 점안, 또는 amphotericin B의 결막밑 주사가 사용되며, 칸디다인 경우에는 flucytosine의 복용도 가능하다.

《濕翳와 凝脂翳 감별》

病名	濕翳	凝脂翳
誘 因	식물성 黑睛(각막) 外傷	일반성黑睛(각막) 外傷
病 勢	병기는 완만하며 발병 전개는 완만	병기가 급하고 발병 전개가 빠름
症 狀	翳障이 심하고 자각증상은 가벼움	翳障과 자각 증상이 일치
眼 眵	粘液性	膿成
翳障 형태	거칠고 썩은 찌꺼기가 치아에서 나오는 고름과 유사	굳은 기름 같고, 표면이 습윤
病原 검사	절편에 병균이 미세하게 있으며, 직접 세균을 배양할 수 있음	절편이나 배양에서 모두 병균이 나옴

9. 花翳白陷

1) 槪要

黑睛에 白翳가 빨리 생기며 주위는 높이 솟아오르면서 가운데는 함몰되어 花瓣과 같은 형태를 가지는 眼病을 가리키는 것으로 木生火翳라고도 한다. 이는 壯年人또는 老年人에게 많이 나타나면 항상 한쪽 눈에 발병한 후 두 눈 모두 발병하는데 보통 수년의 시간이 걸린다. 안통이 극렬하며 잘 낫지 않는다. 花翳가 黑睛을 침식해가며 瘢痕翳障을 이루며 시력에 많은 영향을 미친다. 본 병은 형과 색에 근거를 두고 명명되었는데, 黑睛에 白翳가 생기고 주위는 융기되고 가운데는 함몰되며 모양은 花瓣과 같기 때문이다. 이로 인해 黑睛 주위에 翳膜이 융기하며 점차 중간부까지 만연하는 증상으로, 黑睛 상에 깨진 쌀과 같이 나타나며 동화나 생선 비늘같이 潰陷하는 증상은 모두 본 병의 범주에 속한다. 중심성 각막궤양, 변연성 각막궤양, 수지상각막궤양과 유사하다. [그림 2-5-3, 그림 2-5-4, 그림 2-5-5]

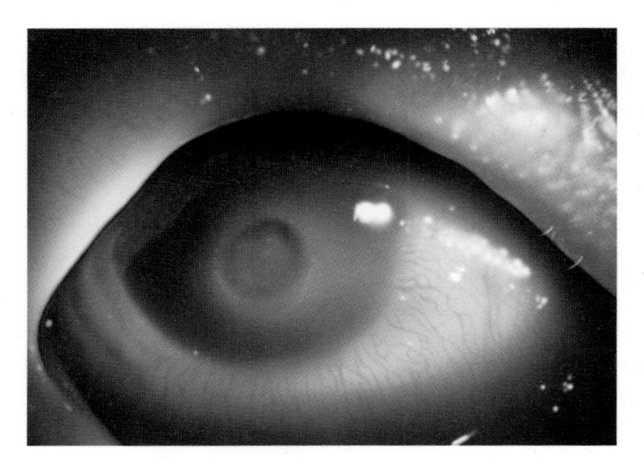
그림 2-5-3 중심성 각막궤양

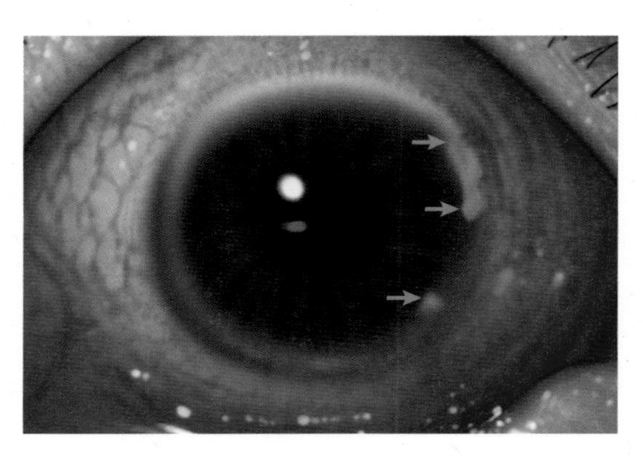
그림 2-5-4 변연성 각막궤양

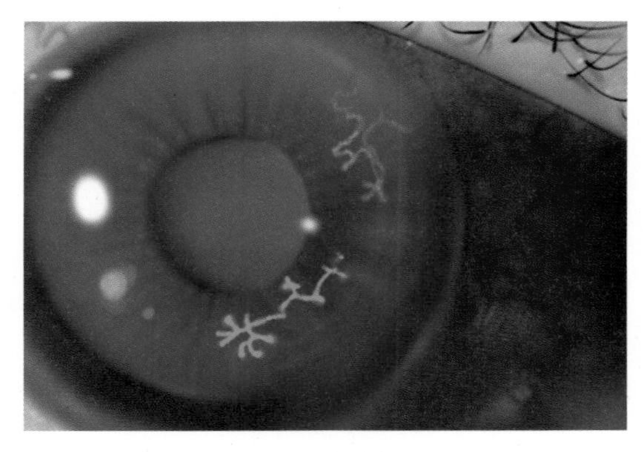
그림 2-5-5 수지상 각막궤양

2) 病因

(1) 風熱毒邪外襲
(2) 肺肝積熱上衝
(3) 痰火蘊蒸黑睛

3) 症狀

頭目에 극렬한 통증을 자각하고, 胞腫難睜, 눈물이 흐르고 눈이 부심, 사물을 보는 것이 맑지 않다. 眼部를 검사하면 抱輪紅赤 혹은 白睛混赤을 볼 수 있고, 각막 둘레 가장자리에, 生翳潰陷, 점점 두껍고 넓어지나 각막의 중부는 오히려 맑아져서 瞳神을 볼 수 있고, 둘레는 약간 높아져 있다. 중간은 약간 낮아지고, 꽃잎으로 묘사된다. 혹 潰陷에 일변을 따라 발전하여 누에 먹은 모양과 같고, 점점 중앙을 침식하여 형태가 초승달과 같고, 그 색은 白濁하며, 瞳神을 가린다. 翳陷 주변에 발전하여 주변은 수복되고, 아울러 新生의 赤脈이 펼쳐 들어가고, 마침내 黑睛(각막)의 덮개가 침식되어 광범위한 반흔 翳障이 형성되고, 시력에 엄중한 영향을 미친다. 일반적으로 천공은 생기지 않는다.

4) 辨證 및 治法

實證이 주가 된다.

(1) 肺肝風熱: 疏風淸熱 - 加味修肝散加減
(2) 熱熾腑實: 瀉火通腑 - 瀉肝散加減
(3) 痰火蘊蒸: 淸熱化痰 - 治金煎加減
(4) 陽虛寒證: 溫經通絡 - 當歸四逆湯加減

서양의학에서 각막궤양의 원인으로는 세균, 바이러스, 진균 등이 있는데, 원인에 따라 항생제, 항바이러스제, 진균제 등을 사용한다.

10. 黃液上衝

1) 槪要

각막과 홍채 사이에서 나오는 黃色 濃液을 이르는 것으로, 아래에서부터 上衝하여 이름 지어졌다. 대개 凝脂翳나 瞳神緊小를 잘 다스리지 못하거나 변성되어 생긴다. 눈병의 重症으로 치료가 적당치 않으면 변성되어 다른 병증이 생길 수 있고 심하면 失明할 수 있다. 본증은 凝脂翳, 濕翳 또는 瞳神緊小 등의 병에서 엄중한 단계가 되어 출현하는 일개 증상을 가리키는 것으로, 독립적인 질환이 아니라 전방위적으로 膿이 축적되는 것에 상당한다. 중등도의 각막궤양과 급성적인 전부포도막염에서 발생되는 전방축농증과 유사하다. [그림 2-5-6]

2) 病因

(1) 外感毒邪가 안으로 들어와 化熱하고, 肝火上衝하여 각막을 상하여, 홍채를 蒸灼하고 膿液이 內聚하게 된다.
(2) 본래 膏粱厚味나 辛熱炙煿한 음식을 먹어서 脾胃積熱하고 火가 홍채를 灼하여 변하여 농액이 생성된다.
(3) 火熱이 陽을 상하거나 본래 陽이 虛한데 胃熱上承을 겸하면 虛中挾實을 형성하여 黃液이 시간이 흐르면서 줄어들지 않게 되는 병기가 된다.

3) 症狀

眼疼痛하거나 頭目極痛, 多漏羞明, 胞瞼紅腫, 白睛混積壅腫 등의 증상이 있다. 黃睛 뒤와 홍채 앞에서 황색 농액이 출현하여 아래에서부터 쌓이게 되고, 점차 양이 늘어나고 수위가 올라가면서 위로는 수평이 되고 아래쪽은 활 모양이 되며 신체의 움직임을 따라서 모양이 변하게 된다. 농액이 많고 적음에 따라 묽거나 진할 수 있는데 양이 적으면 손톱 뿌리의 반월형 白岩 모양이 되고, 양이 많으면 瞳神 전체를 가릴 수 있다. 만약 凝脂翳, 濕翳 등의 각막 병변이 있으면 각막이 쉽게 천공 파괴되어 蟹睛 등의 惡候가 생기고, 瞳神緊小하여 瞳神이 乾缺하게 되면 綠風內障 등이 발생한다. 만약 농이 全珠를 범하면, 병정이 험악하게 되어 각막이 함몰되어 失明하게 된다.

4) 辨證 및 治法

(1) 脾胃積熱, 熱毒熾盛: 淸熱解毒, 瀉火通腑 - 通脾

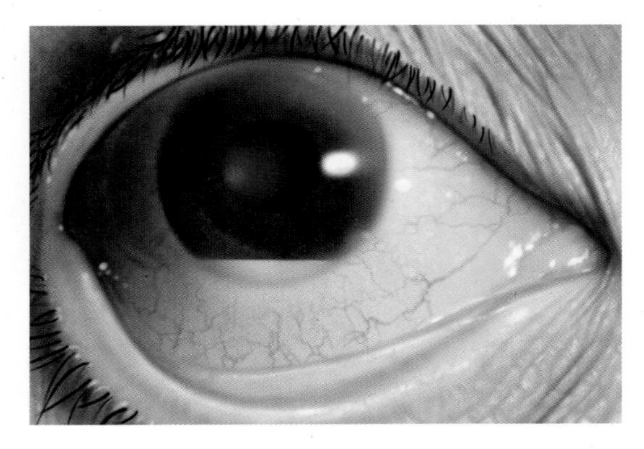

그림 2-5-6 전방축농

瀉胃湯加減

(2) 肝膽火熾: 淸肝瀉火 - 龍膽瀉肝湯加味

(3) 陰虛胃熱: 滋陰淸胃 - 玉女煎可減

11. 黑翳如珠

1) 槪要

구슬 같은 黑翳가 黑睛위로 突起하여 翳障을 형성하며 색이 어둡고, 형상이 구슬 같다고 말한다. 凝脂翳가 항상 출현하며, 濕翳와 花翳白陷이 黑睛까지 궤양을 형성하는데 터트리려 하면 제거되지 않는다. 그 크고 작음과 높고 낮음이 같지 않고 수의 많고 적음이 일정치 않다. 만약 병정이 연속하여 재발할 경우 검은 동자가 쉽게 파열되며 쉽게 蟹睛이 된다. 본 절에서 주요 논의하는 黑睛 上部에 나타나는 黑色 圓珠狀 翳障은 탄력층이 탈출됨과 같다. 각막에 궤양이 深部까지 함몰되면 탄력층에 이를 수 있는데, 이 막은 견고하여 쉽게 천공되지 않으며 안구의 내압의 영향하에 있어, 該膜을 따라 궤양이 아랫부분까지 함몰되어 앞으로 부풀어, 투명한 小泡狀 隆起를 이루어 본증을 형성한다.

2) 病因

독립적으로 나타나는 질병이 아니라 합병하여 발생하며, 이는 黑睛翳陷이 더욱 심하고, 장차 파열되거나 파열되지 않는 일개 증상이 나타날 수 있다.

(1) 外感風熱毒邪로 인함이 많고 안으로는 肝膽積熱로 인하며 내외의 사기가 합하여 熱毒熾盛한 것이 黑睛으로 上攻하여 黑睛이 약해져서 궤양이 심하게 함몰되어 본증을 형성한다.

(2) 肝腎이 평소 허하여, 邪熱外襲하니, 黑翳가 구슬과 같아져서 오래되어도 낫지 않는다.

(3) 小兒患者는 飮食不節로 인함이 많고, 脾胃虛弱, 營養失調, 장부에 적체되니 적체된 것이 눈으로 올라가서 濡養작용을 잃어 눈이 건조해지고 黑睛이 混濁해져 壞死하여 궤양이 함몰되어 본증을 형성한다.《銀海精微·黑翳如珠》에 들어 말하기를 소아 환자는 疳眼이 많다고 하였다.

3) 症狀

黑睛에 翳가 생기는데, 함몰된 궤양이 비교적 깊다. 黑睛이 潰陷된 深處에 검은색 小泡 돌기가 있고 구슬 같다. 환자의 눈이 紅赤色이 되며 疼痛이 있고 羞明流淚증상이 있다.

4) 辨證 및 治法

(1) 肝膽積熱: 淸肝瀉熱 - 當歸龍膽湯加減

(2) 熱毒熾盛: 淸熱解毒, 瀉火通腑 - 辮羊角飮子加減

(3) 腎虛夾熱: 補腎淸熱 - 通明補腎丸加減

(4) 脾虛肝旺: 健脾淸肝 - 肥兒丸加減

黑翳如珠은 서양의학의 대상포진각막염(herpes zoster keratitis, varicella-zoster viral keratitis)이나 각막 궤양 및 천공에 해당된다. 대상포진각막염(herpes

zoster keratitis, varicella-zoster viral keratitis)은 초기에 항바이러스제를 쓰면 효과적이다. 비록 스테로이드 제제 국소 치료는 일시적으로 증상을 회복시키지만, 병의 경과를 지연시키거나 豫後를 악화시킬 수도 있다. 노인에서는 회복 후에 가끔 대상포진후 신경통이 합병되며 진통제를 사용하면 효과가 있다.

12. 蟹睛

1) 槪要

蟹睛은 黑睛이 潰破되어 홍채가 저절로 유출되어 나온 것이다. 게눈과 같은 형상이라 蟹睛이라고 이름 지어졌다. 黑睛질환이 발전하여 엄중한 단계로 발전되어 潰破穿孔을 일으킨 變證이다. 치유 후에는 비교적 두꺼운 斑脂翳가 생기고, 시력에 심각한 영향을 준다. 치료가 만일 적당하지 않으면 邪毒이 눈으로 들어가고, 眼內가 化膿되며 神水瘀阻하고, 녹내장이 생기고, 전체 안구를 상하게 할 수 있다. 포도막염에서 발생되는 동공연의 결절상 삼출물인 Koeppe결절 또는 Busacca결절의 양상으로 홍채탈출의 증상과 유사하다. 홍채 결절은 육아종성 염증의 특징이다. Koeppe결절은 작고 동공 가장자리에 위치하고 Busacca결절은 빈도가 흔하지 않으며, 동공에 떨어져 위치한다. [그림 2-5-7, 그림 2-5-8]

2) 異名

損翳, 蟹目, 離睛

3) 病因

대부분 凝脂翳, 濕翳, 花翳白陷 등의 黑睛疾病의 발전 과정 중에 熱毒熾盛하거나 치료가 부적절하여 병정이 악화되어 潰腐深陷하여 黑睛(각막)이 침식당하고 홍채가 탈출하여 발생한다. 혹은 上述한 病變이 黑翳如珠로 발전하였을 때 관리가 부족하여 咳嗽, 噴嚏, 怒吼, 號哭, 用力大便 등 黑睛이 손상당해 홍채가 탈출하여 발생한다.

4) 症狀

凝脂翳, 濕翳, 花翳白陷 과정 중에 潰腐深陷되어 黃液上沖되거나, 黑翳如珠로 眼痛이 돌연 소실되면서, 눈 검사 시 검은 눈동자가 潰腐되어 깊게 움푹 들어간 것을 확인할 수 있다. 홍채가 검은 黑睛에서

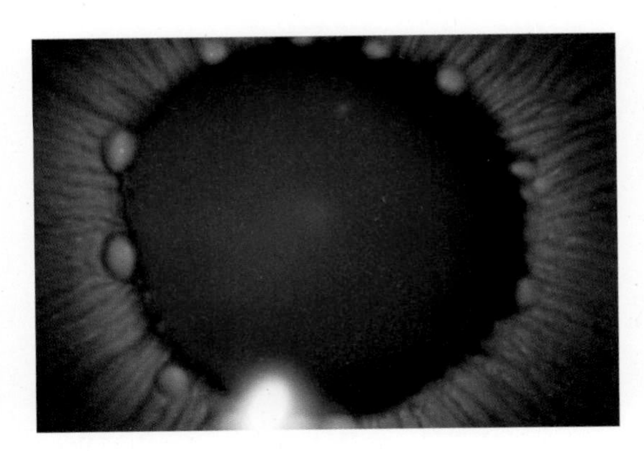

그림 2-5-7 Koeppe 결절

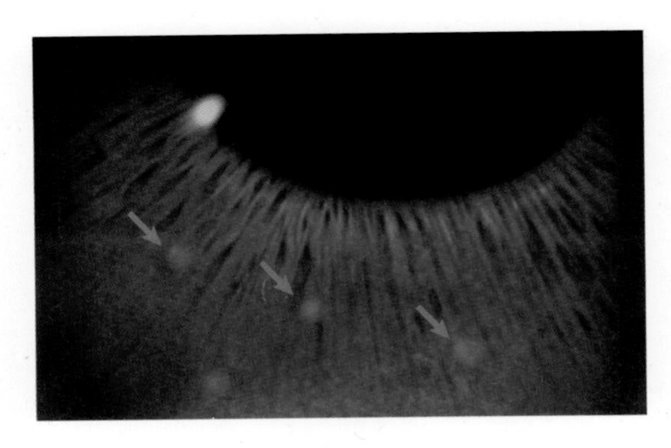

그림 2-5-8 Busacca 결절

탈출되어 모양이 게 눈이나 파리 눈 같으며 심하면 옆으로 길쭉한 黑豆같다. 그 주위로 灰白色 翳障이 둘러싸고 있고, 동공이 변형되어 杏仁, 棗核같으며, 抱輪紅赤이나 白睛混赤하다. 치유된 후에는 비교적 두터운 斑脂翳를 남기며 시력에 영향을 미친다. 만약 神水流通이 잘 되지 않으면 綠風內障으로 발전한다. 邪毒이 潰口를 따라 눈으로 들어가면 眼內가 化膿된다. 만약 潰口가 지나치게 크면 青黃量出, 黑白混雜되어 결국 失明에 이른다.

5) 辨證 및 治法

변증은 먼저 虛實을 분명히 해야 한다. 질병 초기에는 實증이 많고 瀉肝을 위주로 한다, 병이 길어지면 虛가 많고 補腎을 위주로 한다.

(1) 肝臟火熾: 清熱瀉肝 - 瀉肝湯加減
(2) 陰虛火旺: 滋陰降火 - 滋陰降火湯加減

13. 正漏

1) 概要

正漏의 正은 黑睛正中를 가리키며 漏는 漏口를 가리키니 黑睛中部는 작은 漏口가 있어 유합하지 못하고 神水가 부단히 누출되는 것을 말한다.

黑睛은 대게 翳로부터 유발되니 병정이 악화되어 風輪이 무너져 생긴다. 神水가 유출되면 眼珠(수정체)가 萎陷하니 만약 邪毒이 漏口를 좇아 珠內로 들어가면 眼內에 化膿하여 珠毁表明한다. [그림 2-5-9]

2) 病因

凝脂翳, 濕翳, 花翳自陷 등 黑睛의 변화로 인한 것이 많고 병정의 진전은 肝火上炎으로 腐潰成漏한다. 혹 肝腎不足, 혹 氣陰兩虛, 風輪潰漏하여 오래 되어도 낫지 않는다. 그 외 작고 날카로운 물체에 黑睛을 찔려 회복하지 못한 소치로 인한 것도 있다.

3) 症狀

눈의 痛症, 눈물, 눈부심 증상이 있으며 눈을 크게 뜨기가 힘들고 眼瞼이 붉다. 검은자위에 날카로운 작은 漏孔이 정중앙이나 약간 치우쳐 있는데 風輪의 偏旁에 漏口가 있는 경우 검은색의 凹陷이 작은 점 같이, 小泡모양으로 융기되어 있다. 灰白翳障 주위로 형광색소 염색시 漏口處가 黃綠色으로 細流가 아래로 있음을 관찰할 수 있다. 神水가 流出되면 前房의 淺部가 약간 변하여 眼珠(수정체)가 軟하게 된다. 만약 漏口가 저절로 封閉되면 神水分泌가 增加하여 안압이 상승하고 眼珠(수정체)가 딱딱하게 변하여 脹痛이 있다. 이미 封閉된 漏口가 다시 沖破되

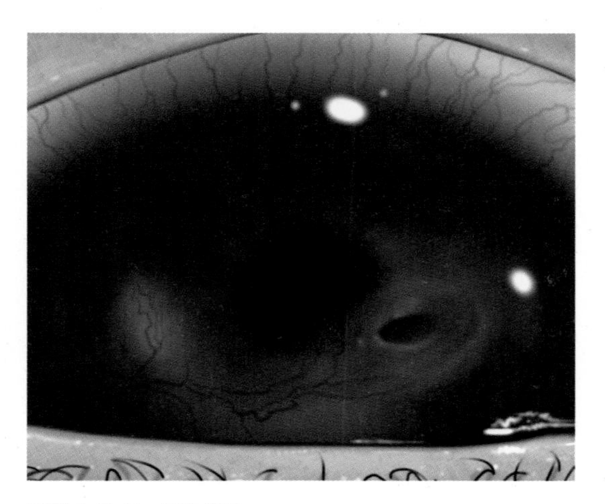

그림 2-5-9 각막천공

면, 疼痛이 緩解되고, 眼珠(수정체)가 다시 軟해진다. 이 같은 과정이 반복되며 낫지 않으면 결국 邪毒이 眼珠內로 침범하여 蓄毒되어 化膿되고 失明에 이른다.

4) 辨證 및 治法

內外治를 결합하며 크게는 外治 위주다.

(1) 肝火上炎: 清肝瀉火 - 龍膽瀉肝湯加減
(2) 肝腎虛弱: 滋補肝腎 - 杞菊地黃湯加減
(3) 氣陰兩虛: 益氣養陰 - 托裏消毒散加減

14. 混睛障

1) 槪要

混睛障은 角膜深層에 나타나는 一片의 灰白色 翳障을 가리키며 混濁不清하여 漫掩黑睛한 시력장애의 눈병이다. 病程이 완만하면 종종 수개월 내 치료되고 逐漸痊愈할 수 있고 항상 癩痕翳障하고 視力에 영향을 줄 수 있다. 각막실질염과 유사하다. 대다수가 면역질환에 속하여 先天梅毒, 바이러스성 각막염의 경우가 많다. [그림 2-5-10]

2) 病因

(1) 肝經風熱, 升擾於目, 上侵黑睛.
(2) 肝膽熱毒, 循經上攻, 火鬱經脈, 氣滯血瘀, 赤白相雜, 漫掩黑睛, 混濁不清.
(3) 濕熱內蘊, 熏蒸於目, 上損黑睛.
(4) 邪毒久伏, 耗損陰液, 水不制火, 虛火上炎, 發爲本病.
(5) 胃虛弱, 清陽之氣不升, 濁陰之火上乘, 目竅不利.

3) 症狀

초기에는 目珠疼痛, 羞明流淚, 視物模糊하고 심하면 僅辨人物에 이른다. 매독 사이질각막염(luetic interstitial keratitis)은 5세 이하에서 25세 사이에 나타나며 급성, 양측성 통증과 심한 시력저하가 생긴다. 심층 혈관이 각막기질로 들어가는 각막윤부에 염증성 돌출부가 나타나며 동반된 세포 침윤과 각막 혼탁이 혈관의 윤곽을 가려서 특징적인 연어반(salmon-patch)을 보인다. 전부 포도막염이 생기나 각막혼탁에 의해 가려질 수 있다. 몇 달이 지나면 각막이 깨끗해지기 시작하고 혈관은 통하지 않는다. 만약 나중에 어느 이유로든지 각막에 염증이 생기면 혈관이 다시 통하며 드물게는 출혈이 생기기도 한다. 각막기질이 얇아지고 반흔이 생기며 종종 각막이 편평해지면서 치유된다. 대상포진각막염(herpes zoster keratitis, varicella-zoster viral keratitis)은 처음에는 각막지각이 저하되며 상피밑에 미세한 점 모양의 혼탁이 나타나고 서로 융합하여 각막기질부종과 데스메막주름이 나타나는데, 상피밑침윤에서 때로는 물집이 생긴 후 파열되어 궤양이 될 수도 있다. 궤양은 일정한 모양은 없지만, 때로는 단순포진각막염처럼 나뭇가지 모양으로 나타난다. 원반각막염의 소견도 나타날 수 있으며, 회복후에도 각막지각의 저하는 몇 개월 동안 지속된다. 또 포도막염 증상도 수주에서 수개월 동안 지속된 후에 회복된다. 단순포진각막염(herpes simplex keratitis)은 HSV로 인한 각막염으로 각막궤양의 원인 중 가장 큰 비중을 차지한다. 처음 증상은 눈의 자극감, 눈부심, 눈물흘림 등이며, 병변이 각막 중심에 있을 때는 시력장애도 동반된다. 발병 초기부터 각막의 지각이 저하되기 때문에 증상이 가벼운 것처럼 느껴질 수 있다.

4) 辨證 및 治法

(1) 肝經風熱: 疏風淸熱 - 羌活勝風湯加減
(2) 肝膽熱毒: 瀉肝解毒, 涼血化痕 - 銀花解毒湯加減
(3) 濕熱內蘊: 淸熱化濕 - 甘露消毒丹加減
(4) 陰虛火炎: 滋陰降火 - 海藏地黃散加減
(5) 脾氣虛弱: 健脾益氣 - 蔘苓白朮散加減

매독 사이질각막염(luetic interstitial keratitis)의 경우는 전신적 페니실린, 국소 스테로이드와 조절마비제 점안으로 치료한다. 대상포진각막염(herpes zoster keratitis, varicella-zoster viral keratitis)의 경우는 초기에 항바이러스제를 쓰면 효과적이다. 비록 스테로이드제제 국소 치료는 일시적으로 증상을 회복시키지만, 병의 경과를 지연시키거나 豫後를 악화시킬 수도 있다. 노인에서는 회복 후에 가끔 대상포진후신경통이 합병되며 진통제를 사용하면 효과가 있다. 단순포진각막염(herpes simplex keratitis)의 경우는 병소에서 바이러스를 제거하기 위해 찰과하거나 항바이러스제를 투여한다. 점안마취후에 면봉끝으로 간단히 문지르거나 소독된 백금주걱이나 콩다래끼 큐렛을 사용하여 병변이 있는 각막상피를 제거할 수 있다. 물리적 제거 후에는 조절마비제인 1% atropin이나 5% homatropine을 점안한 후 상피재생이 완성되는 3일 동안 압박안대를 해주는 것이 좋다.

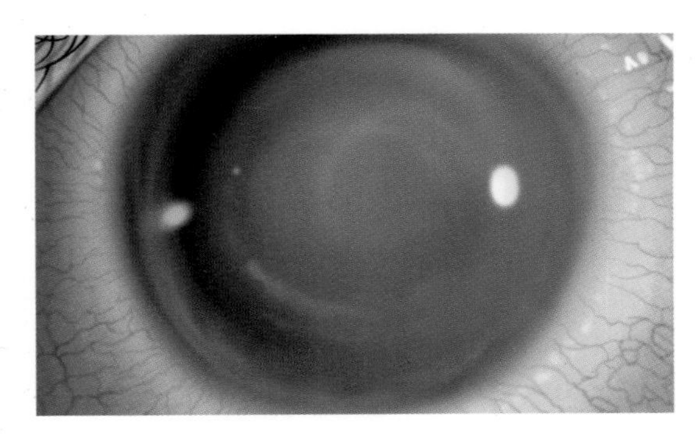

그림 2-5-10 각막실질염

물리적으로 제거한 후 항바이러스제인 trifluorothymidine, Acyclovir눈약을 사용한다. 단순포진각막염은 1/3가량이 2년 이내에 재발한다. 재발을 예방하기 위해서는 감기로 인한 발열이나 피로해지지 않도록 항상 주의해야 하며 감기증상이 있으면 즉시 해열제를 복용해야한다. 또 태양광선이나 자외선에 너무 노출되어도 좋지 않으며 그 밖에 정신적인 충격, 스트레스도 가급적 피하는 것이 좋다.

15. 風輪赤豆

1) 槪要

風輪赤豆는 黑睛 위에 회백색 과립이 돌기처럼 일어나는 것을 지칭한다. 이에 붉은 핏줄이 감고 있는 것처럼 보이며 색이 홍색이어서 赤小豆같아 보이는 눈병이다. 만약 재발작하면 발작 시 색이 紅色이며 疼痛이 있고 눈물이 나오며, 그칠 때는 색이 백색이며 완화된 증상을 보인다. 나은 후에 瘢痕이 형성되어 시력에 영향을 주며 소아나 청소년에게 많이 나타난다. 《證治準繩》은 "輪上一顆如赤豆症"이라고 했는데 "輪"은 風輪만을 지칭하는 것은 아니라 기타의 氣輪도 포괄하는 것으로 흰동자 위의 과립에 홍적한 핏줄이 있는 것은 金疳이라고 지칭하며 여기서 다루는 것은 검은 동자 위에 생긴 赤豆 모양의 과립이다. 결핵포도막염(tuberculous uveitis)과 유사하다.

2) 病因

(1) 평소 肝經에 積熱이 있어 風熱을 받아 火熱上炎하고, 風輪에 鬱滯되어 氣血失調, 絡中瘀滯한 것이다.
(2) 肝腎陰虛하여 水不制火하고 허화가 상염한 것

이다.
(3) 선천체질이 약한 상태에서 후천적인 영양이 실조되어 脾胃虛弱하고 體虛挾痰한 소아의 경우 이 병에 걸리기 쉽다.

3) 症狀

초기에는 검은자위의 선상으로 과립모양의 돌기가 많다. 점차 검은 동자의 중앙으로 증상이 발전하며 곧 흰자에 붉은 핏줄이 서면서 과립을 따라 감기는 듯한 양상을 보인다. 모양은 혜성과 같으며 색은 붉어서 赤豆와 같다. 赤豆는 매일 점차 증가할 수 있으며 터진 후에는 중간에 함몰한다. 나은 후에는 붉은 핏줄이 사라질 수 있으나 瘢痕이 남아 시력에 영향을 준다. 본 질환은 時發時止하며 발작할 때는 紅赤한 색을 띄고 乾澁하며 疼痛이 있고 눈물을 줄줄 흘리며 眼瞼이 편하지 못하다. 그쳤을 때는 색이 하얗고 증상이 완화된다. 소아환자는 매일 목 부위에 멍울이 만져지는 종창과 같은 과립이 만져질 수 있다.

4) 鑑別

木疳, 金疳은 감별해야 한다.
(1) 木疳은 風輪 위에 회백색 과립 모양의 小泡가 생긴다. 단 붉은 실핏줄이 이를 말고 있지는 않는다.
(2) 金疳은 氣輪에 병이 있다. 白睛 위에 玉 모양의 小泡가 있으며 전반적으로 붉은 핏줄이 서며 터질 수 있고 나은 후 반흔이 생기지 않는다.

5) 辨證 및 治法

虛實을 먼저 구분한다.
(1) 肝經積熱, 外受風邪主 : 瀉肝淸熱散風 - 洗肝散加減
(2) 陰虛火旺: 滋陰降火 - 滋陰降火湯加減
(3) 脾虛夾痰: 健脾益氣, 化痰散結 - 香貝養榮湯加減

결핵포도막염(tuberculous uveitis)의 치료는 항결핵제를 복용시키고, 부신피질호르몬제, 동공확대제를 점안한다.

16. 木疳

1) 槪要

黑睛(각막)에 회백색 과립상 翳障으로 나타나지만, 赤脈은 없다. 黑睛은 肝에 속하며, 肝은 木에 속하므로 木疳이라고 칭한다. 疳은 瘡의 의미이다. 과립의 소포로 인하여 궤파되면 木瘍이 된다. 체질이 약한 아동이나 청소년에서 보통 나타난다. 잠복되어 있다가 다시 발생한다. 병위가 黑睛의 얇은 층 부위인 자는 나은 후에 남아 있지 않거나 흔적이 거의 없지만 병이 黑睛의 깊은 층에 있는 자는 나은 후에도 瘢痕翳障이 남아 시력에 영향을 주고, 다시 재발하여 黑睛에 천공을 만들어 蟹睛이 되게 할 수도 있다. 이 병은 黑睛 위에 발생한 과립상 翳障이며, 양방의학의 泡性角膜炎과 유사하다.

2) 病因

(1) 肝膽火旺, 外夾風邪, 火熱上炎, 上犯於目
(2) 陰虛不足, 又夾肝熱, 滯結爲疳
(3) 素體陰虛, 虛火上炎, 鬱子黑睛

3) 症狀

초기에는 沙澀疼痛, 羞明流淚, 眼瞼難睜 증상이 있고 黑睛(각막)에 한 개 또는 몇 개의 과립상포성 翳

障이 있다. 大小가 다르고 부위가 不定하고, 궤파 후 얕은 凹陷이 있다. 나은 후 瘢痕翳障을 남기지 않는다. 重한 자는 深部로 발전하여 凹陷이 심해지고 赤痛이 가중되고, 나은 후에 瘢痕翳障이 남아 시력에 영향을 끼친다. 또한 黑睛(각막)에 穿孔이 생기고, 蟹睛으로 변하고, 나은 후 斑脂翳가 생긴다. 단독 발생할 수 있고 金疳과 동시에 존재할 수도 있다.

4) 辨證 및 治法

(1) 肝火上炎: 清肝瀉火 - 龍膽瀉肝湯加減
(2) 肝虛夾熱: 養肝清熱 - 平肝清火湯加減
(3) 陰虛火旺: 滋陰降火 - 知柏地黃湯加減
일반적 豫後는 양호하지만 반복적으로 발생하는 자는 瘢痕翳障을 남겨 시력장애를 일으킨다. 드물게 발생하는 黑睛穿孔는 蟹睛로 변하여 斑脂弱을 남긴다.

17. 大泡性 角膜炎

1) 槪要

大泡性角膜炎은 黑睛淺層에서 발생하는 大泡의 병증이다. 항상 青光眼, 葡萄膜炎, 網膜剝離등의 질환에서 기인하며 失明을 일으키는 질환이다.

2) 病因

대부분 肝血不足에 의해 눈에 영양이 되지 않아 빈번히 유발하거나, 肝腎陰虛로 水不函木하여 肝陽上亢하게 되어 발생한다.

3) 症狀

자각증상으로 빛을 두려워하고 눈물이 나며, 눈 안에 이상 물질로 모래 같은 껄끄러운 疼痛이 있고 때에 따라 통증이 극렬하다. 각막상피에 장기간 水腫, 안개 같은 혼탁함이 있고, 명암이 고르지 못하다. 上皮下에 단독 또는 몇 개의 水泡狀의 융기가 있고 크기가 각각 다르나, 약 직경 1 mm의 크기이며, 波動性이 있다. 많은 수의 泡를 터트리면, 그 후 찌르는 듯한 통증이 가중된다. 그 곳에 다시 재발하여 오래도록 낫지 않을 수 있다. 각막 천층에 신생혈관이 퍼져 들어가는 것은 變性 角膜血管翳라 한다.

4) 鑑別

木疳과 감별해야 한다. 木疳은 즉 泡性 角膜炎은 각막에 과립결절을 형성하는 등의 특징이 있으며, 많은 경우 체질이 허약한 아동에게 보이며, 豫後가 양호하다. 본증은 角膜上皮水腫의 기초상에 발생하고 水泡 형태면서 많은 경우 실명하고, 豫後가 좋지 않다.

5) 辨證 및 治法

천천히 발병하며, 주로 虛證이다.
(1) 肝血虧虛: 補血養肝 - 四物湯加味
(2) 陰虛陽亢: 滋陰潛陽 - 生地 15 g, 熟地 15 g, 白芍藥 12 g, 女貞子10 g, 旱蓮草10 g, 石决明 15 g, 珍珠母 15 g, 牛膝 10 g, 茯苓 15 g, 車前子 10 g, 澤瀉10 g. 若黑暗有新生赤脈加丹皮, 赤芍以 化痕滯. 兼見眉棱骨痛加夏枯草以清肝明目.

18. 暴露赤眼生翳

1) 概要

안검이 방어 기능을 잃어 黑睛이 장기간 드러나 있어 白睛이 混赤해지고 , 黑睛에 翳가 생기는 질환이다. 항상 안검이 덮여져 있지 않아 黑睛의 질환이 동시에 존재한다. 대다수 한쪽 눈에만 문제가 있으며 失治하면 凝脂翳 등이 생긴다. 노출성 각막염(exposure keratitis) (토끼눈각막염 lagophthalmic keratitis)과 유사하다.

2) 病因

胞瞼은 黑睛을 보호하는 기능이 있다. 胞輪의 開合이 스스로 일어나 눈을 깜박여야 淚液이 균등하게 안구 표면을 적셔주고 潤澤光華롭게 유지한다. 만약 風牽瞼出, 口眼喎斜, 脾翻粘瞼 등의 이유로 안검이 제대로 개합되지 않거나 突起睛高, 鶻眼凝睛, 珠突出眶 등의 이유로 안검이 黑睛을 잘 덮지 못하면 黑睛이 淚液의 潤養을 못 받아 건조해진다. 또한 黑睛이 장기간 노출됨에 따라 六淫의 邪가 侵襲하기 쉽고, 風는 陽邪로 六淫之首으로 제일 傷津耗液하기 쉬워 目失濡養하면 黑睛이 건조하고 翳가 생긴다. 만약 風熱之邪가 動肝火하면, 肝火上炎하여 黑睛翳陷이 깊고 擴大하게 되니 病情이 加重된다.

3) 症狀

노출성 각막염(exposure keratitis)은 눈꺼풀이 잘 감기지 않아 각막이 항상 노출되어 발생한다. 심한 눈알돌출증, 눈둘레근의 마비(Bell's palsy), 눈꺼풀겉말림, 결막붙음증, 눈깜박임반사소실(혼수상태) 등이 원인이다. 증상은 각막이 오래 노출되기 때문에 건조되어 쉽게 외상을 입으며, 잠을 잘 때에는 눈을 완전히 감지 못하기 때문에 각막건조가 악화되며 가벼운 외상에도 쉽게 궤양으로 진행한다. 궤양은 대개 각막의 아래쪽 1/3에 잘 생긴다. 때로는 이차적으로 세균감염이 일어날 수 있다.

4) 辨證 및 治法

먼저 노출 원인을 제거한다. 風牽瞼出, 鶻眼凝睛 등으로 인한 경우는 그에 응한 치료를 해준다. 眼瞼의 반흔으로 당겨진 사람은 수술치료를 고려한다.

(1) 陰液不足: 滋陰潤燥 - 十珍湯加減

(2) 肝火上炎: 清肝瀉火 - 龍膽草散加減

노출성각막염은 원인을 찾아서 제거해주어야 하며 항생제 눈연고를 점안하거나 안대로 눈을 가려주고 그 밖에 치료용 콘텍트렌즈 연속 착용, 눈꺼풀봉합술 등을 시행할 수도 있다.

19. 赤膜下垂 血翳包睛

1) 概要

붉은 맥이 膜 같이 밀집된 것을 지칭하는데, 黑睛(각막)상연을 따라서 중앙으로 향하는 것을 말한다. 대부분 兩眼에 동시 발병하는 질병으로, 성인에게서 많이 나타나고, 치료를 적시에 하지 않으면 血翳包睛으로 발전한다.

血翳包睛은 赤脈下垂가 더 심해진 것으로 赤脈이 黑睛을 감싸돌며 형성되어 이름지어 졌다. 만약 病情이 嚴重하면 血翳堆積如肉하여 시력이 급격히 나빠지며 심하면 失明에 이른다. 이 2가지 症은 沙眼으로 인해 생긴 질환이 다른 階段로 발전한 것이다. 각막신생혈관과 유사하다. [그림 2-5-11]

2) 病因

(1) 脾, 肺, 肝風熱蘊盛, 熱鬱脈絡, 致赤脈叢生.

(2) 心肝熱熾, 火熱上炎, 因熱致瘀, 脈絡臍阻, 赤脈縱橫, 形成血翳.

本病은 트라코마로 인해서도 일어난다. 主要病機는 熱과 瘀이다. 初起瞼內顆粒累累는 瘀熱在脾이고 赤脈始於白睛은 瘀熱在肺이며 繼則侵入黑睛한 것은 瘀熱在肝한 것이다. 心主血脈이므로 赤脈縱橫, 血翳色紅한 것은 瘀熱在心한 것이다. 三焦蘊熱, 鬱於脈絡, 因熱致瘀, 因瘀留熱, 熱과 瘀는 상호 因果관계가 되어 熱瘀互結의 過程이 된다.

3) 症狀

(1) 赤膜下垂: 초기에 黑睛상연에 얇은 막이 출현하고, 赤脈이 睛으로부터 黑睛을 향하여 나타나는데 배열이 균일하고, 분포가 밀집하고, 형상이 簾(발)같고, 아래로 향하여 黑睛의 말단에 파급되어 경계를 나눈다. 赤脈의 끝머리엔, 항상 가늘고 작은 어두운 별모양이 있다. 赤膜이 변화하여 두텁게 증대되면, 瞳神을 가려서 시력에 영향을 준다. 눈물을 흘리고 눈부시고 통증과 가려움이 병행하여 발작한다. 眼瞼을 뒤집어보면 沙眼 과립을 볼 수 있다.

(2) 血翳包睛: 赤脈이 黑睛을 따라 사방에서 중앙으로 발전하여 貫布를 종횡하여 血翳가 黑睛 주위를 감싼다. 병이 오래되면 血翳가 두꺼워지고, 고기처럼 축적되어, 神을 덮어 가리고 시력이 심하게 나빠지고, 사람사물을 구별하기 힘들다. 赤澀灼熱을 많이 수반하며, 눈물을 흘리며 눈부시고, 머리와 눈에 동통 등이 있다.

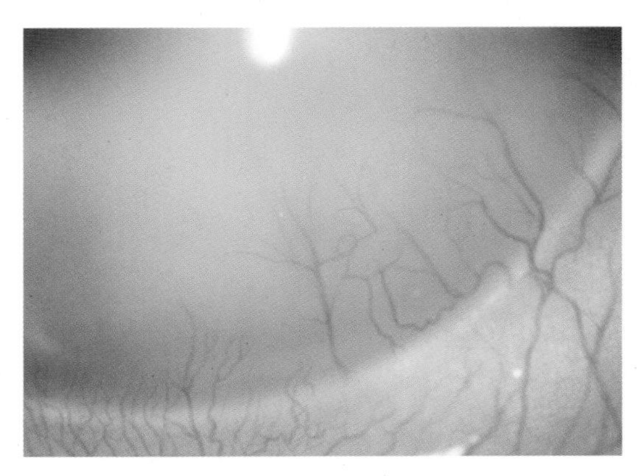

그림 2-5-11 각막혈관신생

4) 辨證 및 治法

(1) 肺肝風熱, 血熱壅滯: 疏風淸熱, 涼血化瘀 - 歸芍紅花散加減

(2) 心肝積熱, 熱瘀互結: 淸心瀉肝, 涼血化痕 - 破血紅花散加減

이 2가지 症은 沙眼으로 인해 생긴 질환이 다른 階段로 발전한 것이다. 트라코마 치료에 준하여 치료한다.

20. 宿翳

1) 槪要

黑睛질환이 모두 나은 후의 瘢痕장애이다. 宿은 "舊有"의 의미이다. 또한 老翳, 冷翳라고 일컫는다. 오래된 것과 새것, 늙은 것과 어린 것, 차가운 것과 뜨거운 것을 상대적으로 말한 것이다. 瘢痕의 두껍고 얇음, 형상에 따라 冰翳, 厚翳, 斑脂翳로 나누기도 한다. 宿翳가 시력에 미치는 영향은 翳의 두껍고 얇음, 위치와 관계가 있다. 위치가 黑睛 중앙이면서, 翳障이 두껍고 크면, 즉 시력에 대한 영향이 크다. 또한 위치가 黑睛의 주변에 있어서 동자를 가리지 않고, 혹은 翳障이 비교적 얇으면 시력에 대한 영향이 적다. 翳障이 오래되고, 氣血이 凝定하면, 치료가 곤란하다. 만약 발병한 지 얼마되지 않은 병이고, 翳障이 얇고, 耐心調治하면 금방 줄어들고 혹은 사라지는 걸 볼 수 있다. 宿翳는 黑睛의 瘢痕 翳障이다. 고대 문헌에서 근거로 그 형상, 두께, 안색, 범위 등으로 명명하였고, 임상의 실제와 결합해서, 冰瑕翳, 雲翳, 厚翳, 斑脂翳 4종류로 구분하였다. 표층성 각막염에서 발생되는 각막부종과 유사하다.

2) 病因

凝脂翳, 花翳白陷, 聚星障 혹은 외상 등 黑睛의 질병이다, 병이 나은 뒤에 瘢痕翳障이 남는다. 검은 동자에 翳가 많이 생기는 것은 火熱로 인한 것이다. 火熱은 쉽게 陰液을 손상시키고, 고로 瘢痕翳障의 형성이 종종 陰津不足과 함께 형성되고, 이것은 氣血凝滯와 관련이 있다.

3) 症狀

검은 동자 위에 白色의 翳障이 있고, 두께가 같지 않으며, 부위가 정해져 있지 않고, 형상이 같지 않고, 표면이 光滑하며, 경계가 清楚하고, 붉고 통증이 없으며 눈물이 흐르지 않는다. 상피부종(epithelial edema)은 내피세포의 대상부전(endothelial decompensation)이나 심하거나 급성으로 안압이 오른 상태에서 보인다. 각막의 윤택이 사라지고 심하면 잔물집(vesicle)이나 물집(bullae)이 동반된다.

4) 辨證 및 治法

宿翳의 변증은, 일단 오래되고 새로운 것을 나누는 것부터 시작해야 한다. 새로운 질환은, 堅持治療, 耐心調理 하면 병이 경감되는 것을 볼 수 있다. 오래된 병은 頑固難愈한고로 終身의 병이다, 약을 먹는 것이 奏效이다. 치료는 補虛瀉實, 退翳明目이 원칙이다.

(1) 餘邪未盡: 祛風清熱, 退翳明目 - 撥雲退翳丸加減
(2) 陰津不足: 養陰退弱 - 滋陰退翳湯加減
(3) 氣血凝滯: 活血退翳 - 消翳湯加減

21. 旋螺尖起

1) 概要

黑睛(각막)부분의 돌기를 가리킨다, 旋螺尖尾의 모습으로 나타난다. 대부분 斑指翳로 인하여 함께 발생하여 오고 약물치료로 효과를 나타내기 어렵다. 본증은 黑睛(각막) 위에 旋螺尾형태의 돌기 같은 예장이 출현하는 것으로 서양의학의 폐렴알균 각막궤양(pneumococcal corneal ulcer)과 유사하다.

2) 異名

旋螺突起, 旋螺突出

3) 病因

대부분 黑睛질병은 斑脂翳로 인하여 생기며 다시 肝經의 積熱이 쌓이고 頭風痰火 氣血壅塞 神水瘀滯 眼珠脹硬되어 黑睛(각막)부분돌기를 旋螺尾尖의 형태가 된다.

4) 症狀

아픈 눈에 脹痛이 있고, 편두통이 있고 沙澀難睜, 시력장애, 심하면 실명한다. 白睛의 血絡이 粗大稀疏하고, 胞輪이 暗紅하고, 黑睛에 하나 또는 여러 개의 旋螺尾尖様 突起가 있고, 색이 青黑하며, 주위는 白色瘢痕翳障이 있다. 눈동자가 변형되어 둥글지 않다.

5) 鑑別

旋螺泛起와 서로 감별해야 한다. 旋螺泛起는 黑睛(각막)돌기가 원추상을 띤 것이다. 黃仁, 瞳神이 변함이 없다. 본 증세는 斑脂翳가 변하여 생긴 것으로 국부의 黑睛(각막)이 旋螺尖尾처럼 돌기하고 흑백 사이에 간격이 있고 , 혹은 갈색을 띠고, 홍채와 반흔이 粘著, 瞳神敬가 둥글지 않아 대추씨나 살구씨 형태이다.

6) 辨證 및 治法

복약은 증상을 완화시킬 뿐이지 치유하기는 어렵다.

(1) 肝經積熱: 淸肝瀉火 - 肝飮子加減
(2) 血瘀氣滯: 活血散風, 平肝退翳 - 當歸 15 g, 赤芍 15 g, 川芎 10 g, 羌活 10 g, 防風 10 g, 蟬蛻 6 g, 蛇蛻 6 g, 白蒺藜 12 g, 石決明 15 g, 白芍 15 g, 生地 15 g, 夏枯草 15 g

폐렴알균각막궤양(pneumococcal corneal ulcer)의 경우 항생제를 투여하기 전에, 궤양부위에서 찰과표본을 채취하여 도말표본 검사, 배양검사, 항생제 감수성 검사를 한 후 항생제를 선택하는 것이 효과적이다. 원인균이 동정되기 전에는 퀴놀론제제를 단독으로 점안하거나, 세파졸린과 아미노글리코시드를 함께 점안하며, 배양 결과에 따라 다른 항생제로 변경할 수 있다. 각막궤양이 심한 경우에는 항생제를 결막 밑에 주사하거나 전신투여한다.

22. 旋螺泛起

1) 槪要

黑睛(각막)중앙에 원추형태의 돌기가 돌출되는 것이다. 항상 봄에 발생하고 대부분 양쪽 눈이 선후로 병에 걸리고, 여성이 남성보다 많다. 시력이 현저히 감퇴되고 약물치료로 효과를 보기는 어렵다. 원추각막(keratoconus)과 유사하다. [그림 2-5-12]

2) 病因

대부분 先天稟賦不足하거나 肝氣獨盛하거나 肝失條達, 脈絡瘀阻, 目失榮養의 소치이다.

3) 症狀

시력감퇴가 뚜렷하고, 눈에 紅赤疼痛증상은 없다. 각막 중심부가 얇아지고 앞으로 돌출되어 원추형을 이루고 데스메막의 파열과 불규칙적인 혈관신생이 생긴다. 급성각막수종이 생기면 방수가 기질 내로 침입하여 각막부종을 심하게 일으키므로 시력이 몹시 저하된다. 그러나 급성 각막수종은 보통 치료 없이도 천천히 회복된다. 각막의 원추형 돌출 이외에 진단에 도움이 되는 것은 환자가 아래쪽을 보았을 때 아래눈꺼풀테가 원추상으로 보이는 Munson's sign이다. 세극등으로 보면, 각막 원추부의 밑바닥에 Fleischer's ring이라고 부르는 갈색 또는 녹색의 선을 볼 수 있다.

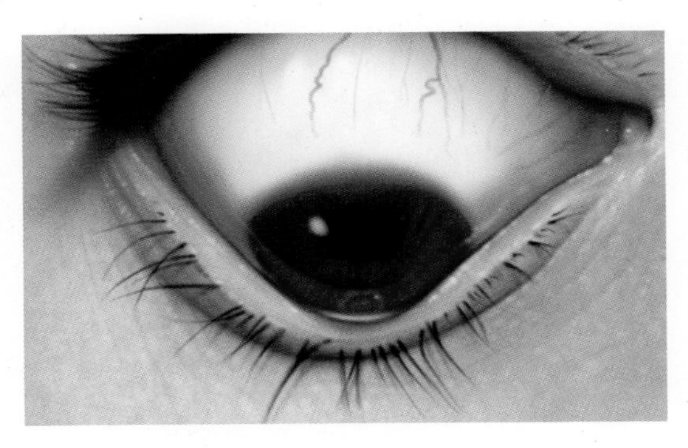

그림 2-5-12 원추각막

4) 辨證 및 治法

肝氣鬱結 : 疏肝解鬱 : 逍遙散加減

원추각막은 초기에 콘택트렌즈로 시력교정을 하고, 콘텍트 렌즈로도 시력교정이 안 될 정도가 되면 전체층각막이식을 한다. 악화된 예에서 각막천공을 볼 수 있는데, 이때는 눈에 압박안대를 해서 천공이 막히는 것을 기다리거나 각막이식을 한다. 각막이 너무 얇아지기 전에 전체층각막이식을 하면 豫後는 좋아서 수술환자의 약 80~95%에서 좋은 시력을 얻을 수 있다.

23. 偃月侵睛

1) 概要

風輪上部와 氣輪의 交界處를 가리킨다. 본증은 黑睛(각막)상연에 회백색의 광활한 翳障이 출현하는 것으로 점점 아래로 발전해간다. 대부분 노인에서 많이 볼 수 있고, 양쪽 눈에 모두 발병하며 병변진전이 상당히 완만하다. 消退시키는 치료는 어렵고 눈동자가 蔽하는데 이르지 않았어도 시력이 거의 없다. 老年環(arcus senilis)과 유사하다. [그림 2-5-13]

2) 異名

偃月障, 偃月翳, 外偃月

3) 病因

대부분 年老體弱, 肝腎陰虛 ,水不涵木 혹은 思慮過度, 勞瞻竭視, 肝血耗損, 目失所著. 혹은 過食肥甘, 恣酒嗜辛, 痰火內生, 瘀阻脈絡이 偃月障翳을 형성한다.

4) 症狀

초기에 風輪상부와 氣輪이 만나는 곳에 회백색의 초승달 모양의 혼탁이 생기고 이 혼탁은 얇으며 청백색이고 표면에 광택이 있으며 막이 홍색을 띄지 않고 통증이 없으며 시력장애가 없다. 이는 양쪽 눈에 발생하는 양성의 각막가장자리변성 중 하나로 일종의 노인성 변화이다. 50세 이하에서 발생하는 경우에는 고콜레스테롤혈증이 동반된다. 폭이 약 2 mm인 고리 모양의 흰색 혼탁이 보이고 각막 가장자리와의 사이에는 투명한 부분이 있다.

5) 鑑別

偃月內障과 감별해야 한다.

偃月內障은 눈동자 晶珠상부에 白色의 混濁이 있으며 이 混濁이 초생달 모양이고 상부가 두텁고 하부가 얇다. 시력에 영향을 주고 점차 발전하여 圓翳內障이 된다. 이 질환은 눈동자 주위의 회백색 혼탁을 초래하며 이 혼탁은 초생달 모양이며 시력의 장애는 없으며 점차 발전하여 원형 혼탁이 된다.

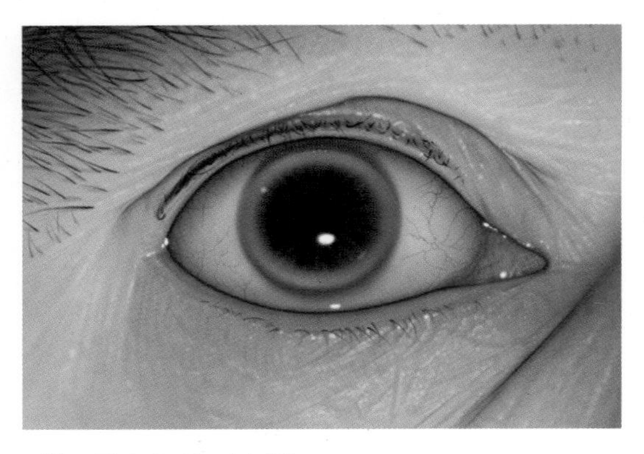

그림 그림 2-5-13 노년환

6) 辨證 및 治法

노년기의 체질이 허약한 자에게 많으며 正虛가 위주가 된다.

(1) 肝血不足: 補血養肝 退翳明目 - 四物補肝散加減
(2) 肝腎陰虛: 補益肝腎, 滋陰明目 - 杞菊地黃湯加減
(3) 痰火阻絡: 化痰淸熱, 活血通絡 - 淸痰湯加減

豫後는 양호한 편이며 일반적으로 시력에 영향을 주지는 않는다.

포도막질환

葡萄膜病은 黃仁(홍채)의 병변으로써 水輪질환으로 內障의 범주에 속한다. 포도막은 色素膜, 血管膜이라고도 하며, 앞 부위는 虹膜으로 黃仁이다. 중간부위는 모양체, 뒷부분은 맥락막인데, 모양체와 맥락막은 韓醫學에서 대응하는 형태학적 이름이 아직 없다. 포도막은 이렇게 홍채, 모양체, 맥락막으로 구성되어 있다. 포도막에는 혈관이 풍부하고 결합조직이 많아서 염증이 생기기 쉬운데, 이 포도막에 생긴 염증을 포도막염(uveitis)이라고 한다. 홍채, 모양체, 맥락막에 각각 독립적으로 염증이 발생하기도 하지만 동시에 발생하는 경우가 많다.

포도막염은 병의 진행에 따라 인접조직인 각막, 유리체, 망막, 시신경, 공막 등에 염증을 일으키며, 특히 뒤포도막염은 거의 대부분 망막과 유리체에 염증을 일으킨다. 포도막병은 홍채에 병이 나서 증상은 동공에 나타나니, 축소되거나 원형이 어그러지는 것으로 알 수 있다. 포도막염의 흔한 증상은 시력저하, 날파리증, 통증, 충혈, 눈물 흘림, 눈부심 등이다. 시력저하는 황반부종이나 저안압증, 수정체의 위치 변화에 따르는 근시 또는 원시로의 굴절 변화 때문에 생기거나 앞방, 유리체의 염증 삼출물이 시축을 가려 생길 수 있다. 통증은 홍채부위에 급성염증이 있거나 이차적으로 녹내장이 발생하는 경우에 주로 나타난다.

이 질병의 치료는 반드시 內外를 함께 중시해야 하며, 內를 치료해 병인을 다스리고 外을 치료해 증상을 감소시켜서 병의 發生變症을 방지하여야 한다. 散瞳하게 되면 外治에 중점을 두어 치료하여 눈동자와 晶珠의 粘連를 방지하고, 綠風內障 등의 변증의 발생을 막고 시력보호에 중점을 두어야 한다. 한약은 熏洗하여 濕熱을 다스리는 데에 이용될 수 있으며 효과도 뛰어나다.

서양의학에서는 포도막염 환자를 보면 먼저 내인성 염증인지, 세균감염이나 종양 등으로 인한 이차적인 염증인지를 잘 감별한 다음 치료를 시작해야한다고 한다. 대부분의 포도막염은 내인성 염증으로 인체의 자가면역반응과 밀접히 관련되어 있다고 생각되며, 전신적인 류머티스 질환을 동반하는 경우도 있다. 급성의 포도막염이 발생했을 경우, 통증과 함께 홍채후유착 등 합병증을 방지해야 하므로 국소적인 스테로이드제제 점안과 함께 조절마비제를 점안하여 치료한다. 통증이 쉽게 사라지지 않

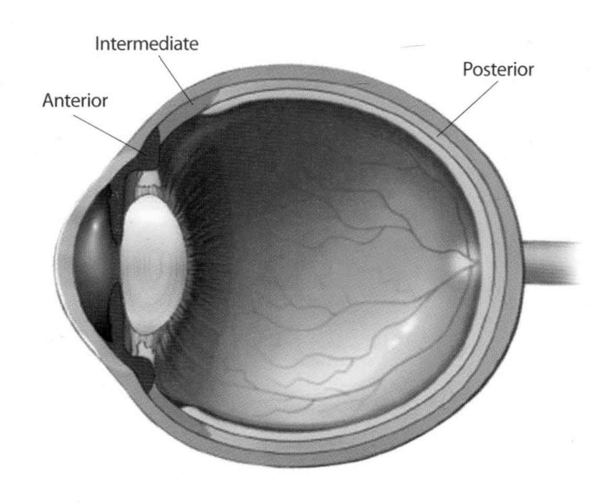

그림 2-6-1 포도막의 구조

을 때는 진통제 복용이 필요한 경우도 있다. 염증이 심해 시력 손상이 예견되면 전신적인 스테로이드제제 투여가 필요한데, 치료시기와 투여량을 적절히 판단해야 한다. 스테로이드제제를 투여해도 호전되지 않거나 부작용이 발생한 경우 시클로스포린 등의 면역억제제가 필요할 때도 있다. 한방치료는 이러한 스테로이드와 면역억제제를 줄이는 데 기여할 수 있다[그림 2-6-1].

1. 홍채모양체염(전부포도막염)

1) 槪要

급성으로 발병하는 홍채모양체의 염증으로 심하면 홍채후유착 등이 발생하여 동공의 모양이 변하게 된다. 瞳神이 展縮하는 기능을 상실하고, 긴축되어 작게 변하는 된 상태를 한의학에서는 瞳神緊小라고 하였고 홍채후유착이 되어 동공이 톱니 혹은 꽃잎과 같아진 상태를 瞳神乾缺이라 하였다.

2) 病因

(1) 風熱外襲, 內侵於肝, 循經上犯, 黃仁受灼, 展縮失常, 而致瞳神緊小.
(2) 肝膽濕熱蘊結, 交蒸上犯, 黃仁受灼, 展縮失榮, 而致瞳神緊小.
(3) 風濕入侵, 留連關節, 流竄經絡, 與熱相結上擾目竅, 黃仁受犯, 瞳神緊小.
(4) 房勞過度, 傷及肝腎, 或久病傷陰, 虛火上炎, 黃仁受灼, 而致膛神緊小.
(5) 脾腎陽虛, 精氣難於上承, 目失濡養, 而致昡神緊小.

이 밖에도 火疳, 凝脂翳, 混睛障 등과 같은 홍채인근의 조직병변이 홍채에 파급되어서도 瞳神緊小에 이를 수 있다. 눈 부위의 외상도 역시 이 병을 일으킬 수 있다.

3) 症狀

충혈과 눈부심, 눈물흘림, 통증 등 삼차신경의 자극증상이 강하고 시력장애는 심하지 않다. 날파리증은 섬모체와 맥락막의 염증으로 유리체에 염증세포, 삼출물이 유출되어 발생한다.

홍채후유착은 홍채와 수정체 전낭사이의 부착으로 급성앞포도막염 발병 동안이나 중등도에서 고도의 만성앞포도막염에서 형성될 수 있다. 동공 가장자리 주위 360도로 확장된 홍채후유착(seclusio pupillae : 동공유착폐쇄)은 주변부 홍채를 앞쪽으로 휘어지게(홍채팽륭) 만들며 후방에서 전방으로 유출을 방해한다. 이것은 안압의 이차적 상승과 함께 주변부 홍채에 의한 전방각 폐쇄를 유발할 수 있다. 홍채 후 유착이 제거된 후에, 홍채 색소 자국이 수정체 전낭에 남을 수 있다. [그림 2-6-2]

4) 鑒別

本病의 초기에는 暴風客熱증과 감별해야 한다.

	暴風客熱	瞳神緊小
痛症	異物様沙澁感	眼珠墜痛, 痛連眉骨顳顱
眼眵	多而膠粘	無
紅赤	白睛淺層紅赤	胞輪紅赤 或 白睛混赤
瞳神	大小正常	縮小
視力	正常	下降
傳染性	傳染	不傳染

5) 辨證 및 治法

急性期에는 實證이 많이 보이고, 대개 風熱外襲, 風濕流竄, 혹 肝膽濕熱蘊結로 인하여 발생하고, 病情이 비교적 急重하다. 慢性者는 虛實挾雜에 많이 속하며, 병이 肝腎陰虧, 虛火上攻, 혹은 病이 오래되어 傷陰하게되고 餘邪가 남아 病程이 遷延되어 생긴다. 때에 따라 동공확장제를 응용하여, 瞳神幹缺 등 병의 발생을 예방한다.

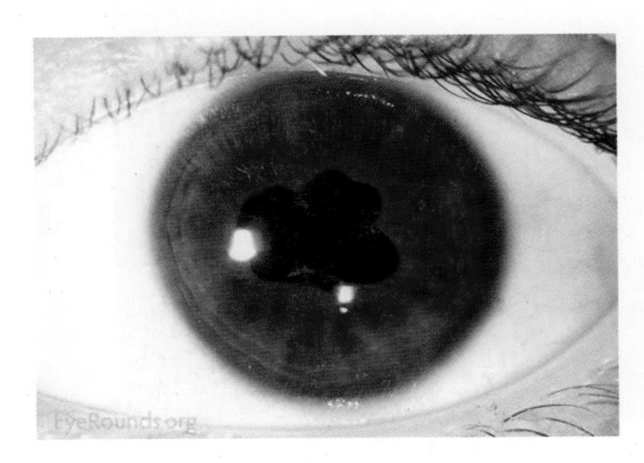

그림 2-6-2 홍채후유착

(1) 肝經風熱: 去風淸熱, 散邪消滯 - 新制柴連湯加減
(2) 肝膽濕熱: 淸肝瀉膽, 消滯散邪 - 龍膽瀉肝湯加減
(3) 風熱夾濕: 淸熱除濕, 按風散滯 - 抑陽酒連散加減
(4) 陰虛火旺: 滋養肝腎, 淸降虛火 - 知柏地黃湯加減
(5) 脾腎陽虛: 補脾扶陽, 溫經散寒 - 附子理中湯加減

2. 맥락막염(후부포도막염)

1) 概要

주로 후부에 국한된 질환이며 육아성 병변이 주로 나타나며 발병이 미만성이고 눈의 통증이 별로 없다는 특징이 있다. 시력에 영향을 주는 것이 현저하지 않으나 병정이 발전하거나 길어지면, 神膏가 혼탁해지고, 黃斑의 水腫, 수정체 混濁이 일어나고 나아가 망막이 탈락하면 시력에 영향을 주고 심하면 실명에 이르게 된다. 본병은 청장년층에 다발하며 환자의 70%에서 兩眼에 발병한다. [그림 2-6-3]

2) 病因

內障범주에 속하고 水腫, 滲出을 주요증상으로 한다. 그러므로 임상에서는 이미 장부실조의 치병으로 고려하여 水腫과 滲出의 형성원인을 중요시한다.

(1) 肝膽火盛, 上犯淸竅, 灼津燒液, 痰火壅盛, 阻於目絡
(2) 肝氣鬱結, 木不疏土, 脾氣不升, 痰濕內蘊, 痰氣鬱結, 上搖目竅
(3) 濕熱內蘊, 上淫眼系, 蒸灼目竅
(4) 痰瘀互結, 合而爲病, 阻滯氣機, 礙及神光
(5) 肝腎陰虧, 虛火上炎, 上搖淸竅

3) 症狀

자각증상은 명확하지 않거나 눈앞에 黑花가 떠다니는 것을 느끼고 視物障礙가 있다. 黑睛 후벽에 회백점상이나 유지상의 부착물을 겨우 볼 수 있으며 전방에 소량의 부유물을 볼 수 있다. 前房角鏡 검사상 房角에 끈적한 황색의 삼출물이 침착되고 전체로 유착된다. 神膏는 흐려지고 앞의 1/3이나 기저부는 작은 티끌상으로 混濁이 있다. 三面鏡으로 鋸齒緣을 볼 수 있고 모양체 편평부와 각막주변은 회황색의 작은 구형의 삼출물이 있다. 경도나 비교적 중한 주변맥락막염이 있고 말초혈관에 靜脈周圍炎의 변성이 있다. 항상 수정체 혼탁, 시신경유두염, 시신경위축, 황반수종이나 변성을 동반한다. 병정이 경과되면 機化性 改變이 나타나고 당기어 각막탈락까지 이르고 전후 전체적으로 유착되고 靑光眼이 되고 결국 眼球萎縮이 된다.

4) 辨證 및 治法

本病의 病因은 다양하여 水腫, 滲出이 기본 병리이다.

(1) 肝膽火盛: 清肝瀉膽, 法痕化痰 - 龍膽瀉肝湯 去木通, 澤瀉, 車前子, 加夏枯草 9 g, 丹參 15 g, 赤芍 12 g, 鬱金 12 g, 浙貝母 12 g, 海浮石 12 g, 瓦楞子 10 g
(2) 肝氣鬱結: 舒肝解鬱, 理氣化痰 - 逍遙散加味
(3) 濕熱內蘊: 清熱利濕, 理氣行滯 - 三仁湯加減
(4) 痰瘀互結: 法瘀化痰, 活血散結 - 活血散結湯加減
(5) 虛火上炎: 滋陰降火, 兼去餘邪 - 知柏地黃湯加味

3. 교감성 안염

1) 概要

한쪽 눈에 천공 외상이나 눈 속 수술을 받은 수일에서 수 년 후에 외상을 입지 않은 눈이나 외상안에 나타나는 육아종 포도막염을 말하며, 흔한 질환은 아니다. 특히 모양체의 손상이 심한 외상에서 교감안염이 발생할 위험이 높으며 발병의 가장 위험한 기간은 외상을 입은 후 4~8주이다. 임상에서 손상을 받은 눈과 손상받지 않은 눈의 관계를 이야기할 때, 손상받은 눈을 主交感眼이라 하고, 손상받지 않은

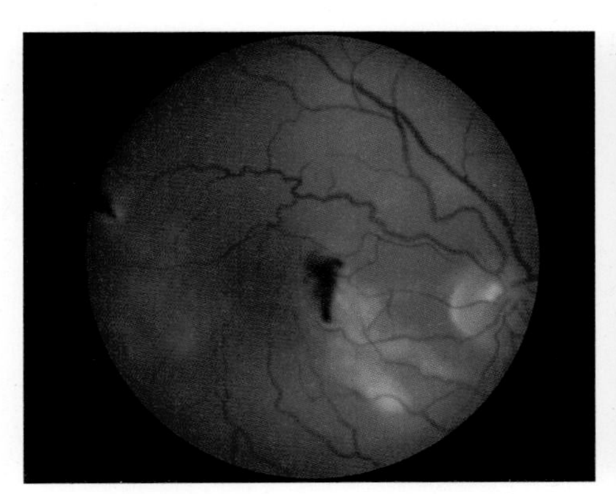

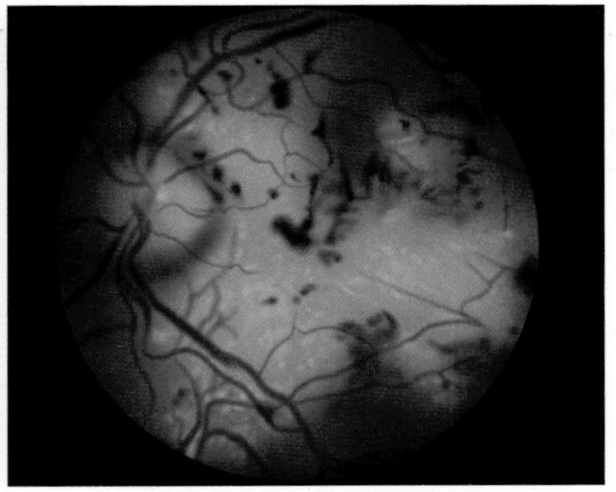

그림 2-6-3 사행성 맥락막염

눈을 被交感眼이라 한다. [그림 2-6-4]

2) 病因

많은 원인은 稟賦가 부족하고, 正氣가 虛衰하여, 안구가 상하거나 내장수술 후에 온다.

(1) 肝膽火盛之人, 相召熱毒之邪, 毒火相合, 上攻於目.
(2) 毒邪內侵, 遏鬱化熱, 熱毒相結, 上犯於目.
(3) 病程遷延, 熱毒久踞, 耗傷陰液, 傷及正氣, 以致氣陰兩虛.
(4) 熱毒之邪, 損傷肝陰腎精, 而致真陰耗損, 虛熱內生.

3) 症狀

외상안에서 시작하여 외상을 받지 않은 눈에도 곧 나타난다. 전안부염증이 재발, 악화되어 안저변화로는 유두충혈, 후극부부종, 망막박리 등이 있다. 외상을 입지 않은 눈에는 전안부염증, 유리체혼탁, 유두충혈과 부종이 있고, 후극부에 국한된 장액망막박리가 생긴다. 외상안에 전구증상으로 눈부심과 시력장애가 있고, 날파리증, 변형 시, 암점, 조절장애 등의 자각증상이 나타난다. 이것은 안과수술 후 후유증 중 가장 심각한 것이다. 안과의 난치증에 속하고 원인이 불명확하여 정확한 처리를 하지 못하면 후유증이 심각하다. 양방치료와 한방치료를 결합하여 치료하는 것이 효과적이 방법이다.

4) 辨證論治

眼外傷이 엄중할 때 나타나는 결과 중 하나이다. 시력의 위해가 엄중히 나타나고 또한 쉽게 다시 발생할 수 있어 양방과 병행해야 비교적 치료효과가 좋다.

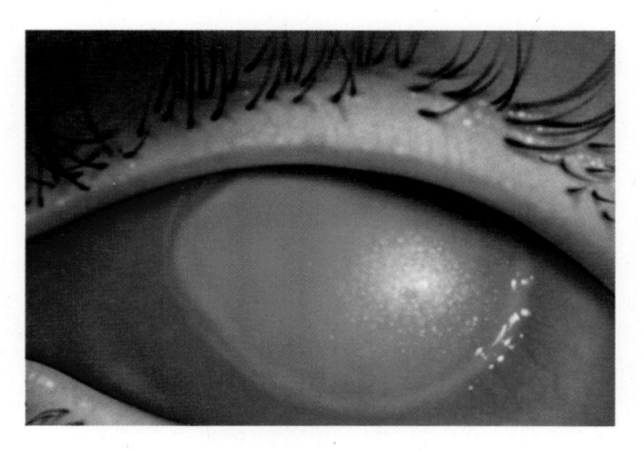

그림 2-6-4 교감성 안염

(1) 肝膽火盛 : 清肝瀉膽, 法瘀散邪 - 龍膽瀉肝湯加減
(2) 毒邪壅遏: 瀉火解毒, 涼血消滯 - 加減化斑湯加減
(3) 氣陰兩虛: 益氣養陰, 兼清餘邪 - 三才湯加味
(4) 肝腎陰虛, 虛火上炎: 滋養肝腎, 清降虛火 - 知柏地黃湯加減

스테로이드제제 투여를 주로 하며, 스테로이드제제 전신 투여, 결막밑 주사, 테논낭 내 주사, 점안 등을 한다. 홍채 후 유착을 방지하기 위해 동공산동제를 점안한다. 이러한 치료로도 재발이 반복되는 경우에는 면역억제제를 사용하기도 한다. 대다수의 예에서는 스테로이드 제제 투여로 염증이 소실되며 시력이 남아 있다면 외상안 적출은 될수록 피하는 것이 좋다. 그러나 스테로이드제제 치료로 치유되지 않는 경우에 눈알적출이 고려되기도 한다.

4. 베체트증후군

1) 概要

눈 부위에 재발성 瞳神緊少증상이 나타나고 口腔, 會陰部점막 궤양을 동반된다. 청장년층에서 다발하

고 여성보다 남성에게 다발한다. 양쪽 눈에 발생하는 경우가 많고, 병정은 길고, 반복 발작하고, 病情은 역시 점차 加重되며 甚하면 失明한다. 韓醫學에서는 비록 그 병명은 없으나 病因, 病機, 臨床證狀은 일찍이《金匱要略·百合狐惑陰陽毒 病脈證治》에 다음과 같이 묘사되어 있다. "狐惑之爲病 , 狀如傷寒 , ……蝕於喉爲惑 , 蝕於陰爲狐 , 不欲飮食 , 惡聞食臭.", " 初得之, 三四日, 目赤如鳩眼 : 七八日, 目四眥黑"라 하며 뚜렷한 병인, 병기와 일련의 효과적인 치료법을 제기하고 있다. 이것이 隋代에 이르러《諸病源候論·濕䘌候》중에도 이 병의 증상에 대해 기재되어 있고 또한 보충되어 있다. "脾胃虛弱, 爲水濕所乘"라고 하여 병인과 병기를 언급하고 있다. 唐代 孫思邈은《備急千金要方》에서 또한 狐惑이 溫毒으로 말미암아 되었다는 병인이 제기되고 있다. 그 후 역대 의가들이 병인, 병기에 대해 보충하고 그 증상을 기록하여 점점 完整하여왔다. 역대의서들의 기록 中 "惑" 或 "蟲"을 종합하여보면, 일부 육안으로 볼 수 없는 病毒과 바이러스를 포괄한다. [그림 2-6-5]

2) 病因

눈 부위의 홍채병변이 위주가 되며, 濕熱內鬱, 邪毒化火, 上下熏蒸하여 홍채가 이를 받아 구강, 인부, 음문에 까지 부식이 생긴다

(1) 濕熱病 치료가 잘되지 않으면, 鬱熱이 滯留하여 暑濕, 濕熱毒邪가 경락을 막고 上下熏蒸하여 홍채, 입, 인후, 음부까지 상하게 한다.

(2) 濕熱이 中焦를 막으면 脾胃受困, 濕熱久鬱하여 陰血을 상하게 하고 혹은 濕熱化毒으로 홍채를 상하게 하고 구강, 인후를 막아 음부까지 下注한다.

(3) 肝脾濕熱, 邪毒內蘊이 淸竅를 훈증하여 입, 인후, 음부를 부식한다.

(4) 병정이 반복되고 길어 久病이 腎에 미치고 熱毒傷陰, 虛火上炎하며 陰虛陽亢하다.

(5) 병정이 수년간 안정되고 근래에 재발하였거나 병정이 오래되어 耗氣傷血하고 濕熱留滯하고 正虛邪實하다.

3) 症狀

초기에 항상 發熱, 關節疼痛, 腫脹 등의 증상이 있다. 이는 후에 頭面部, 頸部에서 신체 각 곳에서 나타나는 丘疹 혹은 結節性 紅斑으로 보일 수 있다. 口腔, 聲帶, 여성의 大小陰脣에서 陰道, 子宮頸部, 남성의 陰囊, 包皮, 龜頭 등의 곳에 균등하게 궤양이 나타나거나 심하면 항문주위까지 파급될 수 있다. 일부 환자는 痤瘡, 毛囊炎이 생길 수 있다. 눈부위에 畏光流淚, 視力低下 등의 증상이 나타날 수 있다. 소수의 환자는 먼저 눈 증상이 있은 후 구강, 외음부궤양 등 기타 부위 병변이 있다. 역학적 분포를 보면 중동과 극동아시아에 많으며, 우리나라에서도 전체포도막염 중 발생빈도가 가장 높은 포도막염이다. 실명률이 높은 눈 질환이며, 눈뿐만 아니라 전신의 여러 장기 조직을 침범하는 만성질환이다. 호발 연령은 25~35세로 남 녀 간의 발생빈도는 큰 차이가 없으나, 눈증상이 잘 발생하는 완전형에서는 남성이 많다. HLA-B51과 관련이 있는 것으로 알려져 있다. 전신조직의 재발성 급성 염증을 나타내며, 주요 기준으로 구강궤양, 외음부궤양, 눈증상(앞방축농을 포함한 홍채염, 망막혈관염), 피부증상(결절성 홍반, 혈전정맥염, 과잉홍분성, 심한 여드름)이 있고 보조기준으로 관절염, 장궤양, 부고환염, 혈관질환(동정맥폐쇄, 동맥류, 신경정신학적 증상) 등이 있다. 그 중에서도 눈의 증상이 가장 심하다. 처음에는 한쪽 눈에만 침범하지만 2/3에서는 양쪽 눈 모두에서 발생한다. 앞방에 염증세포가 많이 나타나고 급성발작

이 있을 때는 앞방축농이 발생하기도 한다. 안저에 출혈이 있고, 형광안저혈관조영술에서 혈관염과 모세혈관폐쇄 등이 관찰되며 병이 오래 지속됨에 따라 망막기능이 저하되어 실명하는 경우가 많다.

4) 鑑別

(1) Stevens-Johnson증후군(주다형홍반erythema multiforme major) 병변발생부위와 주요증상이 베체트증후군과 유사하다. 단지 본병은 급성으로 발생하고 발병한 즉 전신이 무력하고 頭痛, 畏寒發熱, 또 高熱, 피부손상이 엄중하고 수포와 滲出性紅斑이 생기고 심하면 전신에 퍼지고 병이 급하고 엄중하여 나은 후에 항상 결막붙음증, 눈물소실증, 심하면 안구천공 등 후유증이 남고 엄중한 자는 사망에 이른다.

(2) 라이터증후군(Reiter syndrome) 병변 과정에 多關節急性疼痛, 壓痛, 腫脹, 活動제한, 피부의 多發性 紅斑이 출현하고 眼部증상에까지 미치면 베체트증후군과 같은 증상이 나타난다. 차이점은 라이터증후군은 비임균성요도염으로 인해 排尿灼熱不暢하고 尿頻하고 尿色混濁하며 重症은 膿性物이 尿道로부터 나온다. 결막염이 가장 흔한 증상으로 눈증상이며 粘液化膿性으로 나타난다. 暴風啓熱의 증상과 유사하고 病情이 발전하고 黑睛(각막)에도 파급되면 聚星障이 생길 수 있다. 瞳神緊少症은 병정이 긴 환자에게서 많이 나타난다.

(3) 푹스 포도막염증후군(Fuchs uveitis syndrome)(푹스虹彩異色虹彩纖毛體炎) 병변과정이 베체트증후군과 유사한 증상이 나타난다. 그 차이점은 환자의 面部의 腫脹, 紫紺이 발생하며 暴風

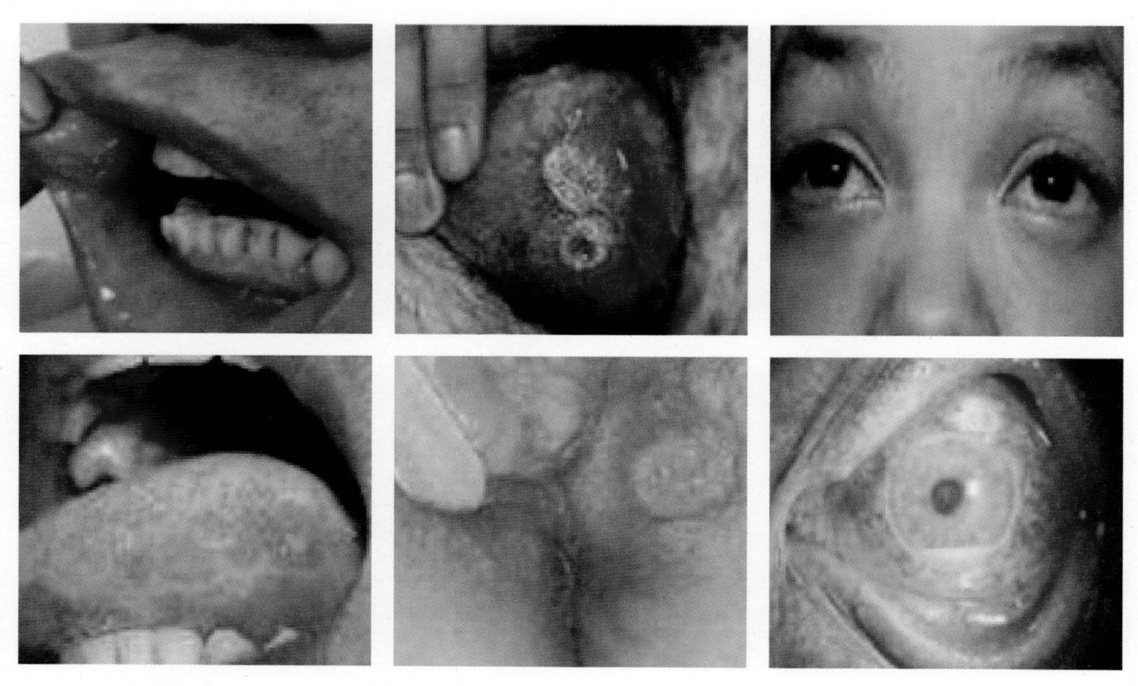

그림 2-6-5 베체트병

喀熱의 重症이 나타난다는 것이다. 단지 본병의 病程은 짧고, 항상 1개월 정도 내원하면 모두 회복되며 再發이 쉽지 않다.

5) 辨證 및 治法

(1) 溫熱滯留, 毒邪窒遏: 清熱散邪, 解毒消腫 - 新制柴連湯加減
(2) 濕熱中阻, 邪毒窒遏: 清熱利濕, 解毒散邪 - 甘露消毒丹加減
(3) 肝脾熱盛, 濕遏血瘀: 清熱利濕, 解毒散瘀 - 解毒散瘀飮加減
(4) 陰虛火旺, 餘邪未清: 滋陰補腎, 兼清餘邪 - 知柏地黃湯加味
(5) 濕熱留滯, 正虛邪實: 清熱化濕, 扶正桂邪 - 甘草瀉心湯加減

스테로이드제제를 많이 사용해 왔으나, 이 약제를 전신 투여한 예에서 궁극적으로는 시력예후를 호전시키지 못한 경우가 많으므로 선별적으로 조심스럽게 사용해야 한다고 주의시키고 있다. 시클로스포린 등을 사용하여 좋은 결과를 얻는 경우도 있어서 면역억제제를 사용하기도 하지만, 대개는 스테로이드제제와 병용하여 적절히 사용함으로써 시력저하, 재발방지에 노력해야 한다. 국소치료법으로는 동공확대제와 스테로이드제제 점안이 있다.

5. 화농성 포도막염

1) 概要

안구가 다른 사물에 의해 손상을 받거나 천공이 되거나 이물이 잔류하거나 내장수술 후 凝脂翳로 각막이 潰破되거나 毒邪가 침습하거나 또는 瘡瘍이 낫지 않아 毒邪가 안에서 머물러 생긴다. 병세가 위험하며 발병은 신속하다. 또한 널리 퍼지고 확산되기 쉽다. 濃液이 前方水를 따라 안구 內로 파급되어 甚하면 눈동자가 헐고 마침내 고질병이 된다. 발병이 急重하고 그 치료는 점점 끌어 지연되는 경향이 있으며 눈동자에 膿이 생길 수 있는데 이때 약물은 이미 주요한 효과가 있기 어렵고, 濃液이 밖으로 배출되는데 《證治准繩·七竅門》에서 "青黃牒出", 《張氏醫通·七竅門》에서 "青黃凸出"이라 말한 증상이다. 그러므로 임상에서 병세 변화를 자세히 관찰하여 효과적인 조치를 취해야 한다.

2) 病因

위험한 병이다. 毒邪의 외부 침입은 말할 것도 없고 毒邪가 壅滯되어 亢盛하거나 邪盛正虛하여 熱로 변하여 燔灼하고 目絡이 가로 막혀 壅渴되어 膿이 되니 이것이 기본병기이다.

(1) 사물에 의한 안구손상, 風熱毒邪의 침입으로 위에서 頭目에 막혀 脈絡痰阻, 氣血凝滯, 壅遏하여 농이 됨.
(2) 화농성골수염, 폐렴, 산욕열, 농포창, 봉와직염은 血中不潔, 毒邪內蘊, 膿毒相襲, 上犯目竅, 化熱燔灼, 壅遏成膿한 것이다.

3) 症狀

초기, 환자가 스스로 눈 주위에 沈重不適함을 느끼거나 또는 찌르는 듯한 통증을 느끼고 頭面頸部로 확산되며, 빛을 싫어하고 눈물을 흘리며, 시력이 신속히 저하된다. 심하면 겨우 손의 움직임이나 빛의 감각을 느낀다. 眼瞼이 紅腫하고 白睛이 혼탁하고 붉으며 水腫이 있고 각막이 혼탁하며 안개낀 듯하다. 前房底部에 膿이 보이며 색이 淡黃色이다. 膿이

頭部로 옮겨 위치가 바뀌기도 한다. 濃液의 양은 적으면 눈의 윗부분을 따라 아래로 세밀하게 검사하면 홍채가 腫脹하고 紋理가 밝지 않으며, 表面의 潤澤이 변하고, 동시에 홍채색소가 脫落되어 전방에서 유리된다. 만약 膿의 양이 많으면 향후 발전하여 神膏까지 파급되고 濃液이 모여 黃光反射가 보인다. 病情이 발전하면 眼痛이 더욱 극렬해지고, 發熱, 煩躁, 視力이 더욱 낮아지며 심하면 시력을 잃는다.

4) 辨證 및 治法

안과질환의 응급증으로 시력손상이 위험한데 그 원인을 막론하고 熱毒이 熾盛하는 증이 된다. 치료는 瀉火解毒, 消膿散滯를 주요로 한다.

녹내장

녹내장은 높은 안압으로 인해 시신경유두의 손상과 시야결손을 일으키며 심하면 실명에 이르는 병리를 가진 하나의 눈 질환이다.

안구 내용물이 안구벽에 작용하는 것을 안압이라 하고 정상적 시력을 유지하는 안압을 정상 안압이라고 하고, 21 mmHg 이상이면 높은 안압으로 간주한다. 안압이 비정상적으로 높을 경우에는 눈에 있는 여러 구조물들이 손상을 받게 되고 이로 인해 시신경의 기계적 손상을 받게 된다. 또한 시신경으로의 혈류공급이 충분하지 않아 생기는 허혈성 손상도 녹내장의 중요한 기전이다.

녹내장성 시야 변화가 나타나기 전에 녹내장성 시신경유두 함몰을 조기에 발견하는 것이 매우 중요하다. 시신경유두 함몰은 시신경유두의 중심부에 있는 창백한 함몰부위로 이곳에는 신경조직이 없다. 동일 경선에서 유두함몰 부위의 지름과 유두지름의 비율로 유두함몰의 크기를 나타내는데, 이를 C/D비라고 한다. 우리나라 사람의 정상 C/D비는 0.6이며, 두 눈의 C/D비 차이는 0.2 이하이다[그림 2-7-1].

녹내장 진단을 위한 Shaffer의 앞방각 깊이 분류법은 다음과 같다.

A : 제 3~4도: 전방각이 20~45°로 개방각이며 전방각폐쇄가 발생할 염려는 없다.

B : 제2도: 전방각이 10~20°이며 중등도로 전방각이 좁아진 상태이다.

C : 제1도: 전방각이 10°이하이며 극도로 좁아져 있다. 결국 전방각폐쇄가 발생한다.

D : 제0도: 전방각이 완전폐쇄된 상태이다. 각막과

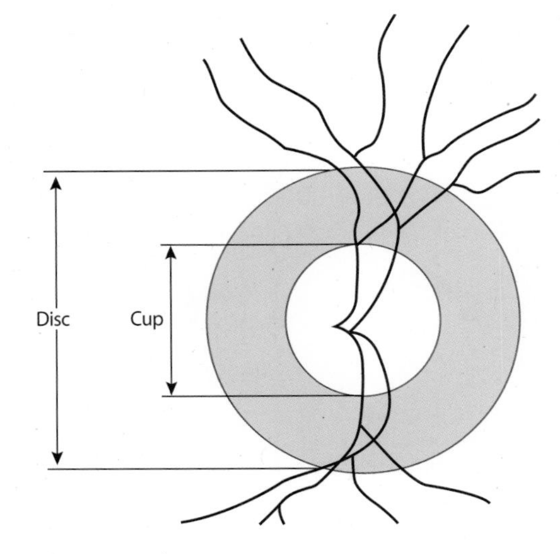

그림 2-7-1 C/D ratio

홍채가 맞닿아 있다[그림 2-7-2]. 녹내장으로 인한 시야결손의 형태는 [그림 2-7-3]와 같다.

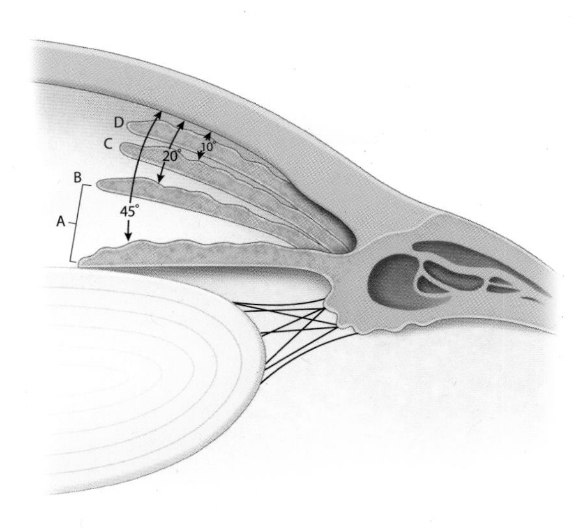

그림 2-7-2 Shaffer에 의한 전방각 깊이 분류

1. 폐쇄각 녹내장

1) 槪要

후방압력의 갑작스러운 상승으로 우각이 폐쇄되어 발생한다. 48시간 이내에 안압을 낮추는 치료가 필요한 안과의 응급 질환의 하나이다. 이는 한의학의 綠風內障과 유사하며 綠風內障은 안압이 증가하고 瞳孔散大, 눈동자색은 淡綠色이며 시력이 급강하하고 頭目劇痛을 동반하는 눈병이다. 발병에는 緩急이 있으며, 눈 치료를 하지 않고 오래 지나면 동공이 산대되어 수축하기 어렵고 눈동자가 黃色으로 변성되어 나중에는 黃風內障이 되어 실명하게 된다. [그림 2-7-4]

2) 異名

綠水灌珠, 綠水灌瞳, 綠水貫瞳人, 綠風變花, 綠水泛

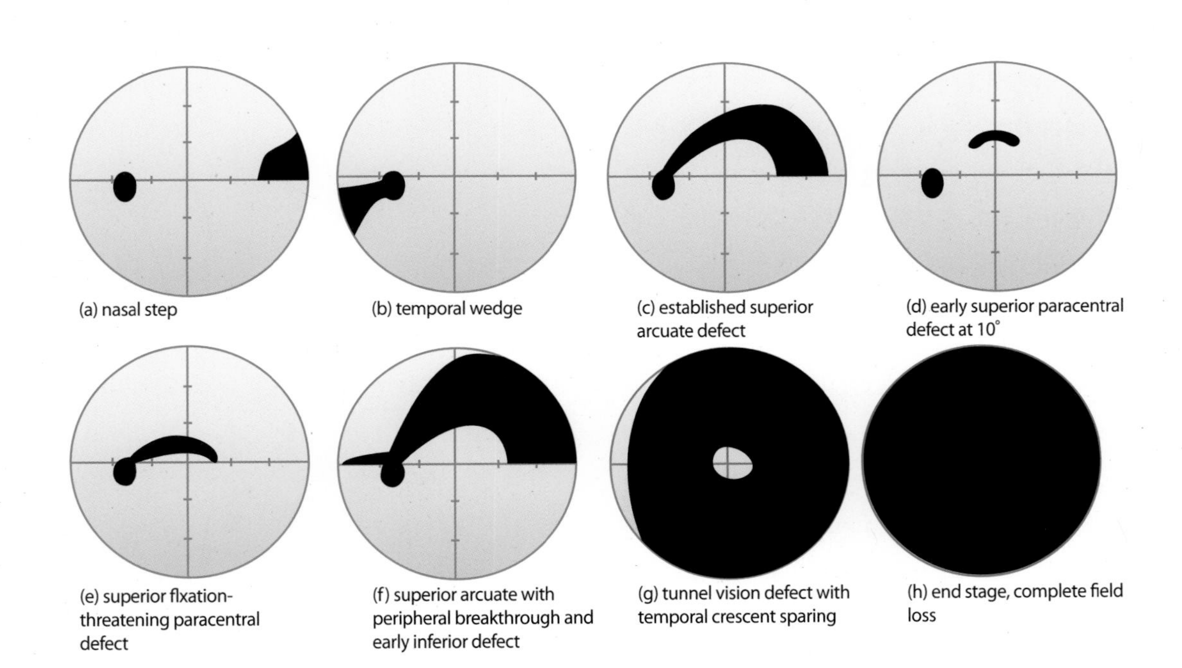

그림 2-7-3 녹내장으로 인한 시야결손의 형태

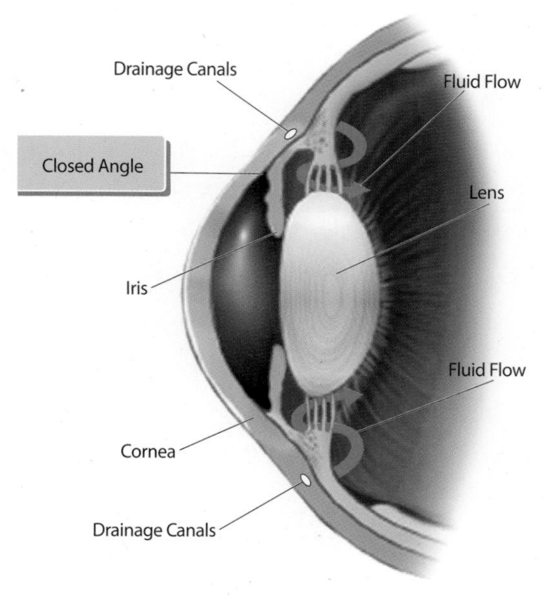

그림 2-7-4 폐쇄각 녹내장

瞳人, 綠翳青盲, 綠盲

3) 病因

肝膽風火가 眼目으로 上攻하거나, 痰火上壅하여 阻滯清竅하거나, 肝胃虛寒, 또는 肝鬱氣滯하여 氣火上逆하거나, 陰虛陽亢하여 風陽이 노인과 부녀에게서 上擾하여 나타난다. 서양의학적으로 후방압력의 갑작스런 상승으로 홍채뿌리가 앞방 쪽으로 이동하면 앞방각이 폐쇄되어 발생한다.

4) 症狀

발병 전 항상 情志 자극이나 신경을 많이 쓴 후에 안구가 약간 팽창하고 鼻根이 疫痛하고 머리와 이마가 疼痛하고 등불을 보면 虹暈이 있고 안개에 싸인 것처럼 視物昏朦하는 것을 자각하는데, 휴식을 취하면 대개 완화된다. 급성인 경우에는 병이 빠르게 발병하고 증상이 극렬하며 안구가 팽창하여 빠질 듯하고 두통이 격심하며 시력이 급강한다. 보통 惡心嘔吐 등을 동반한다. 눈을 관찰하면 白睛은 혼탁하고 붉으며 黑睛은 안개와 같이 뿌옇고 동공이 산대되어 움직임이 부자연스러우며, 동공색이 담녹색이고 혼탁하여 맑지 못하다.

5) 辨證 및 治法

급성 발작 시에는 주요표현이 肝風, 肝火, 痰飲, 瘀滯위주의 실증이 된다. 만성인 자는 氣血失和, 陰虛陽亢이 다수를 차지하여 虛中夾實之證이 된다. 만약 병인이 제거되지 않으면 玄府가 閉塞不通하고, 안구내 氣血津液이 不行하여 필히 失明에 이르게 된다. 서양의학적으로 폐쇄각녹내장은 레이저홍채절개술, 레이저홍채성형술을 하거나 수술치료를 통해 새로운 방수유출로를 만들어 준다.

(1) 肝膽風火, 上攻於目: 清熱瀉火, 平肝息風 - 綠風羚羊飲加減.
(2) 痰火上壅, 阻滯清竅: 降火逐痰, 平肝息風 - 將軍定痛丸加減.
(3) 肝胃虛寒, 陰邪上犯: 溫肝暖胃, 降逆止痛 - 吳茱萸湯加減.
(4) 肝鬱氣滯, 氣火上逆: 疏肝清熱, 和胃降逆 - 丹梔逍遙散, 左金丸加減.
(5) 陰虛陽亢, 風陽上擾: 滋陰養血, 平肝息風 - 阿膠雞子黃湯加減.

2. 개방각 녹내장

1) 概要

특별히 선행하는 안질환이 없는 안압의 상승과 이

로 인한 시신경 장애를 동반하는 질환이다. 한의학에서는 자각증상이 명확하지 않고, 안압 또한 현저하게 증가하지 않으며, 눈동자의 색이 약간 혼탁하여 마치 靑山을 덮은 엷은 연기의 형상과 같은 청색을 띠고, 시야가 점점 좁게 되어, 물건을 보는 것이 나날이 점점 어두워지니 靑風內障이라고 하였다.

2) 病因

肝鬱氣滯로 인한 氣鬱化火나 肝熱生風, 脾不化濕으로 濕이 생기고 痰으로 변해 痰火上擾, 陰虛風動, 肝腎兩虧 및 氣가 虛하여 血을 推動하지 못하여 血脈이 瘀滯하여 생긴다. 서양의학적으로는 섬유주-쉴렘관-집결관으로 이어지는 방수의 유출로에 문제가 생겨서 방수가 충분히 눈 밖으로 빠져나가지 못해 안압이 오르게 되어 생긴다.

3) 症狀

자각증상이 뚜렷하지 않거나 혹은 눈이 팽대하고 두통이 있고, 물건을 보는데 피로하고, 눈동자 색이 淡靑하게 된다. 안압의 증가, 視乳頭의 병리적인 함몰과 시야결손은 이 병의 세 개의 주요한 증상이다.

4) 辨證 및 治法

대부분 七情內傷으로 말미암아 氣血失和, 陰陽失調, 痰火升扰, 神水停滯한 바이다. 간기가 울체한 경우는 마땅히 舒肝解鬱시키고, 火가 생겨 風을 생기게 한 경우는 마땅히 淸肝息風하며, 陰虛陽亢한 경우는 滋陰平肝하고, 痰火가 升擾한 사람은 마땅히 淸熱化痰하고, 혈맥이 불리한 사람은 마땅히 活血通脈한다. 각종 치법은 평균적으로 化瘀利水하는 약을 가하였으며 이로써 神水의 滯留狀態를 개선한다. 서양의학적으로는 대부분 약물치료를 먼저 시도하고, 약물치료로 안압이 조절되지 않거나 시신경이상이나 시야이상이 계속되면 레이저치료나 수술치료를 하게 된다.

(1) 氣鬱化火: 淸熱疏肝 - 加味逍遙散加減.
(2) 肝熱生風: 淸肝息風 - 羚羊角湯加減.
(3) 痰火升擾: 淸熱化痰, 和胃降逆 - 黃連溫膽湯加減.
(4) 陰虛風動: 滋陰養血, 柔肝息風 - 阿膠雞子黃湯加減.
(5) 肝腎兩虧: 補益肝腎 - 杞菊地黃丸 혹은 腎氣丸加減.
(6) 氣虛血瘀, 神水瘀積: 益氣活血利水 - 補陽還五湯加減.

3. 스테로이드성 녹내장

스테로이드녹내장은 스테로이드제제 점안약을 장기간 사용한 사람에서 나타나면 개방각녹내장과 증상이 비슷한 질환이다. 부신피질호르몬제제의 중단으로 병의 진행이 중단될 수도 있지만, 개방각녹내장의 소인이 있는 사람에서 일종의 유발요소로 작용하여 스테로이드제제 투여를 중단해도 녹내장은 계속 진행된다.

4. 신생혈관 및 출혈성 녹내장

홍채와 겉에 소량 생긴 신생 섬유혈관막을 가리킨

다. 더 나아가 말하자면 방각이 유착되어서 생긴 녹내장이라 할 수 있다. 신생혈관은 파열되기 쉽기 때문에, 앞방에서 피가 나오는 일이 반복적으로 발생, 그러므로 출혈성녹내장이라 부르기도 한다. 이 병은 통증이 심하고, 완전히 고치기 힘들며, 일반적으로 실명까지 초래한다.

이 병은 홍채신생혈관을 중요한 특징으로 보며, 안구가 부풀면서 경화되고, 통증이 심하고, 五風內障의 烏風內障과 비슷하다. ≪醫宗金鑑·眼科心法要訣≫에서 지적하길 "烏風은 처음 병증세가 綠風의 증세와 다르지 않다. 단 머리는 아프지만 어지럽지는 않고, 눈앞에 烏花가 자주 보이며, 시일이 경과할수록 동공이 검고 흐린 紅色으로 변한다."고 하였다.

신생혈관녹내장은 망막중심정맥폐쇄와 진행된 당뇨망막병증 등에서 홍채 앞면과 앞방각이 신생혈관으로 덮여서 방수유출이 방해를 받아서 생긴다.

5. 선천성 녹내장

선천성 녹내장은 앞방각 형성시기에 분할이 불완전하여 섬유주, 방수유출로의 해부학적 이상으로 발생한다. 선천성 녹내장은 출생 후 처음 3년 이내에 발생하는 영아녹내장과 그 후에 발생하는 연소녹내장으로 나뉜다. 보통 염색체열성유전으로 발생하며, 대부분 양쪽 눈 모두 발병하고, 남녀 발병 비율은 대략 2:1이다. 해부학적 이상에는 섬유주와 홍채뿌리 사이의 태생기 조직이 불완전하게 퇴화하여 막 모양의 조직으로 남아 있는 경우와, 모양체근섬유가 섬유주 부위까지 침범된 경우, 홍채와 모양체가 섬유주 부분에 부착되어 있는 경우가 있는데 대부분 쉴렘관이 위축되어 있다.

수정체 질환

수정체는 晶珠라고도하고, 黃精 혹은 睛珠라고도 한다. 눈 안쪽 홍채 후, 유리체 전, 동공과 마주하고, 한편의 원형의 탄성투명체가 되는데, 상태는 수정으로 만든 바둑돌 같고, 눈 안에 눈빛을 발하는 중요한 조직을 보호한다. 수정체는 굴광 작용이 있고, 그 본래의 탄성에 의해 굴광을 조절한다. 연령이 증가함에 따라, 수정체의 탄력이 저하되고, 조절작용도 역시 그에 따라 약해진다. 수정체는 일단 발병하면, 점점 흐려지면서 눈 안에 정상적인 눈빛을 발하는데 영향을 주고, 시력장애를 가져온다.

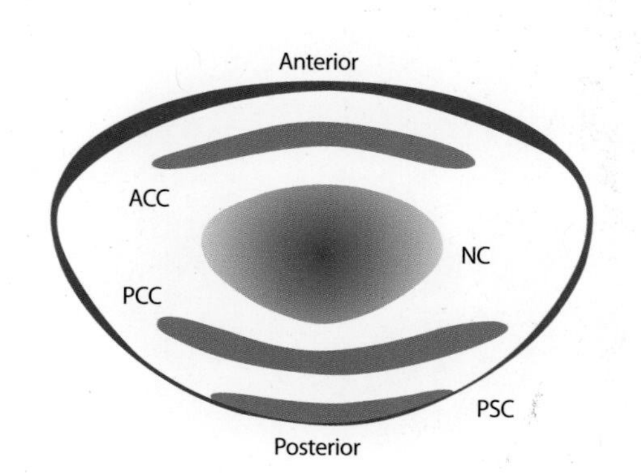

그림 2-8-1 백내장의 부위별 구분

수정체가 혼탁해지는 병리 변화를, 서양의학에선 백내장이라 부른다. 안과에서 자주 볼 수 있는 병이고 주로 시력감퇴를 초래한다. 병의 원인, 발병연령, 발병속도에 근거해, 수정체혼탁정도와 부위별 형태 등 각 다른 종류로 진행된다. [그림 2-8-1, 2, 3, 4, 5]

1. 노인성 백내장

1) 概要

노년에 수정체혼탁과 시력감퇴는 결국 눈동자 안에 원형 은백색의 翳障이 나타나 고도의 시력장애를 유발하는 눈병이다. 이는 한의학의 圓翳內障이라 부른다. 이 병은 50세 이상의 노인들에게서 자주 발생하고 증상이 나타날 때 흔히 양측 면으로 나타난다. 역대안과문헌 중 이병과 유사한 것이 冰翳, 浮翳, 沉翳, 滑翳, 澀翳, 橫翳, 散翳, 棗花翳, 偃月翳, 白翳黃心, 黑水凝翳, 胎患 등이다. 그 이름은 비록 다르나 실제로는 모두 수정체 혼탁으로, 단지 병리 변화의 단계, 정도, 부위, 색깔 등에 차이가 있을 뿐이다.

2) 病因

나이가 들어 체력이 약해져 肝腎兩虧, 精血不足, 脾腎陽虛, 氣血兩虛, 脾虛濕熱 등으로 정기가 눈까지 올라가지 못해 생긴다. 서양의학적으로는 나이가 들면서 수정체섬유단백의 분자량이 증가하고 구성 성분이 변하면서 서서히 투명성을 잃어서 생긴다.

3) 症狀

병 초기엔 안구에 紅腫疼痛이 없으며, 물건을 볼 때 희미하게 보이거나, 눈앞에 위치가 고정된 點狀, 條狀 혹은 원반상 그림자가 보인다. 視近尚清, 視遠昏朦하고, 明處視朦, 暗處視清하거나, 明處視清, 暗處視朦하며, 혹은 視燈光, 明月如有數個. 昏朦日進이 있어, 점차 사람을 구별하지 못하고, 手動만 보이며, 심하면 光感만 남을 수도 있다.

노인성 백내장은 4기로 나눌 수 있다.

(1) 초발기: 피질 중 水隙이 생기며, 空泡와 판층분리, 주변부 피질에선 먼저 쐐기 모양 혼탁을 볼 수 있으며, 점점 중앙을 향해 진전하다.
(2) 팽창기: 수정체 혼탁이 더 심해지며, 飽滿, 앞방이 얇아진다.
(3) 성숙기: 수정체 전부혼탁, 홍채투영음성, 앞방정상회복
(4) 과숙기: 수정체 피질혼탁이 액화상 유백색으로 되고, 핵은 가라앉고, 앞방은 심해진다.

4) 辨證 및 治法

약물치료는 초기에만 적합하고, 만약 수정체가 회백혼탁이 되었을 경우엔, 이미 瞳神에 명확한 장애를 주기 때문에, 약물치료는 효과가 나타나기 어려울 경우에는 수술치료를 진행한다. 백내장 수술의 적당한 시기는 혼탁이 진행하여 직업이나 일상생활에 지장을 줄 만큼 시력이 나빠진 경우이며, 백내장으로 인해 속발녹내장이나 포도막염이 발생할 우려가 보이면 반드시 수술하여야 한다.

(1) 肝腎陰虛: 滋補肝腎 - 杞菊地黃丸加減.
(2) 脾腎陽虛: 溫補脾腎 - 右歸飮加減.
(3) 氣血兩虛: 益氣補血 - 八珍湯加減.
(4) 脾虛濕熱: 健脾除熱, 寬中利濕 - 三仁湯加減.

그림 2-8-2 피질백내장

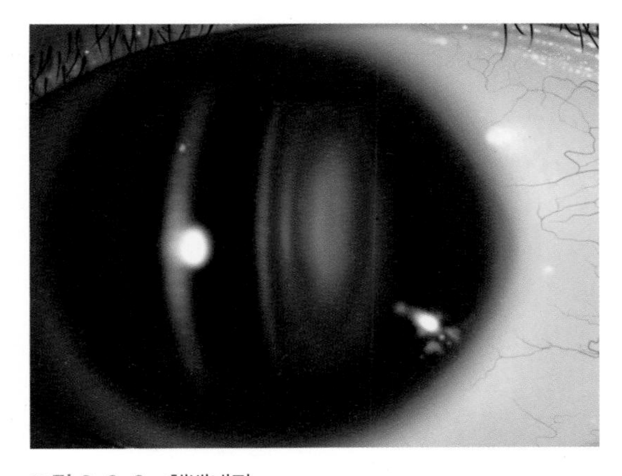

그림 2-8-3 핵백내장

2. 선천성 백내장

1) 概要

선천적인 요소에 의해 소아의 수정체가 혼탁해지거나 출생 후 몇 년 내에 수정체가 점차 혼탁해지는 병으로 한의학에서는 胎患內障이라 한다. 선천성 눈병이나 선천성 기형과 함께 올 수 있다. 양쪽 눈으로 많이 오고, 출생 수개월 후 발현하여 십여 년 후에야 겨우 남이 알아차릴 수 있다. 다수는 停止不變하고, 소수는 완만하게 발전한다. 출생 후 체질이 허약하거나 영양이 불량하면 발전이 가속화될 수 있다.

2) 異名

胎翳內障, 小兒胎元內障

3) 病因

부모의 가족력이 많고, 先天 稟賦不足, 脾腎兩虛의 소치이다. 혹은 모친의 섭식불량, 肥甘厚味나 辛辣炙煿한 음식 섭취, 비슷한 약물의 誤服, 혹은 풍진을 앓아 풍독을 받아 사기가 腹中에 모여 태아의 目睛을 공격해 수정체 발육이 불량해 생긴다.

4) 症狀

환아 출생 후, 물건을 보는 것이 같은 연령대의 아이들만 못하고, 보는데 초점이 없다. 검사상으로, 동공 내 수정체에 乳白色, 粉青色의 혼탁이 나타나고, 혹 작은 점모양, 반원모양, 별모양, 북모양, 깃털모양, 화분모양의 혼탁이 있다. 혼탁한 구역과 투명한 구역의 경계는 명확하다. 瞳神 주위는 깨끗하고 晶珠 중앙은 유백색 혹 藍白色의 혼탁이 있다. 대다수는 양쪽 눈으로 오며, 정도의 차이가 있다. 일부는 원래대로 돌아와 시력에 영향을 받지도 않지만, 수월, 수년간 치료를 받은 경우엔 실명되고, 眼球震顫, 홍채

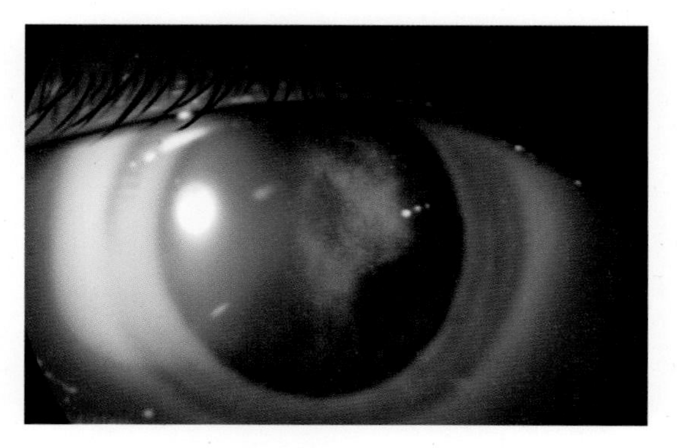

그림 2-8-4 후낭하 백내장

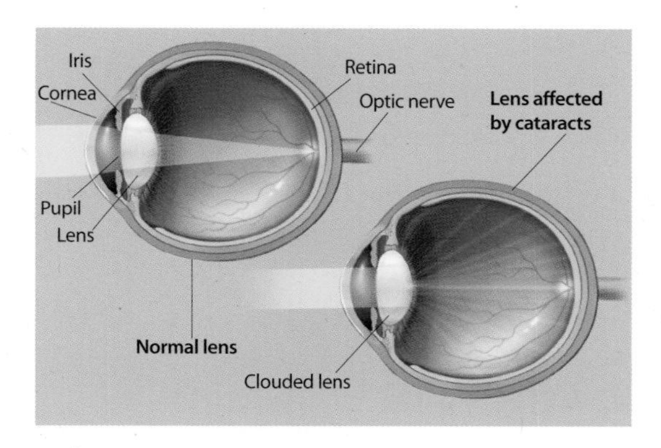

그림 2-8-5 백내장에서의 빛의 산란

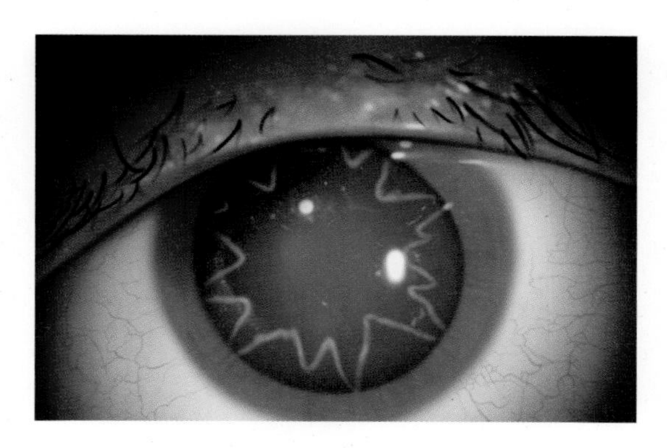

그림 2-8-6 외상성 백내장 (감전)

발육이상, 小眼球, 심장병 등의 안과 질환, 전신질환 등이 동반될 수 있다.

5) 辨證 및 治法

수정체가 경미하게 혼탁하고 시력에 이상이 없고 병정이 점차 가중되면 약물치료를 할 수 있다. 병변이 경미하고 情志不變하면 치료할 필요가 없다. 만약 수정체가 전부 혼탁하고 시력장애가 있으면 조기에 수술치료를 하고 수술 후에 健脾益氣 혹은 滋補肝腎해주는 약으로 조리해서 회복을 도울 수 있고, 또한 수술 후에는 가능한 한 빨리 안경이나 콘택트렌즈를 사용하여 약시 발생을 예방해야 한다.

(1) 脾胃虛弱: 健脾益氣 - 蔘苓白朮散加減.

(2) 腎陰不足: 補腎益陰 - 杞菊地黃丸加減.

3. 외상성 백내장

1) 概要

안구에 물체에 의한 손상이 생겼을 때, 그 손상이 수정체에 까지 미쳐 수정체가 혼탁해지게 되면 內障眼病이 되고 외상성 백내장이 되는데 한의학에서는 驚振內障이라고 한다. 그 손상의 정도가 다르기 때문에 그 병정의 발전 속도와 회복속도 또한 각기 다르다. 약물치료는 병의 정도에 비하면 긴 편인데, 이미 혼탁해진 수정체의 濁氣를 흡수하여 맑게 되돌리는 것이 가능하다. 만약 환자의 눈 손상이 심하지 않은데, 수정체가 전부 탁해진 경우는, 수술치료를 하여 맑게 되돌릴 수 있다. [그림 2-8-5]

2) 病因

(1) 안구 타박상(외상성), 수정체 타박상, 氣血失和, 經脈滯澀, 기가 뭉쳐 膏처럼 응결되어 안구가 빛을 잃고 흐리게 된다.

(2) 안구가 날카로운 물건으로 인해 자상을 입거나 쇠붙이나 돌 등의 딱딱한 물질이 눈에 들어가 안구를 직접적으로 손상시키면 안구는 파열되고 안구냐 지방물질은 바깥으로 흘러 凝硬되어 백내장을 발생시키거나 혹은 風熱毒邪가 틈으로 들어가 눈의 血絡을 손상시키고 瘀血停留로 熱로 化하고, 수정체가 煎灼하게 되어 본병이 발생하게 된다.

3) 症狀

일반적인 외상 후 증상은 안부 동통, 빛을 꺼리는 것, 눈물을 흘리는 것, 시력하강 등이 있다. 눈을 관찰하여 안검의 瘀血腫을 발견할 수 있고 抱輪이 홍적색 혹은 백정이 괄호모양으로 붉고 종창이 있거나 혹은 공막이나 눈동자상에 상처를 발견할 수 있다. 혹은 홍채가 손상을 받거나 神水가 不淸하고 심하면 혈관이 똑바로 보일 수 있거나 눈빛이 흐리멍덩하거나 혹은 눈동자 측면이 기이해진다.

4) 辨證 및 治法

수정체가 경미하게 혼탁하고 시력에 이상이 없고 병정이 점차 가중되면 약물치료를 할 수 있다. 만약 병변이 경미하고 停止不變하면 치료할 필요가 없다. 수정체가 전부 혼탁하고 시력장애가 있으면 조기에 수술치료를 하고 수술 후에 健脾益氣 혹은 滋補肝腎해주는 약으로 조리해서 회복을 도울 수 있다.

(1) 氣滯血瘀: 行氣活血, 法風止痛 - 除風益損湯加減.

(2) 風毒夾瘀: 祛風瀉熱, 活血解毒 - 分珠散加減.

4. 老眼

1) 概要

年老하여 수정체의 탄성이 감퇴하고 조절하는 능력이 약해져서 30 cm 이내에 있는 작은 물건을 볼 때에도 맑게 보이지 않는다. 이것은 생리적 퇴화현상에 속한다. 이러한 현상은《千金方》에 기재되어 있다. "무릇 사람이 45살을 넘으면, 점차 어두워지게 된다." 이후에 주단계가《內經》에 단 의견에서 노화 이후에 한 개인의 정기는 단지 視聽言動을 30년 할 정도만 공급된다고 하여 생리적 퇴화에 관한 진일보된 설명을 하였다.

2) 病因

年老에는 陰常不足하고 陽常有餘하므로 陰精不足하여서 衰老現象이 나타나게 된다.

3) 症狀

45세 전후의 사람에게서 많이 보이는데, 멀리 있는 것은 잘 보이고 가까이 있는 것은 잘 보지 못 하는데 30 cm 내에 있는 것은 읽기 어렵다. 점점 멀리하면 맑게 보인다. 이와 같은 것이 원시로 노화가 일어나기 전에 출현하는 증상이다. 반대로 근시로는 노화 진행이 느리거나 노안이 출현하지 않는다. 빛이 부족한 상황에서는 근시력은 더욱 차이나고 쉽게 눈의 피로를 나타나게 된다.

4) 辨證 및 治法

굴절검사를 하여 원거리 시력을 교정한 렌즈에 볼록렌즈를 추가하여 근거리 시력표를 보게 한다. 근거리 시력표와의 거리를 조절할 때는 각 개인의 근거리 작업거리에 따른 습관, 연령, 팔 길이를 고려하며 최소한의 볼록렌즈로 선명하고 안락한 근거리 시력을 갖도록 처방한다. 원거리 교정렌즈가 필요 없는 정시 환자는 돋보기용 안경을 따로 만들고, 교정안경이 있는 비정시 환자는 하나의 안경으로 원거리와 근거리를 모두 잘 볼 수 있게 하는 이중초점렌즈나 다초점렌즈를 처방한다.

유리체 질환

유리체의 이상은 유리체가 혼탁한 것을 기본특징으로 한 질환이며, 內障眼 범주에 속한다. 유리체는 눈 내용물의 일부분으로 무색투명하며, 혈관이나 신경을 포함하지 않는다. 그래서 그것을 한방에서는 "神膏"라고 한다. 유리체는 자신에 대한 代謝作用이 낮아서 재생능력이 없어 손상 후의 그 공간을 腎水가 메우며, 그 영양은 역시 腎水와 맥락막, 모양체에서 온다.《證治准繩·七竅門》에서는 "膏外則白稠神水, 水以滋膏."라 하였다.

유리체는 빛을 굴절시키는 역할을 할 뿐만 아니라, 망막을 지지하고, 그것으로 하여금 색소상피층과 긴밀하게 서로 붙어 탈락함을 방지하고, 안구의 정상적인 형태를 유지하며, 맑고 순수하여 투명한 특징과 정상형태를 유지함이 있어 광선이 눈 안으로 들어와, 외부의 것을 볼 수 있게 된다.

그러나 장부기능이 失調되면 精이 상승하지 못하여 유리체가 영양을 잃거나, 또는 모양체, 맥락막이 삼출, 출혈이 있게 되고, 유기화물의 견인과 유리체가 위축되어 눈 안의 액체 흐름의 실조를 가져오게 하여, 유리체의 투명한 내용물에 영향을 줄 수 있고, 정상 구조의 파괴를 가져와서, 蚊飛蠅動, 雲霧移睛, 蠅影飛越을 출현시키고, 눈이 멀리 볼 수 없게 하고, 시력 저하를 가져오고, 유리체를 액화시켜 변하게 한다. 유리체가 위축되고, 탈락되고 망막이 끌어당겨지고, 蚊飛蠅動의 증가가 있고, 또한 물건의 변형을 보고, 광시증(photopsia)이 나타나고, 飛蚊, 幻視현상이 있고, 심한 자는 망막 탈락이 있을 수 있고, 더욱 심한 자는 시력 감퇴 혹은 시력 상실을 보일 수 있다.

1. 유리체 혼탁

1) 概要

유리체의 혼탁은 작은 혼탁점에서 전체적 진한 혼탁까지 다양하고 이에 따르는 눈의 증상 또한 다양하다. 일반적으로는 눈이 외관상으로는 이상이 없으나 눈앞에서 구름이 둥둥 떠다니고, 하루살이가 날아다니고, 눈을 따라 움직이는데, 심하면 물건이 몽롱하게 보이고, 혼탁하고 맑지 않은 상태가 되니 한의학에서는 雲霧移睛이라고 하였다. 雲霧移睛

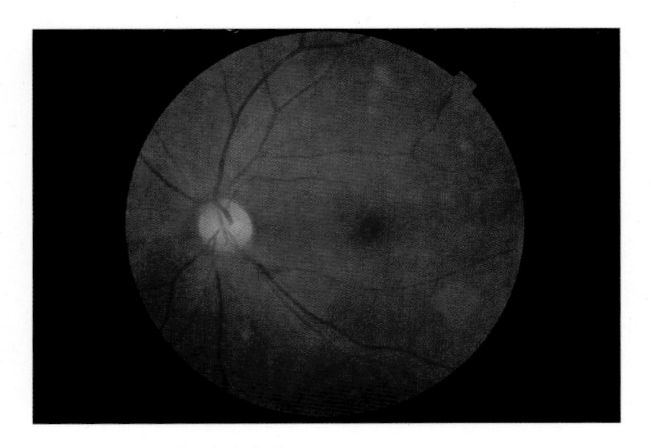

그림 2-9-1 유리체 혼탁

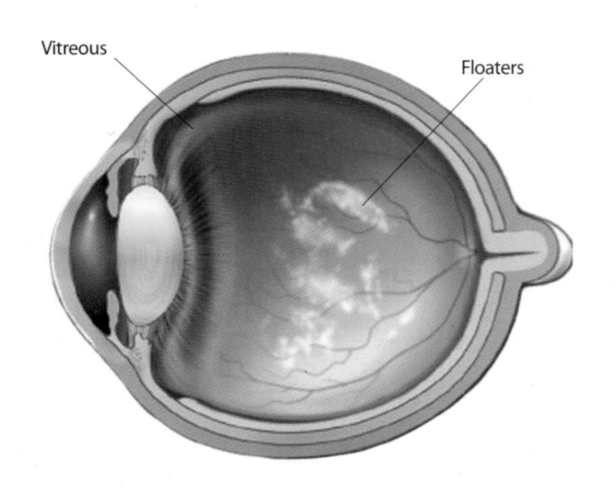

그림 2-9-2 유리체 혼탁

은 많은 종류의 눈병에서 볼 수 있는 일종의 증상이라고 할 수 있는데 가장 대표적으로 나타나는 질환이 유리체 혼탁이라고 할 수 있다. [그림 2-9-1, 그림 2-9-2]

2) 異名

眼前黑花蠅, 飛蠅散亂, 蠅翅黑花, 蠅影飛越, 飛蚊幻視

3) 病因

원인은 다양하며, 虛者는 肝腎虧虛, 精血不足, 目失濡養이 많고, 實者는 濕熱痰火內蘊, 濁氣上泛으로 인한 것이 많고 혹은 肝氣鬱結, 氣滯血痰으로 생긴다. 또한 正虛邪留, 虛火上炎, 灼傷自絡도 있는데 이는 모두 유리체 혼탁에 이르게 한다. 서양의학적으로 포도막, 망막, 시신경 등의 염증, 출혈, 외상 등 여러 종류 원인으로 일어나고, 또한 고도근시, 신장염, 임신중독으로 인한 유리체 변성이 원인이 될 수 있다.

4) 症狀

눈의 외관상으로는 이상이 없으나 눈앞에서 구름이 둥둥 떠다니고, 하루살이가 날아다니고, 또한 눈을 따라 움직이고 무규칙으로 율동한다. 유리체의 혼탁 정도가 다르기 때문에 시력은 정도가 다르게 장애가 있을 수 있다.

5) 辨證 및 治法

유리체가 흐리게 된 원인에 주안점을 둔다.

(1) 濕熱蘊結: 清熱利濕, 法痰消滯 - 猪苓散加減.
(2) 氣滯血瘀: 理氣化痕, 散結明目 - 血府逐瘀湯加味.
(3) 虛火上炎: 滋陰降火, 祛瘀明目 - 知柏地黃丸加味.
(4) 肝腎虧損: 補益肝腎, 養血祛瘀 - 明目地黃丸加減.
(5) 痰瘀互結: 祛瘀化痰, 活血散結 - 活血散結方加減.

2. 유리체 박리

1) 概要

유리체 경계가 망막내 경계막으로부터 박리되는 것을 말한다. 유리체가 액화하거나 혹은 유리체가 유

기화되어 유리체의 수축 등을 일으키기 때문이다. 임상상 후유리체가 이탈하는 것을 많이 볼 수 있고, 앞부분과 윗부분의 유리체 이탈은 비교적 적다. 눈앞이 번쩍이고, 물건이 변형되어 보이고 시력은 떨어져 희미해진다. 고도근시자 혹은 노약자, 간신부족 환자에서 흔히 볼 수 있다. [그림 2-9-3]

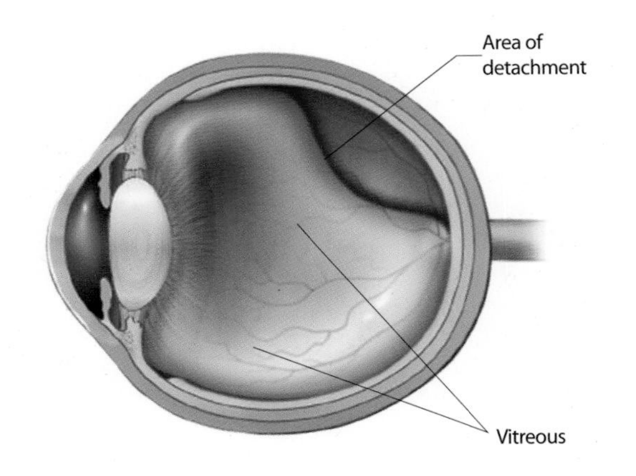

그림 2-9-3 유리체 박리

2) 病因

오장육부의 기능이 평형을 잃거나, 유리체가 영양공급을 잃거나. 눈 부위의 기타 질병이나 충돌함으로써 발생할 수 있는 부상은 자연스럽게 본 병을 초래한다. 전자에서는 肝腎虧虛하여 精不上承하거나, 혹은 心脾兩虛하여 目失濡養함 등이 원인이다. 후자는 유리체의 형태가 변하는 것과 관계가 있다. 노년 변화, 근시 또는 주위 조직의 염증으로 인해 유리체에 액화가 생기고 뒤쪽으로 이동하여, 뒤유리체막에 결손이 생기게 되어 액화유리체가 유리체막과 망막 사이로 들어가 후유리체박리를 일으킨다.

3) 症狀

환자는 갑자기 눈앞에 파리나 모기가 날아 움직이는 것처럼 느끼고, 혹은 고도근시환자는 눈앞에서 黑花가 보이고, 갑자기 파리가 움직이는 것이 많아지는 것처럼 느껴지며 머리를 돌리면 따라 움직이게 되고, 물건이 변형되어 보이고, 머리를 격렬하게 돌려 움직일 때에 섬광감이 증가되며, 시력은 확실하게 떨어지고, 몽롱하게 보인다.

4) 辨證 및 治法

(1) 肝腎兩虛: 補養肝腎, 益精活血 - 加減駐景丸加減.
(2) 心脾兩虛: 補益心脾, 養血活血 - 天玉補心丹加減.
후유리체 박리는 치료의 대상이 되지 않으나 망막열공, 망막박리, 유리체출혈이 합병되면 치료가 필요하다.

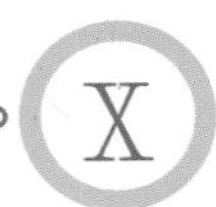

망막

고대 眼科에서 병명은 자각증상에만 기대고 있고 망막의 유일한 자각증상은 시각장애였기 때문에 중심시력의 하강이 가장 주요한 것이었으며 그 다음이 물건의 변형을 보는 것과 색을 보는 것과 閃光感과 시야 결손과 야맹과 黑蒙 등이 회복될 수 있는가였다.

暴盲은《證治準繩·雜病·七竅門》에 기재되어 있는 병명인데 "暴盲은 평소에 아무런 병이 없으며 외관상으로 윤곽에 상한 곳이 없고 瞳神에 손상을 입지 않은 것인데 갑자기 장님이 되고 보지 못한다. 陽傷 한 경우에는 忿怒暴悖와 관계가 있으며 술을 좋아하고 매운맛을 즐기며 燥膩한 것을 좋아하고 열병이 오래되고, 痰火를 얻어서 煩燥秘渴하게 된 것이다. 陰傷한 경우에는 色慾이 많고 悲傷, 思竭, 哭泣 크게 자주 있어서 생긴다. 神이 상한 경우에는 思慮太過 때문인데 마음을 쓰는 데에 끝이 없으며 근심의 상함이 지극히 심하고 驚恐하여 어찌할 줄 몰라 얻게 된다. 종종 頭風, 痰火, 元虛 때문이며 水少한 사람이 어지러움이 발생하거나 깨면 보이지 않는다. 保養할 수 있는 것은 또한 치료하지 않고 자연스럽게 낫게 하는 것이다. 保養하지 못하면 병은 다시 고질병이 된다. 이증은 가장 빠르다."라고 하였다. 暴이라는 것은 급격하다는 것을 가리키며 盲이라는 것은 시력감퇴가 심하거나 결국 실명되는 것을 말한다. 暴盲은 외관상으로는 아무런 문제가 없으나 一眼 혹은 兩眼의 시력이 급격히 하강하고, 심한 경우에는 眼底病의 중한 경우인 장님에 이르게 할 수도 있다. 暴盲을 진단요점에는 4가지가 있는데 하나는 외관상으로는 아무런 문제가 없으며, 두 번째는 시력이 급격하게 하강하고, 세 번째로는 심한 경우에는 실명에 이를 수도 있으며 네 번째는 眼底病을 가리키는 것이다.

靑盲은《神農本草經》약물의 효과를 논하는 곳에 靑盲이라는 이름이 기재되어 있다.《諸病源候論》에서는 최초로 증상이 기술되었는데, 말하기를 "靑盲은 눈은 이상이 없고 눈동자의 흑백이 분명하지만 단지 사물을 보지 못하는 것뿐이다."《龍樹菩薩眼論》靑盲에 대해서 말하기를: "一眼에 전에 병이 있었고 또한 翳에 장애가 남지 않았으며, 瞳人에는 병이 없는 것처럼 平正한데 점점 어두워진다."《秘傳眼科龍木論》靑盲이라는 병명에서 조금 기술된 것이 있는데 肝風目暗內障과 高風雀目內障에 이르며 그런 후에 청맹으로 변화하여 청맹의 한 예가 된다. 《證治準繩·雜病·七竅門》에는 청맹에 대해서 양상에 대해서 기술하였는데, 글 중에서 말하기를 "青盲은 내외관상으로 장애는 없지만 스스로 보이지 않을 뿐이다. 玄府의 깊고 그윽한 원천이 막혀서 靈明을 발하게 하지 못하게 되는 것이다. 모두 치료하기 쉽지 않으며 失神한 경우는 더욱 어렵다. 世人은 다만 目盲을 青盲으로 보았는데 이것은 그릇된 것이다. 青盲이라는 것은 瞳神이 크건 작건 잃거나 손상된 것이 없으며 미세하기 그것을 보면 瞳神안에 특별히 다른 양상이 없으며 마치 일반 사람과 같은데 다만 스스로 보지 못할 뿐이며 이증이 방법이 된다. 만약 氣色이 있으면 그것은 內障이며(內障의 협의는 瞳神에 改變的內障이 있는 것이다) 청맹이 아니다." 청맹은 시력이 완만히 하강한다는 점에서 전자의 暴盲과 구별되며 결국에는 실명에 이르며 뒤에는 시력이 급격히 하강한다. 瞳神에는 손상이 없으며 氣色을 살펴보면 또한 다른 內障眼病으로 인하여 전변되어 생기기도 하며 곧 이것을 청맹이라 하는데 內障眼病이 치료하지 못하고 최종적으로 이르게 되는 경우가 많다고 할 수 있다.

視瞻昏渺는 《證治準繩·雜病·七竅門》과 《審視瑶函》에 기재되어 있는데 目昏의 범위에 속한다. "目內外로 별다른 증후가 없으며 다만 스스로 보는데 어둡고 아득하며 몽매하여 밝지 못하다."라고 칭한다.《銀海精微》에서는 물건을 잘 못 보는 병이 있는데, 말하기를 "물건을 보는데 밝지 못하며 눈동자를 실이 막는 것 같다."라고 하였다.《秘傳眼科龍木論》에서는 肝風目暗內障이 있는데 함께 논하기를 또한 변하여 청맹이 된다고 하였다. 視瞻昏渺는 眼外는 괜찮지만 시력이 완만히 하강하는 眼底病이라고 볼 수 있다.

視瞻有色은 《證治準繩·雜病·七竅門》에서 볼 수 있는데 서양의학의 色視症과 유사하며 膜糊를 보는

A **Normal**

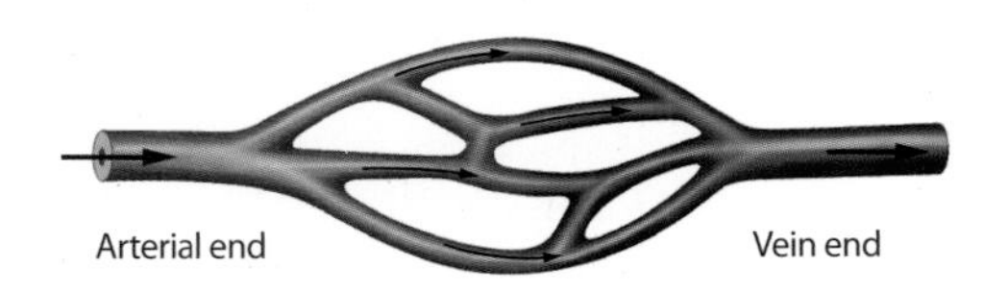

B **Retinal arterial occlusion**

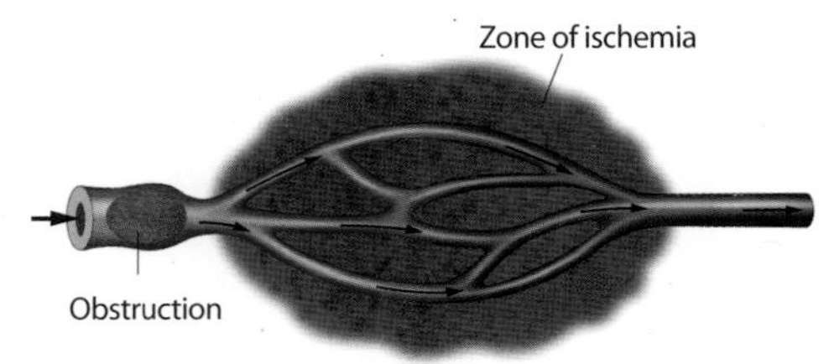

Neuronal Functional impairment > Visual loss
Edema > Pallor

C **Retinal vein occlusion**

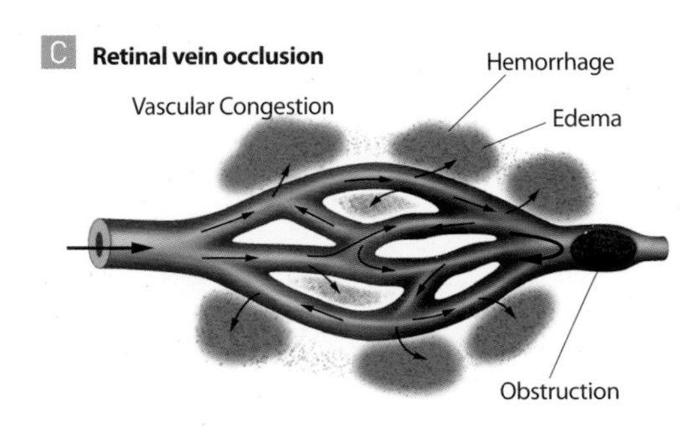

Mild ischemia : Normal Neuronal Function

그림 2-10-1 망막 혈관의 병리

것인데 눈앞에 음영이 있는 것처럼 자각한다.

高風雀目內障은 《秘傳眼科龍木論》에서 볼 수 있는데 《諸病源候論》에 먼저 기재되어 있는 야맹증과 관계가 있다. 《原機啓微》는 "陽이 쇠하여 抗陰하지 못하는 병"이라 칭하였다. 병의 양상은 낮에는 밝게 보이나 밤에는 보이지 않는다. 《秘傳眼科龍木論》에서는 主症이 어두워서 잘 보이지 않으며 오직 꼭대기 위의 물건만 보인다. 高風雀目內障은 야맹과 시야축소증에서 볼 수 있다. [그림 2-10-1]

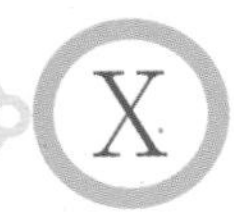

1. 망막동맥폐쇄

1) 槪要

망막중앙동맥은 망막내층과 연결된다. 이 동맥은 종말 동맥으로 분지 사이에 문합이 없다. 일단 폐색이 발생하면 망막내층구역의 혈액 공급이 중단되고, 급성 빈혈 저산소증이 발생하고 시각능력이 급격하게 손상을 입거나 소실에 이르기도 하며, 망막의 후극부에는 유백색의 혼탁이 일어나며, 황반부에 앵두처럼 빨간 점이 있다. 본병은 발병이 급격하며, 單眼이 되는 경우가 많으며 노년에서 호발하고 성별의 차이는 없으며 발병률은 약 1/6,000이다. 많은 환자가 고혈압이 있는 것으로 판단된다. 치료를 늦추면 보통 영구실명이 되며 예후에 차이가 있기 때문에 안과의 급한 중증에 해당된다. 본병은 외관상 아무런 문제가 없으면서, 급격하게 시력을 상실하여 장님이 되어 보이지 않는데, 暴盲의 범위에 속한다. 망막동맥폐쇄는 색전, 혈전, 소동맥경화 등이 원인이 되어 사상판이나 분지점의 망막동맥폐쇄가 발생할 수 있다. 일반적으로 드문 질환으로서, 심장질환이나 동맥경화, 피임약 사용 등이 원인이 될 수 있으며 주로 한쪽에 발생한다. 노인에서 발생하면 거대세포동맥염을 의심해야 한다. [그림 2-10-1, 그림 2-10-2, 그림 2-10-3]

2) 病因

눈 속에 어혈이 생기고 막힌 것으로, 눈이 영양받지 못하고, 玄府가 不利하고 神光이 막힌다. 心은 血脈을 주관하고, 肝氣는 目에 통하며, 瞳神은 腎에 속하는 고로, 心, 肝, 腎 3개의 장기가 밀접하게 관계가 있다. 눈에 혈관이 막히는 데에 이르게 된 것은 아래 기술한 원인 때문이다.

(1) 忿怒暴悖, 氣機逆亂, 氣血上壅, 血絡瘀阻, 竅道不利
(2) 恣酒嗜辣 偏食燥膩, 痰熱內生, 上蒙淸竅, 瘀滯脈道
(3) 老年陰虧, 肝腎不足, 肝陽上亢, 氣穴并逆, 瘀滯脈絡
(4) 心氣虧虛, 血動乏力, 血行滯緩, 脈道瘀滯

3) 症狀

막힌 부위가 중심동맥인지 분지인지에 따라 임상표현이 완전성 혹은 불완전성으로 다르며, 대다수는 중심동맥 폐색이 일어난다. 눈에 다른 질병은 없고 외관상 아무런 문제가 없으며 시력을 갑자기 상실하여 심하면 光感이 없을 정도에 이르고 동공이 散大되어 밝아도 작아지지 않고 어두어도 커지지 않는다. 만약에 어느 하나의 분지가 막히면 즉시 상응하는 부위의 시야가 손실된다.

4) 辨證 및 治法

증상의 정황은 위급하며 예후는 불량하다. 구급 치료는 될 수 있는 한 빨리 치료하는 데에 있으며 후기 치료는 보존하는 데 있다. 그 치료는 통하게 하는 것이 중요하고 益氣에 집중하는 것을 겸해야 한다.

(1) 氣血瘀阻: 行氣活血, 通竅明目 - 通竅活血湯 加減.
(2) 肝陽上亢: 潛陰潛陽, 活血通絡 - 鎭肝熄風湯加減.
(3) 痰熱上擾: 化痰淸熱, 祛瘀通竅 - 黃連溫膽湯加減.
(4) 氣虛血瘀: 補氣養血, 化瘀通脈 - 補陽還五湯加減.

안과 영역에서 초응급에 속하는 질환으로 즉각 치료해야 하며 늦어지면 결과는 매우 안 좋아 발병 후 6~8시간 내에 혈액순환을 회복시켜야 증상이 호전된다.

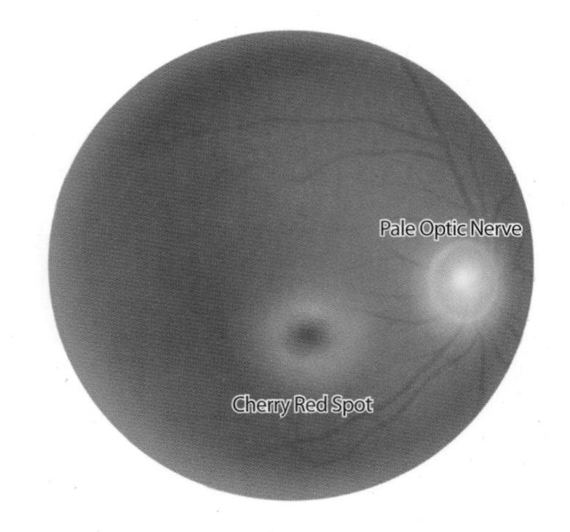

그림 2-10-2 망막중심동맥폐쇄

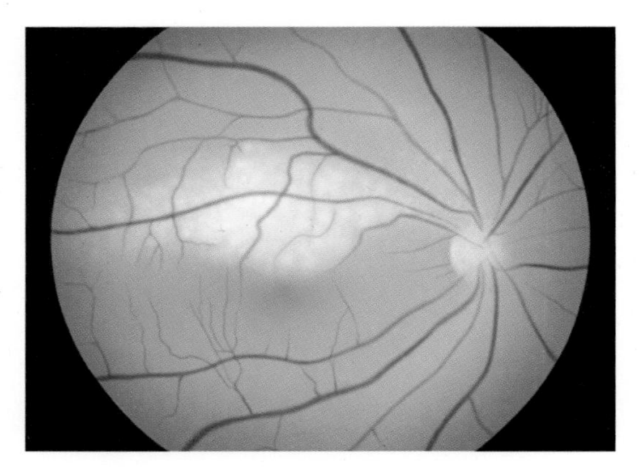

그림 2-10-3 망막분지동맥폐쇄

2. 망막정맥폐쇄

1) 槪要

망막정맥의 主幹과 혹은 속하는 분지들은 종종 어떤 원인에 의해 阻塞이 발생하며, 정맥혈액이 돌다가 흐름이 막혀 끊기면 막힌 곳에서 먼 곳의 정맥 혈관벽은 확장되고 굽어지며 산소가 결핍되고 삼투성이 증가되어 적혈구와 혈장이 삼출된다. 그러므로 망막정맥이 怒脹되었다가 출혈이 발생하게 되는데, 이때의 수종과 삼출이 특징이다. 이것은 일종의 흔한 망막 혈관병으로, 발병률은 망막동맥폐쇄의 6배이다. 중년 노인에게서 최고로 많이 보이며, 50~79세가 더욱 많다. 남녀 발병률의 차이는 크지 않다. 보통 單眼에 발병하며 많은 수가 고혈압 동맥경화가 있는 것으로 판단된다. 본병의 외관소견은 아무런 문제가 없으며 출혈 때문에 시력이 급히 떨어지며 출혈이 많고 때때로 실명에 이를 수도 있고, 暴盲의 범위에 속한다. [그림 2-10-1, 그림 2-10-4, 그림 2-10-5]

2) 病因

脈道를 막히게 하고 脈外로 피가 넘치게 하는 각종 원인에 있다. 혈관의 瘀阻에 이르러 피가 혈액순환이 원활하지 못한 경우가 많다.

(1) 노인이 勞倦하여 시력이 저하되고 음혈이 소모되어 肝腎陰虧하고 虛火上炎하여, 目竅를 어지럽혀서 營血로 들어가면 火灼으로 인하여 어혈이 발생하여 혈맥이 막혀서 맥외로 넘친다.
(2) 肝腎虧虛하여 水不涵木하여 肝陽上亢, 氣血上逆하여 혈맥의 소통이 원활치 못하여 맥외로 넘치게 된다.
(3) 情志內傷하여 肝이 條達능력을 상실하여 氣機가 失調하여 氣가 막히고 血脈瘀阻한다.
(4) 飮食을 偏嗜하거나 過食肥甘하여 痰濕內生하고 痰凝滯血하여 혈맥이 瘀阻하게 된다. 망막의 수종과 삼출 또한 痰瘀와 水濕의 양상이다.

3) 症狀

주요 임상표현은 시력하강과 眼內출혈이다. 증상의 경중과 阻塞部位와 정도는 관계가 있다. 視網膜中央靜脈阻塞은 시력이 갑자기 감퇴되며, 출혈량이 많거나 황반이 시력상실에 이르러 겨우 수의적운동이 된다. 眼底는 망막정맥이 거칠고 크며, 굽어 돌아가고 은연히 출혈과 수종이 생긴다. 시망맥동맥이 반사적으로 수축하고 미세하게 변하며 다수에서 동맥경화증상이 보인다. 화염상의 출혈반이 안저의 각 부위에서 나타나며, 또한 후극부에 많다. 망막정맥관벽의 삼출은 망막의 수종을 일으킨다.

4) 辨證 및 治法

(1) 氣滯血瘀 : 理氣解鬱, 化瘀止血 - 血府逐瘀湯加減
(2) 肝陽上亢 : 平肝潛陽, 化瘀止血 - 天麻鉤藤飮加減
(3) 陰虛瘀熱 : 滋陰降火, 凉血化瘀 - 生蒲黃湯加減
(4) 痰瘀鬱滯 : 化痰利濕, 活血通脈 - 二陳湯 合 桃紅四物湯加減

망막중심정맥폐쇄의 치료법은 없으며, 범안저 광응고술로 홍채의 혈관신생 억제를 기대할 수 있으며, 시신경유두가장자리를 부분 절개하는 수술방법으로 혈류순환을 향상시키기도 한다. 망막분지정맥폐쇄의 예후는 대체로 양호하며, 3개월 이상 황반부종이 없어지지 않으면서 시력이 0.5 이하인 경우에는 황반부에 격자모양 광응고술을, 혈관신생과 유리체 출혈이 있는 경우에는 모세혈관 비관류 부위에 광응고술을 적용하며, 유리체출혈이 심한 경우 유리체절제술을 시행한다.

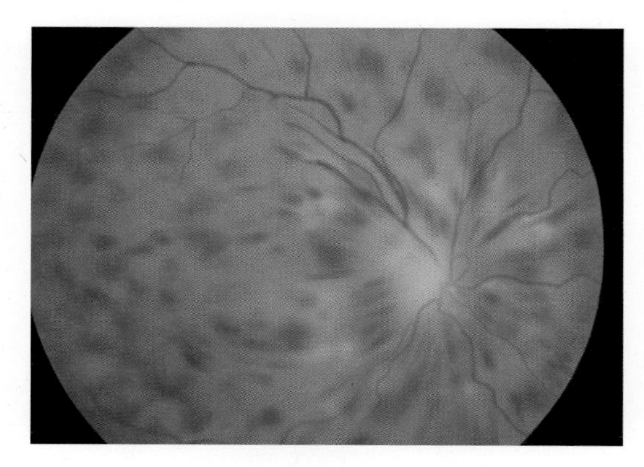

그림 2-10-4 망막중심정맥폐쇄

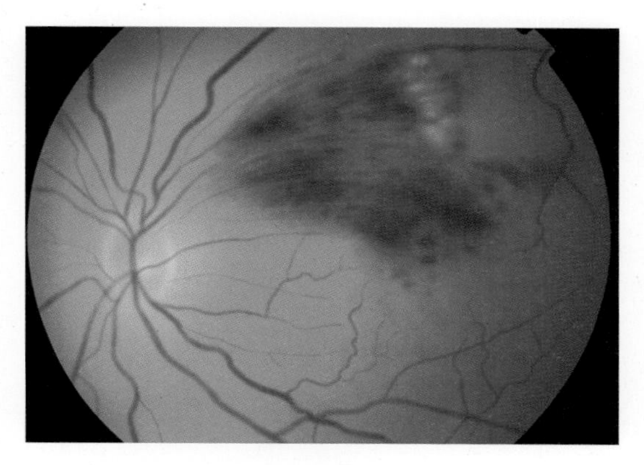

그림 2-10-5 망막분지정맥폐쇄

3. 망막정맥주위염

1) 槪要

망막 정맥 주위염은 망막 정맥 주위 간극 혹은 그 혈관 외막의 염증을 말한다. 정맥 혈전이나 파열 출혈에 이르러, 망막의 반복 출혈과 유리체의 積血로 인한 시력의 장애가 특징이 된다. 청년 남자에서 호발하며, 반복출혈이 일어나기 쉽기 때문에, 청년 반복성 망막 유리체 출혈이라고도 한다. 20~30세의 남자에게서 많이 볼 수 있다. 兩眼에 차례차례 연루되어 일어나기 쉽고, 약 90%의 환자는 다른 눈에서 상응하는 병변을 발견할 수 있다. 위해는 아주 크다. 일반적으로 망막 이탈 등의 병발증으로 인해 실명된다. 그 발병률은 약 眼底病 환자의 2%를 차지한다. 본병은 눈은 외관상으로 아무런 문제가 없으며, 일반적으로 대량 출혈로 인해 유리체로 진입하여 돌연히 실명하게 되므로, 暴盲 범주에 속한다.

2) 異名

目衄, 血灌瞳人

3) 病因

目은 淸竅이고, 그 위치는 높은데, 火性炎上하여 頭目을 향하기 쉽고, 火는 動血하기 쉽기 때문에 주요 병인은 火熱動血이다. 張景岳은 출혈의 병인병기를 火盛, 氣傷으로 귀납하였다. 唐容川은 眼部 출혈의 주요병기로 陽明胃熱과 厥陰肝火를 택하였다.

(1) 嗜辣恣燥하여 胃火가 생겨, 양명경맥은 目에 上絡하는데, 胃火가 上搖하여, 目中의 경락이 灼傷하여, 열이 혈행을 핍박하여 目內로 溢한다.
(2) 情志內傷으로, 肝氣鬱滯하여, 鬱久化火하여 肝火上搖目竅하여 灼脈 迫血하여, 常道를 순행하지 않고 目內로 溢한다.
(3) 思慮過度로 心脾兩傷하고, 勞倦耗氣하여 氣不攝血하여, 常道를 잃어 脈外로 溢한다.
(4) 久病陰虧 혹 色慾過度로 腎陰虧虛하여 內生虛火하여 目竅를 上搖하고 脈絡을 灼傷하여, 혈이 脈外로 溢한다.

4) 症狀

유리체출혈로 인한 심한 시력장애가 가장 특징적인 증상이다. 주변부 망막정맥의 출혈, 혈관집 형성, 확장, 꾸불꾸불해짐을 볼 수 있다. 망막과 유리체 내에 혈관 신생이 생기는데, 특히 유리체의 혈관신생은 특징적인 반복성 유리체 출혈의 원인이 된다.

5) 辨證 및 治法

치료에 있어서 중요한 것은 지혈을 시키되 어혈이 남지 않게 하여야 하고, 어혈을 제거하되 재출혈이 생기지 않게 하여야 한다. 출혈을 지혈하는 것뿐만 아니라 어혈을 消散시키는 것이 중요하다. 이병은 반복적으로 출혈을 하므로 活血藥을 사용하는데 신중해야 하며 정맥이 阻滯된 것의 변증론치와는 다르다. 《血證論》에서 目衄을 치료함에 있어 張從政은 胃火와 肝火로 변증하였고, 治火한즉 治血한다 하였으며, 대황을 사용하였다. 이 병의 치료에는 止血, 消瘀, 寧血, 補血의 四法이 사용되고 있으며, 辨證論治는 항상 전신증상을 살펴보아야 하며, 分期는 早, 中, 晩의 三期로 나누어 보아야 한다.

(1) 胃火熾盛: 淸胃瀉火, 涼血止血 - 玉女煎合瀉心湯加減.
(2) 肝火上炎: 淸肝瀉火, 涼血止血 - 龍膽瀉肝湯加減.
(3) 虛火傷絡: 滋陰降火, 涼血止血 - 寧血湯加減.
(4) 心脾兩虛: 養心健脾, 益氣攝血 - 歸脾湯加減.
(5) 破血化水: 活血利水, 涼血止血 - 桃紅四物湯加減.

서양의학적으로는 대량의 스테로이드 제제를 전신투여하거나 결막 밑으로 주사하면 증상이 호전될 수 있다. 혈관신생과 그 원인이 되는 망막의 허혈부위를 광응고하는 치료가 가장 좋은 방법이다. 심한 유리체출혈 때문에 망막을 관찰할 수 없으면 유리체전체절제술을 한 후 병소를 직접 보면서 눈 속 레이저광응고를 실시한다.

4. 삼출성 망막병변

1) 概要

Coats병이라고도 불린다. 주요원인은 망막모세혈관의 확장으로, 이 확장된 모세혈관 내피세포 보호막

의 기능상실이 망막 신경상피세포층 아래에 장기간의 대량의 혈장 삼출을 야기하여 발생한다. 이로써 대량의 백색 또는 황백색의 삼출물과 출혈이 나타나며 나중에는 외형적 망막 탈락을 발생시키는 것이 본병의 특징이다. 혹시 시력 손상이 있더라도 자각하지 못해 소홀하기 쉬우므로 일반적으로 말기에 백색동공 징후와 사시 등의 증상이 나타나서야 비로소 진료를 시작하게 된다. 결국 심각한 합병증 또는 망막의 완전탈락으로 인해 실명하게 된다. 본병에 있어서 사물을 바라보는 것이 흐리거나 시물변형의 자각 증상은 한의학의 視瞻昏渺의 범주에 속한다. 또한 망막 박리의 발생은 暴盲症에 해당한다.

2) 病因

《審視瑤函》에서 視瞻昏渺의 병인병기를 "神勞, 有血少, 有元氣弱, 有元精虧"라 이르고 또 "久則氣脈定, 須治不愈"라 하였다. 본병은 아동에게 다발하며 선천이상과 관련이 있으며 또한 망막 혈관병변의 요점은 腎은 先天之本이며 心主血脈 하므로 心腎의 기능실조와 유관하다고 할 수 있다. 국부의 주요 병변인 삼출물과 출혈, 혈관이상 등은 瘀血과 痰飮, 濕濁이 상호 결합된 형상으로 이는 痰濕內停, 脾失健運과 유관하다.

3) 症狀

초기에는 병변이 황반까지 미치지 않고 시력에도 영향을 주지 않으므로 대개 자각증상이 없는데 병변이 황반에까지 파급된 경우에는 시력장애와 시물변형이 생긴다. 아동 환자는 일반적으로 스스로 시력장애를 얘기할 수 없으므로 조기발견이 다소 어려워서 시력의 심각한 장애와 사시를 발생시키는 경우가 많다. 또는 안저에 대량의 백색삼출이나 심각한 망막탈락으로 인해 동공구역에 백색동공반사가 나타나서야 비로소 부모가 발견하고 진료를 시작한다.

4) 辨證 및 治法

아동에게 많이 나타나는데 선천적인 소인과 더불어 腎元虧虛, 稟賦不足과 연관이 크고 국부병변 分析에 따르면 痰濕瘀滯, 血熱瘀滯와 유관하다. 그러므로 치료를 논할 때 의당 전체와 국부를 겸하여 돌아보고 補虛와 祛邪를 같이 시행한다. 본병은 속효를 보기가 어려우므로 복약을 꾸준히 하여 완만하게 효력을 얻을 수 있도록 한다. 초기에 병변이 광범위하지 않을 때 발견하면 광응고술이나 냉동술을 시행하지만 대부분 삼출망막박리가 진행된 후 발견되어 시력에 대한 예후는 좋지 않다.

(1) 腎元不足, 痰濕上泛: 補腎益精, 化痰祛濕 - 三仁五子丸 合 二陣湯 加減
(2) 心火上搖, 血熱痰瘀: 淸心凉血, 消痰化瘀 - 淸營湯加減
(3) 脾氣虛弱, 痰濕瘀滯: 健脾祛濕, 化痰消瘀 - 蔘苓白朮散加減

5. 당뇨병성 망막변성

1) 槪要

당뇨병에 의한 망막의 변성은 당뇨병의 엄중한 합병증으로, 실명의 주요 원인이다. 병변은 우선 망막 모세혈관벽의 주세포 및 내피세포 손상을 일으킨다. 모세혈관으로 하여금 정상기능을 잃어버리게 하고, 이어서 경미한 동맥류를 발생시키고 모세혈관 투과성을 증가시켜, 망막수종, 황반낭양수종, 망막출혈을 일으킨다, 모세혈관 폐색과 신생혈관형성 출현이 가능하다. 당뇨병이 눈 부위에 일으킨 증세 이외에 각막감각감퇴, 홍채섬모체염, 백내장, 수정체 굴광도 변화, 안구운동신경마비, 신생혈관성 녹내장을 일으킨다. 가장 중요한 증상은 網膜出血이나 혹은 病變과 黃斑部의 視物模糊이며 이는 가히 視瞻昏渺의 부류에 속한다고 할 수 있다. 만약 眼內에 大出血이 있으면서 突然失明이 있는 것은 가히 暴盲이라 칭할 수 있는데 단지 나타나는 증상으로써 命名한 것이고, 特異性과 定位性이 결핍되어 있다. 가히 본병의 發生原因命名의 근거는 본병은 消渴의 基礎위에 目病이 발생하는 것으로《證治要訣》에 消渴病이 가히 盲에 이를 수 있다고 인식하며 이르기를 "三消久之, 精血既虧, 或目無所見, 或手足偏廢如風疾, 非風也"라고 하였다.

2) 病因

消渴病의 주요원인은 飮食不節, 情志失調, 房勞傷腎 혹은 先天禀賦不足 혹은 多服溫熱燥藥과 陰津虧耗, 燥熱內盛이 기본병리가 되며 또한 陰津虧耗와 燥熱內盛은 서로 因果가 된다. 주요병리는 燥熱이 目中血絡을 灼傷하는 것이며 表現은 視網膜血管의 일부분이 改變되어 出血爲主가 된다. 陰傷, 燥熱, 血瘀는 消渴目疾의 主要病機가 되며 또한 氣虛도 포함된다.

3) 症狀

망막의 微細血管이 손상을 받아서 毛細血管 內皮細胞가 屛障능력을 상실하여 발생하며 따라서 網膜深層의 小出血 斑點과 網膜의 水腫 混濁이 나타난다. 계속해서 毛細血管閉塞과 혈관벽의 局部性 擴張이 형성되어 小血管瘤가 된다. 毛細血管과 網膜의 長期水腫은 가히 蠟樣滲出(면화반)이라고 칭하는 硬性脂質이 발생한다. 망막의 수종, 출혈, 機化膜, 缺血등의 변형은 後極部에 생길 수 있고, 시력에 중대한 영향을 미친다. 糖尿病性 網膜變成은 곧 增殖型 糖尿病性 網膜病變을 일으킨다.

4) 辨證 및 治法

消渴과 함께 발병하고 먼저 필수적으로 내과적인 치료를 병행해야 하며 혈당을 내리는 것이 전신증상의 호전과 안질환의 호전에 관계가 있다. 대부분 陰虛火旺, 脾虛氣弱, 氣陰兩虧, 腎陰虧虛로 변증되며, 血便은 瘀血 방면으로 논한다. 消渴의 常用方藥을 眼科에 응용하였다.

(1) 陰虛燥熱: 養陰淸熱, 涼血散血 - 白虎加人參湯加減
(2) 氣陰兩虛: 益氣養陰, 涼血化瘀 - 生脈散合玉女煎加減
(3) 肝腎陰虛: 滋補肝腎, 活血明目 - 杞菊地黃湯加減
(4) 脾虛氣弱: 健脾益氣, 化濁散痕 - 升陽益胃湯加減

6. 중심성 장액성 망막병변

1) 槪要

황반에서 망막색소상피층 부근에 이르는 국한성 장액성 천층 탈출증이다. 20~45세 청장년 건강한 남성에 많이 나타나고, 양측성 발병과 여성 발병자는 적다. 그 예후는 비교적 좋으나 다만 쉽게 재발한다.

2) 異名

視瞻昏渺, 視直如曲, 視正反斜, 自昏花, 目妄見, 肝

風目暗症

3) 病因

병인은《證治准繩》에서 神勞, 血少, 元氣弱이다. 瞳神은 신에 속하고 눈은 간의 竅이며, 肝腎同源이고 脾主運化하고 黃斑은 脾에 속한다, 따라서 본병의 발생은 주로 肝, 腎, 脾의 기능실조와 연관이 있다. 腎元의 虧虛가 근본원인이다. 情志傷肝과 勞倦과 굶주림이 脾를 상하고, 運化기능의 실조가 주요 병인이다. 서양의학적으로는 색소상피층의 작은 결함 때문에 맥락막모세혈관에서 삼출물이 망막 밑으로 누출되어 생긴다.

4) 症狀

주로 경도의 시력감소와 큰 것을 작은 것처럼 본다든지, 기울어지게 본다든지, 곧은 것을 굽은 것으로 본다든지 하는 視物變形과 가벼운 색각장애가 동반될 수 있다.

5) 辨證 및 治法

內障多虛, 水輪屬腎의 관점으로 대부분 肝腎虧虛에 따르며,《審視瑤函》에서는 明目地黃丸, 三仁五子丸 등을 처방으로 제시하였다. 현대에서는 국부병리를 결합하여 虛治외에도 濕治, 痰治, 瘀治, 鬱治까지 포함시켜 나누었다.

(1) 濕濁上犯: 祛濕化濁 - 五苓散合二陳湯加減
(2) 肝經鬱熱: 疏肝解鬱, 淸熱活血 - 加味逍遙散加減
(3) 肝腎陰虛: 滋補肝腎, 和血明目 - 四物五子丸加減
(4) 痰瘀鬱滯: 祛瘀化痰, 活血明目 - 血府逐瘀湯加減
(5) 心脾兩虛: 補益心脾 - 歸脾湯或人蔘養榮湯加減

누출이 있는 부위가 망막중심오목이 아니면 광응고술을 실시하여 병의 경과를 단축할 수 있다.

7. 중심성 삼출성 맥락막망막염

1) 槪要

황반부에 국한되거나 또는 그 부근의 맥락막 망막의 육아종성 염증이다. 황반부에 황백색 삼출이 있거나 출혈성 병변이 있는 것이 특징이다. 20~40세 사이의 연령에서 병에 걸리며, 성별의 뚜렷한 차이는 없고, 대부분 한쪽 눈이 병이 된다. 서양의학적으로 중심장액맥락망막병증과 유사하다.

2) 異名

視瞻昏渺, 視直如曲

3) 病因

瞳神의 병위에 해당하며 滲出과 出血의 병리변화가 있고, 視力障碍를 호소하게 된다. 그 병인병기는 肝腎虧虛, 火熱動血, 濕濁痰瘀 등과 유관하고, 火熱은 또한 虛火가 될 수 있으며, 濕熱 혹은 鬱熱이 위로 올라가 생기게 된다.

4) 症狀

病人은 시력장애, 視物變形 및 중심성 暗影을 자각한다. 시력손해 정도는 中心凹가 받는 정황에 따라 정해진다.

5) 辨證 및 治法

중심성 장액성 망막병변과 대동소이하다. 중심성 삼출성 맥락막 망막염에 있는 출혈의 치료는 理血이 중요하다.

(1) 陰虛火動: 滋陰降火, 凉血散血 - 知柏地黃湯加減
(2) 濕熱痰瘀: 淸熱祛濕, 化痰消瘀 - 三仁湯加減
(3) 肝經鬱熱: 淸肝解鬱, 活血化瘀 - 丹梔逍遙散合桃紅四物湯加減
(4) 肝腎兩虛: 滋補肝腎, 活血明目. 杞菊地黃丸加減.

8. 노인성 황반변성

1) 概要

黃斑部의 組織구조의 老衰성 변성이다. 원인은 脈絡膜 모세혈관의 위축 혹은 유리막의 파열로 인한 것이며, 脈絡膜 모세혈관이 중앙 쪽으로 갈라짐으로 말미암아 색소상피 방향으로 생장하여 網膜下에 신생 혈관막을 형성한다. 본 병은 乾性과 濕性으로 크게 두 개로 나눌 수 있다. 전자는 항상 양쪽 눈에 동시에 발병하고, 후자는 양쪽 눈에 선후관계로 발생하는 것이 많다. 乾性이 濕性에 비교하여 발병률이 높은데 전자가 후자의 열배이다. 50세 이상의 노인에게서 다발하는데 명확한 차이는 없으며, 발병률과 연령의 증가에 어느 정도의 상관관계가 있다. 本病의 乾性자는 양쪽 시력이 완만하게 하강하는데, 視瞻昏渺의 범주에 속한다. 濕性자는 항상 黃斑出血로 인하여 돌연히 시력이 하강하는데, 暴盲의 범주에 속한다.

2) 異名

視瞻昏渺, 暴盲

3) 病因

유전, 慢性 光損害, 영양불량, 중독, 면역손상, 고혈압, 동맥경화 등의 원인과 관련 있을 수 있다. 水輪은 腎에 속하고, 黃斑은 脾에 속하는데 腎主藏精하여 先天之本이 된다. 本病의 病因病機는 腎精의 虧損과 脾虛不運이다. 腎精虧虛하면 눈이 濡養을 잃어 神光이 훼손되고, 脾虛失運하면 氣血津液이 常道를 잃게 된다.

4) 症狀

(1) 乾性(萎縮性, 非滲出性이라고도 한다.) 老年 黃斑部 變性 50세 이상에서 다발하며 양쪽 눈에 동시에 발병한다. 이것의 특이점은 後極部 색소상피의 진행성 위축이다. 색소가 없어지거나 增生하여 유리막이 두꺼워지고 색소상피와 유리막 사이에 유리막 疣가 보인다.
(2) 濕性(盤狀, 滲出性이라고도 한다.) 老年 黃斑部 變性 60세 이상의 노인에게서 다발하는 형태이며 항상 한쪽 눈에 먼저 발병한다. 그 주요 특이점은 網膜 색소 상피 아래에 활발한 혈관막의 新生이 있다. 신생혈관막으로 인하여 滲出, 出血, 後期의 機化的 과정, 瘢痕 등에 이르게 된다. [그림 2-10-6, 그림 2-10-7]

5) 辨證 및 治法

노인에게서 비교적 흔하게 볼 수 있는 老衰와 연관된 만성 眼病이다. 肝腎兩虛와 脾氣虛弱이 그 근본

원인이며, 局部병리는 血熱妄行과 痰瘀水濕과 관련이 있다. 滋補肝腎과 健脾益氣가 치료의 本이 되며, 凉血止血, 化痰祛濕, 活血散瘀가 치료의 標가 된다.

(1) 肝腎虧虛: 滋養肝腎, 活血明目 - 四物五子丸加減

(2) 脾虛氣弱: 建脾益氣 - 補中益氣湯加減

(3) 陽虛火旺: 滋陰降火, 凉血散血 - 知柏地黃湯合生蒲黃湯加減

비삼출성은 치료할 필요가 없으나 삼출성은 시력보전을 위해 노력해야 한다. 단계를 정확히 확인할 수 있으면 레이저 광응고술을 시행한다.

9. 원발성 망막색소변성

1) 概要

原發性 視網膜色素變性은 色素性 視網膜 營養不良이라고도 한다. 이것은 일종의 遺傳性 網膜 感光細胞의 퇴행성 변화이다. 그 특징은 양 눈에 발병하며, 만성 진행성 시력기능의 손해와 동반하여 안저에 색소변화가 있다.

早期의 주요 자각증상은 夜盲, 계속해서 視野가 縮小되고 高風雀目, 內障範疇에 속한다. [그림 2-10-8]

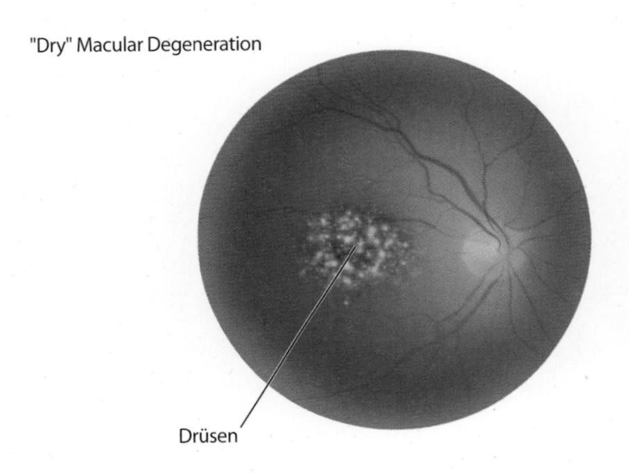

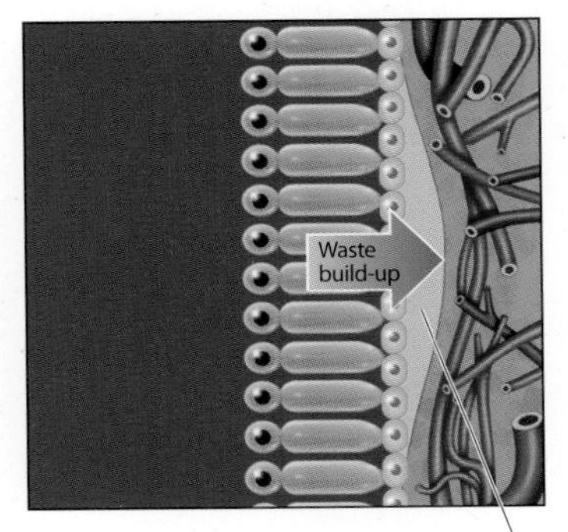

그림 2-10-6 노인성황반변성(건성)

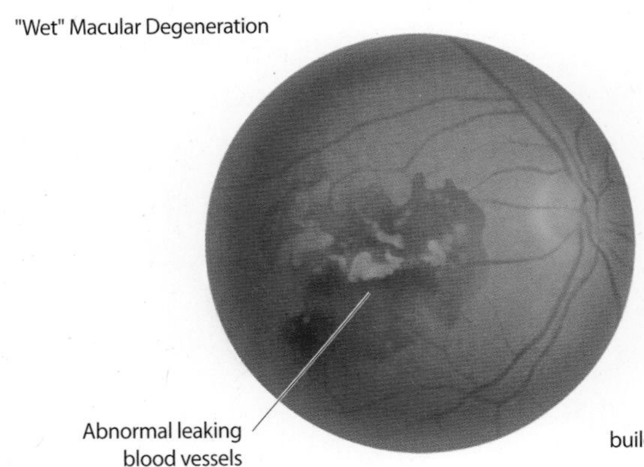

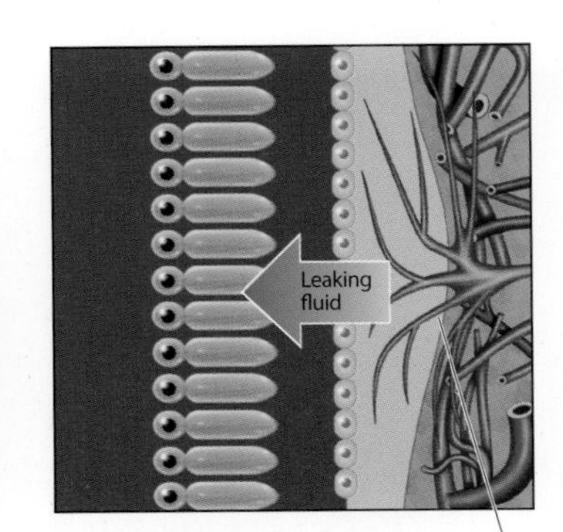

그림 2-10-7 노인성 황반변성(습성)

2) 異名

高風雀目, 夜盲, 雀目

3) 病因

유전성 질병이다. 진행성으로 시력에 손상을 주고, 수술창상 후나 산후 대병 후의 병례가 적지 않고, 시력의 신속한 하강에 이르게 한다. 그래서 본병은 전반적으로 虛가 主가 된다. 본병의 중후기에 망막 혈관협착과 맥락막 모세혈관위축이 있고, 또한 병정이 길기 때문에, 이들 현상과 한의학의 瘀滯가 서로 부합된다. 한의학에는 이미 內障多虛, 久病多虛, 久病多鬱, 久病多瘀의 관점이 있다. 그러므로 본병의 근본병기는 虛에 瘀와 鬱을 겸한 것이다.

4) 症狀

어두울 때 적응능력이 감퇴하고, 夜盲이 있다. 병정 진전이 매우 완만하며 몇 년 혹은 십수 년 후 점차 視野縮小가 발생한다.

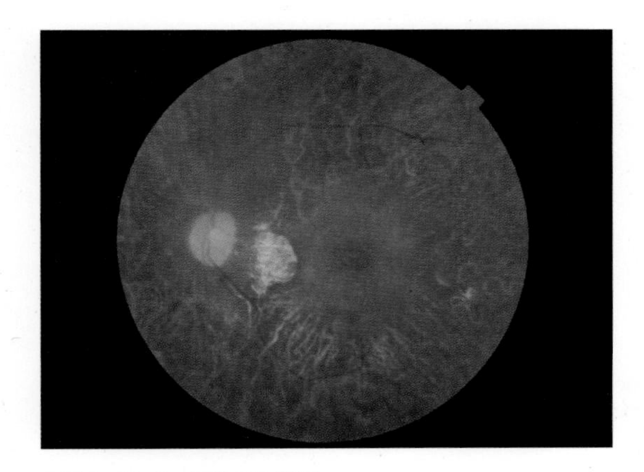

그림 2-10-8 망막색소변성

5) 辨證 및 治法

주로 虛, 瘀, 鬱에 의거하고 腎, 肝, 脾에 근거하여 시력의 제고 혹은 만성 실명의 병정이 감소함을 기대할 수 있다. 임상상 肝腎陰虛, 脾腎陽虛, 脾虛氣弱의 세 종류로 나뉘고 아울러 活血通絡, 解鬱明目의 치법을 배합한다. 임상상 肝腎陰虛가 가장 많다.

(1) 肝腎陰虛: 滋補肝腎, 活血明目 - 明目地黃丸加減.
(2) 脾虛氣弱: 補脾益氣, 活血明目 - 補中益氣湯加減.
(3) 腎陽虛衰: 溫補腎陽, 活血明目 - 右歸丸加減.

현재 알려진 치료법은 없으며, 후대에 질병이 발생하는 것을 예방하기 위해 유전상담을 해야 한다.

10. 원발성 망막박리

1) 概要

망막박리는 망막의 感光上皮層과 色素上皮層 사이가 분리된 것이다. 원발성 망막박리는 망막 박리 중 가장 흔하게 보이는 것 중 한 종류로 절대다수가 열공(裂孔)을 발현할 수 있으므로 또한 孔源性 망막박리라고 한다. 성인에게 많이 발생하고 남성 환자가 많고 다수가 한쪽 눈에 발병한다. 근시안에 호발하고 고도근시에서 더욱 비교적 쉽게 발생한다. 시력 위해가 심하다. 본병에 먼저 나타나는 징조는 섬광과 환각으로 神光自現 범주에 속하고 박리부위가 후극부에 이르러 영향을 주게 되면 빠르게 실명에 이를 수 있어 暴盲의 범위에 속한다. [그림 2-10-8, 그림 2-10-9]

2) 異名

神光自現, 暴盲

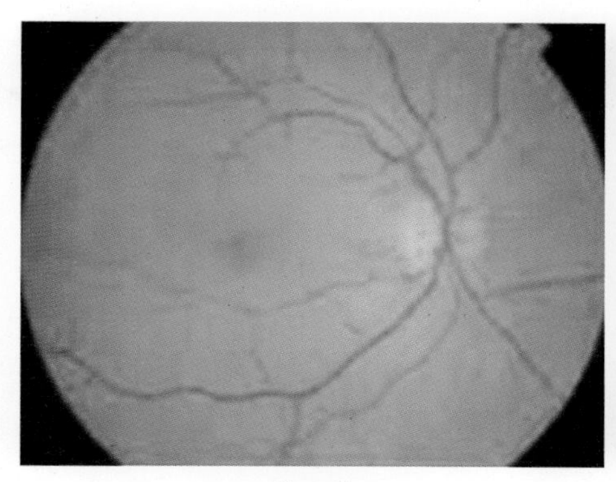
Normal

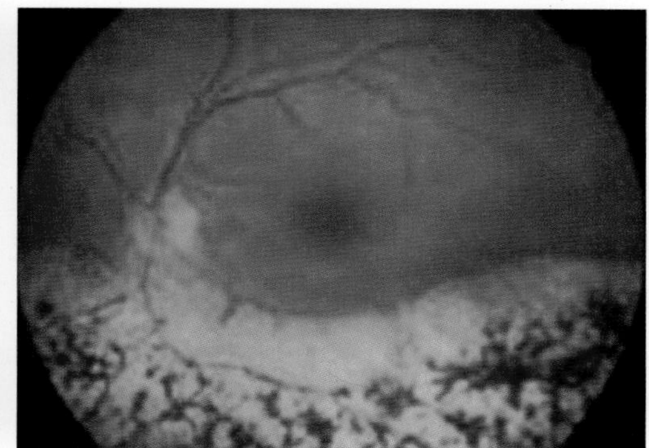
Retinitis Pigmentosa

그림 2-10-9 망막색소변성

3) 病因

망막, 유리체 변성의 기초 상에서 망막에 열공이 출현하고 망막신경상피와 색소상피간에 액체가 쌓이고 분리된다. 肝腎虧虛, 脾虛氣弱, 氣陰兩虧로 눈의 失養됨이 큰 요인이고 혹 脾腎兩虧, 水液代謝失常, 上泛目竅의 결과이다.

4) 症狀

최근 중노년의 고도근시에서 많이 발병되고 있다. 발병 전에 많은 전구 증상을 보이고, 주요 증상은 비문증과 눈앞의 섬광감으로 유리체 뒤의 박리의 증상이고, 유리체 뒤의 박리로 인하여 망막열공이 발생할 수도 있다.

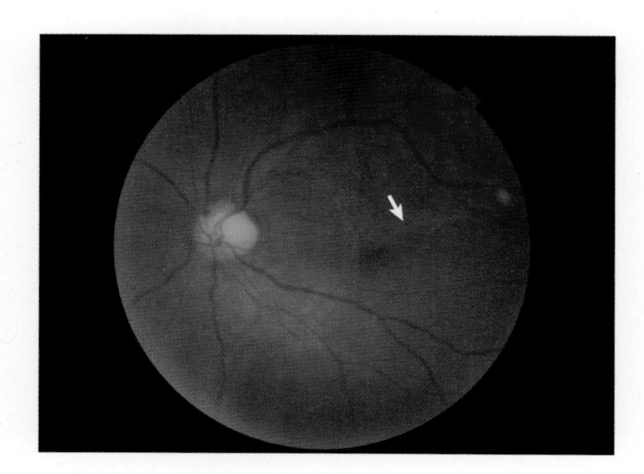
그림 2-10-10 망막박리

5) 辨證 및 治法

수술과 배합함을 위주로 한다. 수술 전에는 益氣活

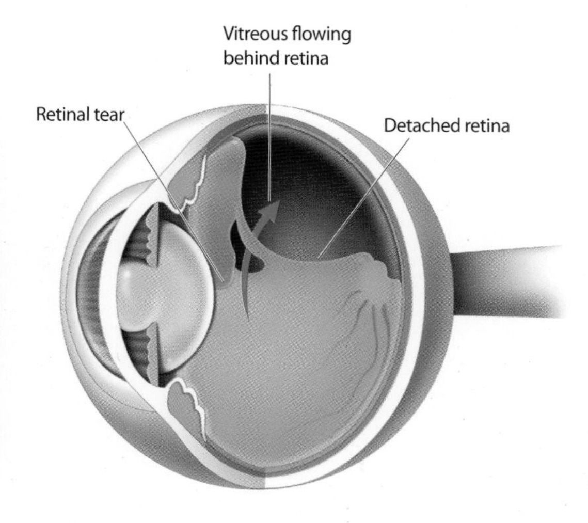

그림 2-10-11 망막박리 기전

血利水 위주로 하여 網膜下 적체된 액체를 감소시키고, 수술 후에는 活血益氣, 補益肝腎, 疏風淸熱을 통한 시력의 회복을 위주로 한다.

(1) 肝腎虧虛: 滋補肝腎, 活血明目 - 杞菊地黃湯加減.
(2) 脾虛濕泛: 健脾益氣, 利水化濁 - 補中益氣湯加減.
(3) 氣陰兩虧: 益氣養陰, 補水寧神 - 補水寧神湯加減.
(4) 肝經鬱滯: 疏肝理氣, 解鬱明目 - 逍遙散加減.

수술의 목표는 모든 열공을 발견하여 열공 주위의 망막을 망막색소상피에 접합시켜서 영구적으로 유착시키는 것이다. 속발망막박리는 원인 질환을 먼저 치료하고 때로는 망막하액의 배출을 병행한다. 견인망막박리인 경우에는 유리체절제술로 유리체강 내의 견인섬유조직을 제거한다.

시신경 질환

1. 시신경염

1) 概要

시신경염은 여러 가지 원인으로 인하여 시신경 부위에 염증이 발생하는 것을 말한다. 시력 장애, 시야결손이 주요 임상 특징이다. 병변의 부위는 같지 않고 병변의 주요 피해가 안구내 부근은 視神經 乳頭炎이라 칭하고, 병변이 안구 뒤에 국한되어 있으면 球后視神經炎이라 한다. 이 병은 40세 이하의 청장년과 아동에 호발하고 노인에는 극소수만 발병한다. 약 60%의 환자에서 양 눈에 발병한다. 병세는 비교적 급하고 시력에 위협적이다. [그림 2-11-1, 그림 2-11-2]

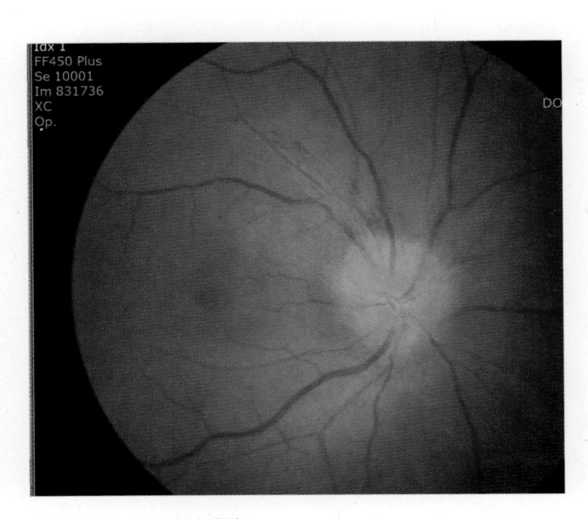

그림 2-11-1 시신경염

2) 異名

暴盲

3) 病因

足厥陰肝經은 目系에 연결되고, 瞳神은 腎에 속하므로, 본 병의 발생은 주로 肝腎이 함께 失調되는 것과 밀접한 관계가 있다. 그 병을 일으키는 病機는 대개 火(熱), 鬱, 瘀, 虛로 인한다.

4) 症狀

갑작스런 색각이상, 시력감소와 중심시야 결손을 보이다가 수주에서 수개월 동안 서서히 호전되는 질환이다. 대부분 눈을 움직이면 통증이 있고, 섬광시가 있을 수 있다. 대부분의 경우 시력은 정상 또는 거의 정상으로 회복되는데, 그렇지 못한 경우도 있고 또 재발하기도 한다.

5) 辨證 및 治法

熱, 鬱, 瘀, 虛가 근본 병인병기가 되고, 肝腎의 기능 실조를 조정하는 것이 중요하며, 기혈의 보양에 주의하고 때에 따라 연속적인 복약 치료를 하면 처방이 유효하며, 그렇지 못하면 장차 고질병이 된다. 약을 쓰는데 活血疏肝에 유의한다.

(1) 肝經火盛: 清肝瀉火 - 龍膽瀉肝湯加減
(2) 肝經鬱熱: 清肝解鬱 - 加味逍遙散加減
(3) 陰虛火旺: 滋陰降火 - 滋陰降火湯加減
(4) 氣血兩虛: 補益氣血 - 人参養榮湯加減

시신경염은 치료를 하는 경우에는 정맥 내 스테로이드 제제를 투여하고 경구투여는 하지 말아야 한다.

2. 가족유전성 시신경병변

1) 概要

레베르 시신경병증이라고도 부른다. 本病은 일종의 희귀한 가족 遺傳性 對稱性 視神經萎縮이며, 萎縮이 나타나기 전에 球後視神經炎의 증상이 나타나기 때문에 遺傳性 球後視神經炎, 遺傳性 視神經萎縮 등의 병명을 가지고 있다. 대부분 20세 전후의 남성에서 發病하며, 양쪽 눈에서 대칭적으로 손상이 나타나지만 수일 혹은 수개월의 차이를 두고 발병할 수 있다. 발병 후에는 결국 視神經萎縮으로 인하여 시력을 잃게 된다. 레베르 시신경병증은 모성유전되므로 그 어머니에게서 태어난 아이들은 모두 그 형질을 물려받으나 여자만이 다음 세대에 형질을 물려준다. 本病은 급작스럽고 급격하게 시력이 하강하고 심하면 실명에 이르게 되는, 한의학의 暴盲의 범주에 속한다. 《審視瑤函》에서 論하기를 暴盲의 病因 중 하나를 "元虛水少"라고 하여, 本病의 遺傳性 소인과 相合함을 보여주었다. [그림 2-11-3]

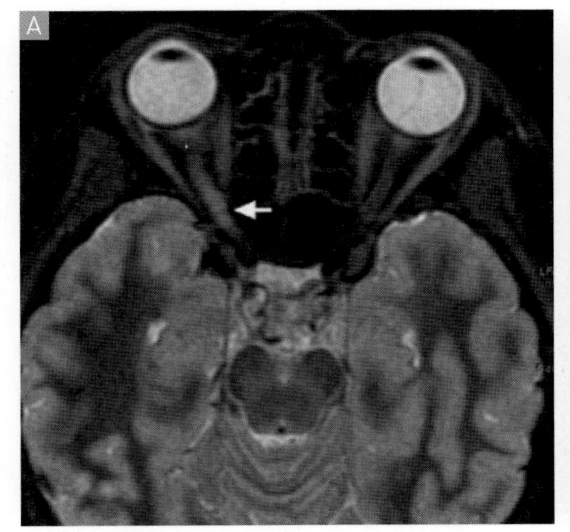

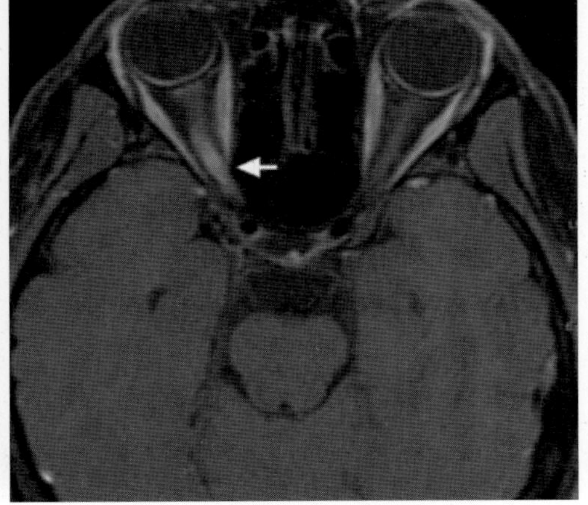

그림 2-11-2 시신경염

2) 異名

暴盲

3) 病因

遺傳性 疾病이며, 瞳神의 疾病이며, 주요 손상은 目系에서 나타나며 시력 상실까지 이르게 된다. 腎元虛衰, 精血不足이 本病의 發生의 根本原因이다. 肝火上擾 혹 肝經鬱熱이 本病의 發病을 촉진시키는 중요 소인이 된다. 肝火 혹 鬱熱은 또한 精血을 소모시키기 때문에 병이 중하고 치료하기 어렵다.

4) 症狀

청년 남성이 발병하면 양쪽 눈의 시력이 동시 혹은 단기간 내에 급격히 하강한다. 이후에 다시 進行性 視力減退로 진행할 수 있다. 병의 초기에는 빨간색과 녹색 색맹의 표현이 있고, 후기에 대부분 영구적인 시력 소실이 있으나 일부에서 치료 후에 시력 이 0.5 이상으로 회복되기도 한다. 단, 색에 대한 감각 장애는 여전히 남는다.

5) 辨證 및 治法

急則治其標, 緩則治其本한다. 본병 초기에는 마땅히 淸肝瀉火, 解鬱活血함으로서 肝火, 鬱熱 目系의

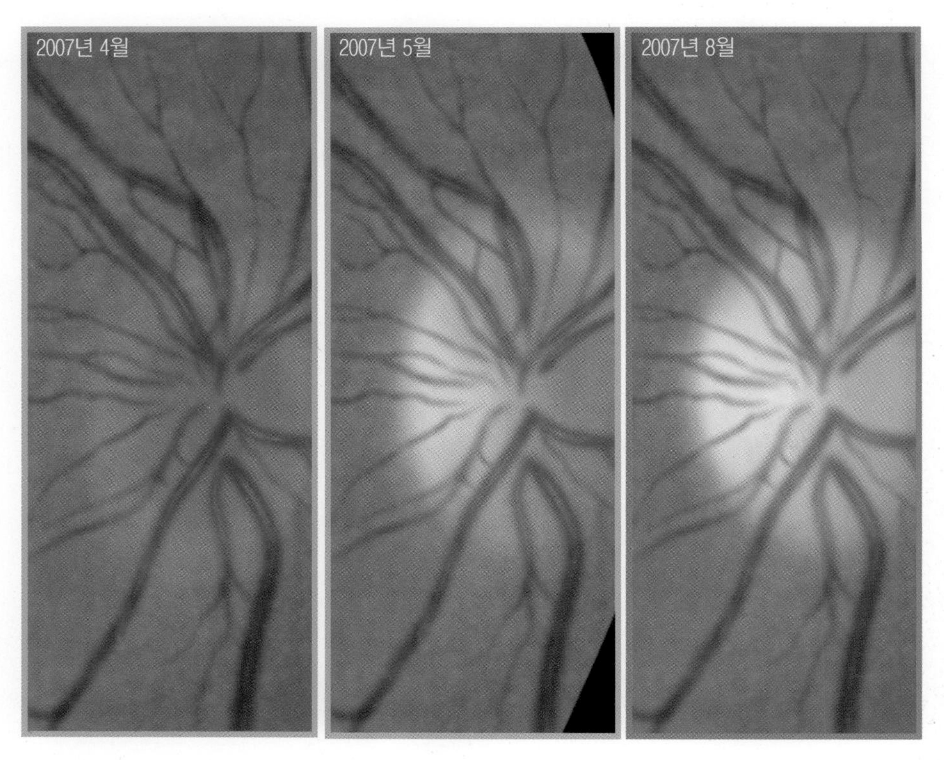

그림 2-11-3 레베르 시신경병증

鬱熱을 제거한다. 병이 후기에 이르면 補腎益精로 治本하고 疏肝解鬱, 活血明目을 겸하여 시력을 회복시킨다.

(1) 肝經邪火: 淸肝瀉火 - 龍膽瀉肝湯加減
(2) 肝經鬱熱: 淸肝解鬱 - 加味逍遙散加減
(3) 肝腎陰虛: 滋補肝腎 - 四物五子丸加減

3. 허혈성 시신경병증

1) 概要

시신경을 영양해주는 작은 혈관들의 폐색과 허혈이 발생하여 시신경 유두 부위에 혈액공급이 제거되어 돌발성 시력장애와 시야결손(상하반맹, 중심암점, 신경섬유다발결손, 사분맹), 시신경 유두 수종과 선상출혈을 특징으로 한다. 이 질환은 노년기나 노년전기에 잘 발생하며 항상 발생기간이 수주에서 수년에 이르기까지 다양하다. 혈액 공급 장애의 전신성 요소와 失血, 저혈압으로 인한 쇼크, 혈액점조와 당뇨병, 고혈압, 風濕病, 편두통 등을 수반하는 경우가 많다. 이 질환의 자각증상은 빠른 시력저하와 심한 경우 실명이며 暴盲의 범주에 든다. [그림 2-11-4]

2) 異名

暴盲

3) 病因

心은 血脈을 주관하고, 手少陰心經은 目系와 연계되며, 足厥陰肝經은 目系와 이어지며, 腎은 骨生髓養腦를 주관하고, 腦는 目系와 이어지므로 이 질환의 발생은 心, 肝, 腎기능 실조와 관계있다. 부분병리로는 血瘀氣滯가 된다.

4) 症狀

발병은 비교적 돌발적이며 특정시간에 발생하는 경우가 많으며 주관적인 증상은 다양한 정도의 시력감퇴이며 여러 경우에 시력 장애가 발생되며 심한 경우 실명에 이르게 된다. 한쪽 눈이 먼저 오며 수

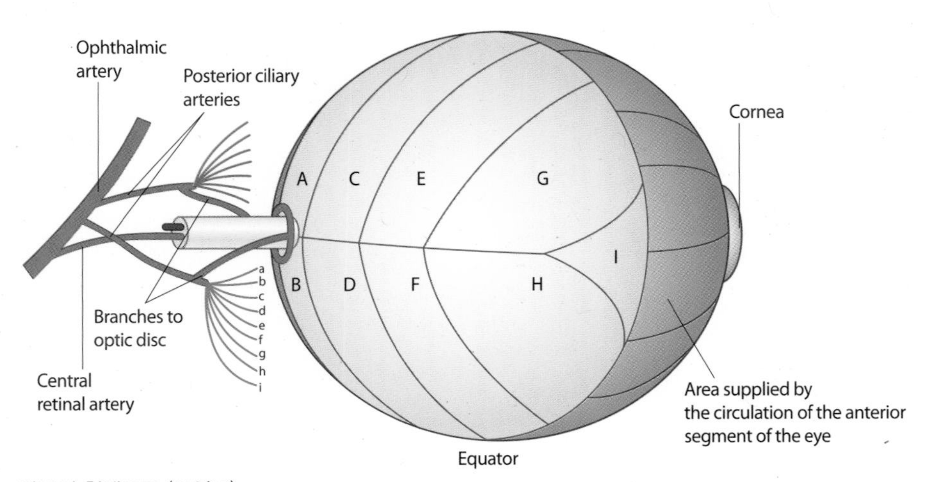

그림 2-11-4 안구의 혈액공급 (구역도)

주, 수개월, 수년에 이르러 다른 쪽 눈도 발병하게 된다. 발병 전에 수일 동안 일과성 黑蒙이나 편두통이 있을 수 있다.

5) 辨證 및 治法

(1) 肝陽上亢: 平肝潛陽, 活血通絡 - 鎭肝熄風湯加減
(2) 氣血兩虛: 補益氣血, 活血明目 - 八珍湯合補陽還五湯加減
(3) 肝鬱氣滯: 疏肝理氣, 活血明目 - 逍遙散加減
동맥염으로 인한 허혈성 시신경병증의 경우 이미 발생한 눈의 시력회복에는 별 도움이 되지 않지만 다른 눈에서의 발생을 방지하고, 전신증상을 경감시키기 위해서 스테로이드 제제를 즉시 투여해야 한다.

4. 시유두혈관염

1) 槪要

시유두 내의 섬모 모양의 혈관 분지에 국한된 병변이나 망막 중앙 혈관의 비특이성 염증을 지칭한다. 視盤내의 섬모 모양의 혈관분지에 염증이 발생하여 모세혈관 삼출을 증가시켜 시유두의 수종이 위주가 되는 경우를 Ⅰ형 시유두혈관염이라고 한다. 시유두의 표층에 바퀴살 모양의 모세혈관 염증이 누적되어 망막중앙의 정맥에 파급되어 망막 중앙 정맥염성 폐색이 발생되는 경우를 Ⅱ형 시유두혈관염이라고 한다. 이 질환은 한쪽에만 발생되는 경우가 많으며 양측으로 발생되는 경우는 드물다. 환자는 40세 이하의 건장한 청장년 남성 위주로 발생된다.

자각증세로는 사물이 흐려지게 보이며, 視瞻昏渺의 범주에 속한다.

2) 異名

視瞻昏渺

3) 病因

시유두 내의 혈관에 염증이 발생한 것이다. 心主血脈하며 目은 心之使이며 少陰心經은 目系에 연계하며, 瞳神은 屬腎하며, 肝氣는 通於目하고, 肝經은 目系에 連하므로 이 질환의 발생은 결론적으로 心, 肝, 腎의 기능실조와 관계가 있다. 火는 炎上하는 성질이 있으며, 目은 火가 아니면 병이 발생하지 않으므로 이 병의 병기는 火, 瘀와 밀접하다. 火에는 實火(心火, 肝火), 虛火, 鬱火의 다름이 있다.

4) 症狀

자각 증세는 명확하지 않으며 남성 청장년에서 다발한다. 시력장애는 비교적 경미하다. 시야 검사 시 생리적 맹점이 확대되어 있으며 주위 시야는 정상이다.

5) 辨證 및 治法

병변의 부위와 병리변화에 근거하여 일반적으로 心肝腎論治에 따라, 淸火涼血, 疏肝化瘀를 治法으로 사용한다.
(1) 肝火亢盛: 淸肝瀉火, 涼血化瘀 - 龍膽瀉肝湯加減
(2) 陰虛火旺: 滋陰降火, 涼血活血 - 知柏地黃湯加減
(3) 肝鬱氣滯: 疏肝解鬱, 理氣活血 - 解鬱逍遙散加減

5. 중독성 약시

1) 槪要

독성물질이나 약물로 인한 시신경과 망막신경절세포 손상으로 시력장애를 일으키는 것을 말한다. 각종 원인으로 인한 시신경섬유 중독 후에 나타나는 공통적인 특징은 양쪽 눈에 대칭성으로 발병한다는 것이고 시력감퇴와 시야손상을 야기하고 병이 중할 경우는 시신경위축을 일으킨다.

2) 病因

독성물질과 辛熱燥熱한 性味의 음식들이 비위를 손상시키는데, 이럴 경우 目系를 해치게 된다. 서양의학적으로 메탄올, 에탐부톨, 디지털리스, 트리메타디온, 스트렙토마이신, 클로람페니콜, 설파제, 퀴니딘 등의 약물에 의한 중독성 약시를 일으킨다.

3) 症狀

주요 증상은 시력저하로 병정이 완만할 경우는 視瞻昏渺 범주에 속하고 시력이 급격히 떨어져서 실명한 경우는 暴盲 범주에 속한다. 만성화되면 시신경위축이 발생하여 결국 靑盲이 된다.

4) 辨證 및 治法

유독물질의 성질을 먼저 파악하고 합병증이 있는 환자는 체질과 전신증상을 종합적으로 고려하여 변증시치 하여야 한다.

(1) 肝胃火盛: 淸肝瀉火, 活血明目 - 龍膽瀉肝湯加減
(2) 肺胃陰傷: 養肺益胃, 涼血活血 - 養陰淸肺湯加減
(3) 濕熱內蘊: 淸熱祛濕, 活血明目 - 三仁湯加減

중독성 약시 급성기에는 일반적으로 상술한 3가지 변증 중에서 선별하여 치료하면 되는데 후기에 시신경위축이 나타난 환자는 시신경위축에 관한 변증론치를 추가적으로 고려해 보아야 한다.

6. 시신경유두부종

1) 槪要

일종의 비염증성 視神經乳頭의 充血浮腫이라고 할 수 있다. 이는 각종 원인에 의해 두개 내의 압력이 높아져서 생기는 것이다. 視神經乳頭는 안압과 뇌압 사이의 臨界에 위치한다. 뇌압이 안압만큼 올라갔을 때, 視神經乳頭浮腫이 생길 수 있다. 뇌압이 점차 증가하여 視神經乳頭浮腫이 생기면, 대부분 양쪽 눈에 발병하게 되는데 先後輕重의 분별이 가능하다. 성별, 연령의 차이는 없으며 초기에는 시력에 영향을 주지는 않지만 후기에는 視神經萎縮이 발생하며 이는 실명에 이를 수도 있다. 이 병은 자각증상으로 물건이 흐릿하게 보이거나 시야가 혼탁해지는

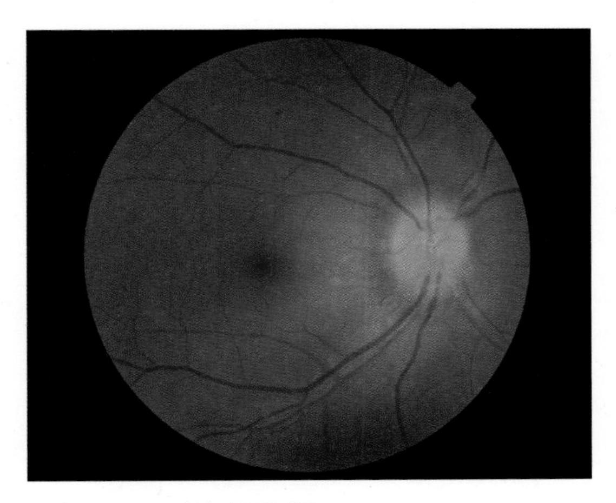

그림 2-11-5 시신경유두부종

것을 들 수 있다. 말기에는 視神經萎縮 증상이 나타나니 靑盲에 속한다. [그림 2-11-5, 그림 2-11-6]

2) 病因

邪壅淸竅, 腦竅滯塞, 目系經氣不利, 氣血津液의 升降失常으로 目系가 瘀滯腫脹이 되는 것이다. 肝脾腎과 관련이 있다.

3) 症狀

시신경유두부종의 초기에는 시력이 정상이다. 다만 잠깐씩 물건이 흐릿하게 보이는 경우가 있고, 소수의 환자에 있어서는 陣發性 黑蒙이 생기는 경우가 있다. 병정이 오래가면 시력이 점차 떨어지고, 시야검사상 생리적 맹점이 확대되는 경우도 있다. 시신경유두부종은 장기적으로 소실되지 않으면 종래에는 視神經萎縮을 가져와서 시력이 점차 떨어지다가 심하면 실명에 이르게 된다. 시야는 생리적 암점이 확대될 뿐만 아니라 일반적으로 向心性 縮小가 되는 경향이 있다. 뇌압이 점차 증가할 때에 대부분 두통, 오심, 구토를 수반한다.

4) 辨證 및 治法

원인을 제거하고 두개강내압을 정상화해주면 대부분 2개월 이내에 유두부종의 증상은 모두 없어진다.

(1) 肝陽上亢: 平肝潛陽, 活血利水 - 羚羊鉤藤湯加減
(2) 肝膽濕熱: 淸肝利濕, 活血化瘀 - 龍膽瀉肝湯加減
(3) 毒瘀痰濁: 解毒化瘀, 活血祛瘀 - 銀翹散合黃連溫膽湯加減
(4) 脾腎陽虛: 溫補脾腎, 利水化濁 - 腎氣丸加減

7. 시신경위축

1) 槪要

각종 원인으로 발생한 망막 신경절세포 축색의 광범위한 損害로 萎縮變性이 나타난다. 시력 저하와 視

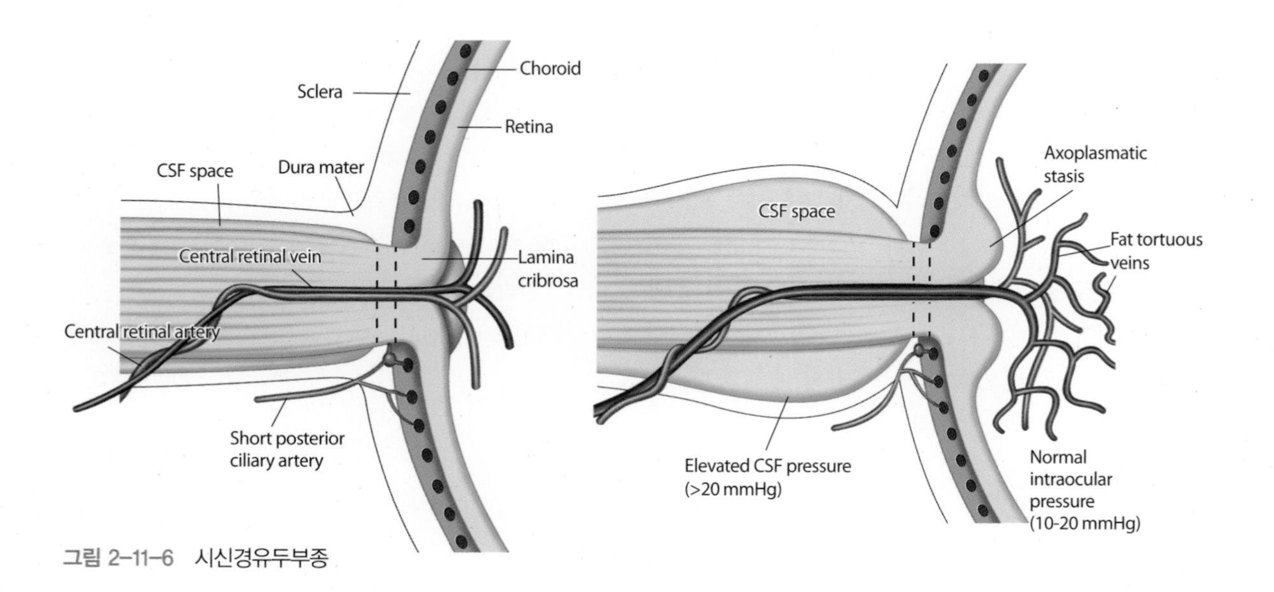

그림 2-11-6 시신경유두부종

神經 乳頭 蒼白이 주요특징이 된다. 이것은 여러 內障眼病의 최종결과이다. 임상상 網膜視神經의 염증, 퇴행성 변화, 빈혈, 외상, 유전, 눈동자 안 혹은 머리 안의 占位性 병변의 압박, 기타로는 유두부종, 녹내장 등 각종 원인이 모두 視神經萎縮을 일으킬 수 있다. 이 병은 외관상으로는 아무런 문제가 없으며, 瞳神에서 障翳의 氣色이 없는데 시력이 날로 昏蒙해져 결국 아무것도 보이지 않아 靑盲이라 부른다.

2) 異名

靑盲

3) 病因

한의학에서는 目內에 眞氣, 眞血, 眞精이 있는데, 이 병의 發生에서 主要한 것은 目系가 그 氣, 血, 精의 濡養을 잃어 萎閉한 것이다. 濡養을 잃은 것에는 양방면이 있는데 하나는 精, 氣, 血의 衰少로 目을 영양하지 못한 것이고 하나는 經氣不暢, 脈道瘀阻하여, 눈에 精을 운반하지 못해, 目系失榮이 된 것이다. 이 두 가지는 항상 겸하여 존재하니 일반적으로 설명하는 虛中挾瘀이다. 經에 이르기를 五臟六腑의 精氣가 모두 눈으로 上注하여 精이 된다고 하였다. 이것은 눈이 사물을 보고 색을 구별하는 능력이 精氣上注를 필요로 하므로, 精氣가 不足하면 視物이 不明하고, 精氣가 충분하나 上注하지 못하면 역시 視物昏蒙에 이름을 설명한 것이다. 肝經이 目系와 연결되고, 心經이 目系에 얽히고, 腎이 先天之本이 되고, 脾가 生化之源이 되니 따라서 이 病과 肝, 腎, 心, 脾의 기능 失調는 有關하다. 시신경위축 중 원발시신경위축은 척수매독, 시신경염, 다발경화증, 종양 등으로 인해 발생하고, 속발시신경위축은 유두부종이나 시신경유두염 등을 앓고 난 후에 발생하며, 상행시신경위축은 눈의 혈관 질환, 망막색소변성, 선천매독으로 인하여 시신경위축이 발생한다.

4) 症狀

主要表現은 視物昏蒙 혹은 盲無所見, 視乳頭 蒼白이 된다. 어떤 종류의 視神經萎縮이든지 모두 視力下降을 보이는데 下降 程度는 같지 않고 심한 것은 全盲에 이를 수도 있고 瞳孔 對光反射의 減弱 혹은 消失 등의 변화가 일어날 수 있다.

5) 辨證 및 治法

靑盲은 여러 內障眼病이 지연되어 변화하여 생기는데, 病情이 重하고, 病機가 複雜하여, 甚하면 速效를 내기 어렵다. 內障은 虛한 것이 많고, 久病은 瘀, 鬱이 많고, 남은 사기가 제거되지 않은 것이 靑盲症 병정의 기본 특징이다. 치료를 논할 때는 重한 정도를 살펴 補養精, 氣, 血하고 化瘀通絡, 疏肝解鬱, 祛濕淸熱 等을 겸한다.

(1) 肝腎陰虛: 滋補肝腎, 通絡解鬱 - 四物五子丸加減
(2) 心脾兩虛: 補脾養心, 益氣通絡 - 歸脾湯加減
(3) 肝氣鬱結: 疏肝解鬱, 活血明目 - 逍遙散加減
(4) 脾腎陽虛: 溫補脾腎, 益氣通絡 - 右歸丸 合 補中益氣湯加減
(5) 血瘀絡阻: 活血化痕, 通竅明目 - 補陽還五湯加減

굴절 이상

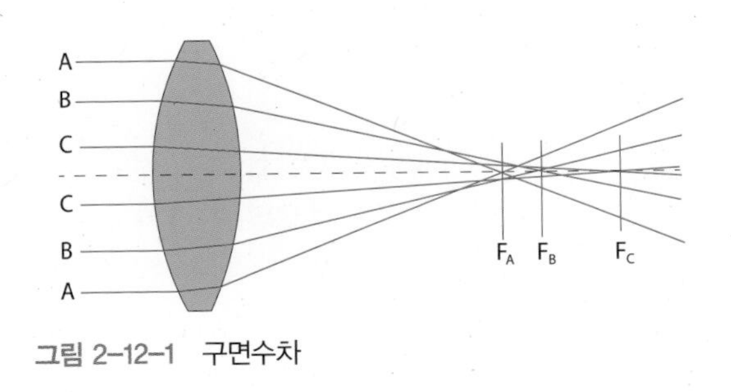

그림 2-12-1 구면수차

1. 근시

1) 概要

가까운 것은 잘 보이나, 먼 것은 희미하게 보이는 눈병이다. 청소년에게 많이 보이며, 병은 발전하여 근시가 가중될 수 있다. 심하면 병발증이 발생하여 시력에 중대한 영향을 끼칠 수 있다. 역대 의학서적에는 본병에 대해 많은 논술이 있는데, 《諸病源候論·目病諸候》에서 눈이 먼 곳을 잘 못 보는 이유를 "勞傷腑臟, 肝氣不足"한 소치라고 하였다. 元代의 의가 王海藏은 《此事難知》에서 "不能遠視, 責其無火, 法當補心."라 하였고, 《審視瑤函》에서 能近怯遠症라 명명하였고, 더불어 가까운 것을 볼 수 있는 원인을 "肝經不足腎經病"이라 하고, 또한 "稟受生成近覰"와 "久視傷睛成近覰" 등을 기재하였다. 清代에 이르러, 《目經大成》에서 본병을 近視라 불렀고, 또한 고도근시에 대해서 언급하여 "甚則子立身邊, 問爲誰氏. 行坐無晶鏡, 白晝有如黃昏."고 하였다.

2) 病因

(1) 心陽衰弱, 陽虛陰盛하여 目中에 神光이 먼 곳까지 갈 수 없어, 가까운 곳은 잘 보이나 먼 곳은 흐리게 보인다.

(2) 肝腎兩虧, 目失濡養함으로써 神光이 衰微해져서 먼 곳까지 미치지 못하고 가까운 곳만 겨우 볼 수 있다.

이외에 氣血不足, 脾胃虛弱한 자 역시 본 증상의 발전을 가중시킨다. 음양변증방면에 따르면 본증은 陽氣不足한 소치이다. 선천 유전성 고도근시는 일정한 유전경향이 있다. 이 외 영유아 기간의 발육소

인이 있는데, 안구가 비교적 작아서, 생리적 원시가 되고, 나이가 들면서 안축이 점차 정상 쪽으로 증가하게 된다. 다만 청춘기에 발육이 과도하면 음양이 실조되어 근시가 생기게 된다. 청소년학생이 글자를 쓸 때 가까이서 쓰거나, 조명이 불량하거나, 자세가 구부정한 것, 독서거리가 너무 가까운 것이 시간이 오래 지난 것, 글자자체가 지나치게 작거나 혹은 모호한 것, 이 모든 것이 근시의 직접원인이다.

3) 症狀

일반적으로 외안에 특별한 이상이 없고, 근시력이 양호하고, 원시력이 감퇴하여, 먼 곳을 볼 때 모호하고 선명하지가 않다. 안저에 변화가 있는 고도근시는 원시력, 근시력이 모두 감퇴된다.

4) 辨證 및 治法

(1) 心陽不足: 補心益氣, 安神定志 - 定志丸加減
(2) 肝腎兩虛: 滋補肝腎 - 杞菊地黃丸加減

2. 원시

1) 槪要

能遠怯近, 즉 먼 것은 잘 보이나 가까운 것은 희미하게 보이는 것이다. 청소년에서 다발하며 성인의 원시와 관계가 깊다. 《此事難知》에서는 본 병은 병기가 陰不足이라 개괄하면서 말하기를 "가까운 것을 보지 못하는 것은 水가 없는 것이니 治法은 응당 補腎해야 한다."고 하였다. 《證治准繩·雜病·七竅門》에서는 본병을 칭하기를 "능히 멀리 있는 것은 보나 가까이 있는 것은 보지 못한다."하여, 地芝丸을 사용하여 腎水를 보해야 한다고 주장하였다.《審視瑤函》은 이에 덧붙여, 能遠怯近症이라 명하였다.《目經大成》에서는 본병의 특징을 근거로 하여 원시의 특징을 밝히고, 이를 임상에 활용하였다.

2) 病因

주요점은 안구 전후경이 짧아져 있다는 것이다. 안구전후경이 짧아지는 이유는 안구발육불량 혹은 선천성 소안구 등이 주요하다. 이 병은 陰氣不足에서 기인하며 陰虛하면 神光이 수렴되지 못하고 神이 흩어져 널리 펼쳐나가지 못하게 된다.

3) 症狀

경도원시는 외안은 이상이 없으나 청소년기에 원근시력이 명확하게 개선되지 않으면 혹 가까운 것을 볼 때 불편감을 느끼며 눈이 붓는다. 중증도, 고도원시는 명확한 시력 감퇴가 있으며 원시력은 상당히 좋으나 근시력이 감퇴하며 심하면 원근시 모두 좋지 않다. 원시 환자는 특별히 원시산광이 있으며, 가까운 물건을 볼 때 눈의 피로가 나타나기 쉽고 또한 오래 응시하면 안구, 안저의 창통이 발생되며 책을 볼 때 모호하며, 현훈, 두통, 오심, 구토 등이 발생한다.

4) 辨證 및 治法

시력이 좋지 못하거나 혹은 시력피로 증상이 있으면 조절마비굴절검사를 통해 최고도수와 최고시력을 측정한다. 소아의 경우 共轉性 내사시가 출현하면 雙目通睛 치료를 참조한다. 만약 병후에 체력이 허약하면 시력피로 현상이 가중될 수 있으므로 주의를 요한다. 시력의 저하, 조절 눈 피로의 증상, 눈

알 운동의 불균형을 보일 때 볼록렌즈를 처방한다.

3. 난시

1) 槪要

각막의 굴절률이 불일치하는 것을 지칭하며, 광선을 눈에 투입했을 때 1개로 모아지지 않으며, 동일점상의 굴절광이 서로 다르다. [그림 2-12-1, 2-12-2]

2) 病因

규칙산광은 각막의 선천적 구성 인자가 주요 원인이다. 불규칙 산광은 각막의 반흔, 변성 등의 요철이 있어 평평하지 못한 것이다.

肝氣不和, 氣血不調 등에 속하며 눈의 피로증상을 가중시킬 수 있다.

3) 症狀

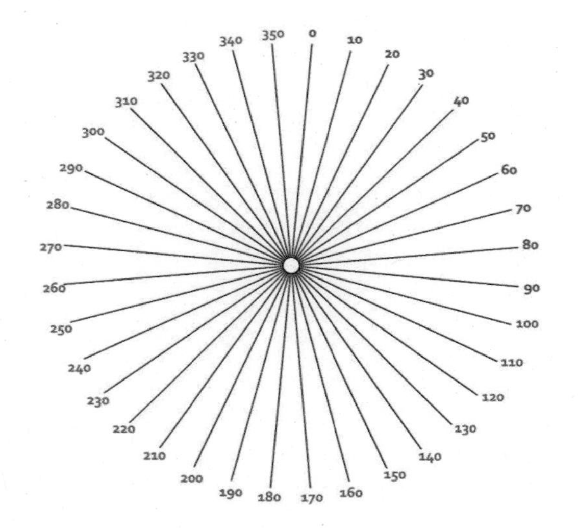

그림 2-12-2 방사선시표

視物模糊를 자각하며, 멀리보거나 가까이 보거나 맑게 보이지 않아서 여러 개로 보인다. 오래 보면 눈의 피로가 발생하기 쉬우며, 眼球脹痛이나 두통, 눈물, 오심, 구토 등이 발생할 수 있다.

4) 辨證 및 治法

유아나 소아에서는 약시를 예방하기 위해 굴절부등이 보이면 반드시 조절마비굴절검사를 한 후 두 눈의 차이만큼 처방해야 한다.

4. 약시

1) 槪要

안구의 비기질성 병변이고 교정시력이 정상에 도달하지 못한다. 이것 이외에 약시 확정방면에서 아동의 시각발육 인식에 대한 불일치가 있고 채용검사방법이 서로 다르고 검사 받는 사람이 다양한 요인에 영향을 받고 그 측정결과가 비교하여 크게 차이가 난다. 교정시력이 1.0 이하이고, 양안의 시력차이가 시력표상 2줄 이상 차이가 날 때 약시라고 한다.

2) 辨證 및 治法

사시, 백내장, 눈꺼풀 처짐 등의 기질적 원인을 치료한다. 근시, 난시, 원시 등의 굴절이상이 있으면 안경으로 교정하고 차폐요법, 시자극요법을 실시한다.

(1) 脾胃氣虛: 補脾益氣 - 補中益氣湯加減

(2) 腎精不足: 補益腎精 - 九子丸加減

사시

사시의 검사에는 차폐검사와 교대차폐검사가 있다.

차폐검사는 사위와 사시를 구별할 수 있고 편위의 정도를 알 수 있게 해준다. 차폐검사는 두 눈으로 주시시키고 왼쪽 눈을 가릴 때 우측 눈을 관찰한 다음, 우측 눈을 가릴 때 좌측 눈의 운동을 관찰한다. 두 눈이 모두 움직이지 않으면 현성사시는 없고, 한쪽 눈이 주시 위치로 움직이면 사시가 있는 것이며 편위방향은 움직이는 방향과 반대방향이다.

교대차폐검사는 양안의 융합기전을 방해하고 총 편위의 양을 구할 수 있다. 교대차폐검사는 두 눈으로 광점을 주시시킨 다음 우측 눈을 가렸다가 눈가림을 신속하게 좌측 눈으로 옮기면서 우측 눈의 움직임을 관찰하고, 다시 차폐를 좌측 눈에서 우측 눈으로 옮기면서 좌측 눈의 움직임을 관찰한다. 두 눈이 모두 움직이지 않으면 정위이고, 움직이면 사위 또는 사시이다. [그림 2-13-1,2,3]

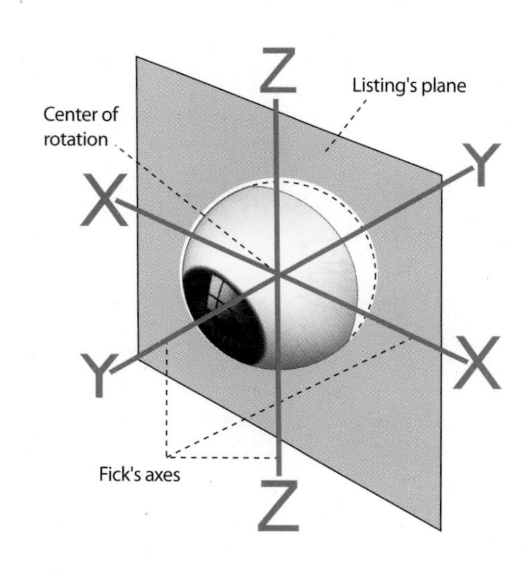

그림 2-13-1 Axis of Fick

1. 비마비성 사시

1) 槪要

양 눈이 內側으로 偏向된 것이다. 小兒에게서 많이 보이고, 속칭 鬥雞眼, 雙目睛通 이라고 하며 遠視가 많다.

2) 異名

小兒通睛, 小兒斜視, 鬥雞眼

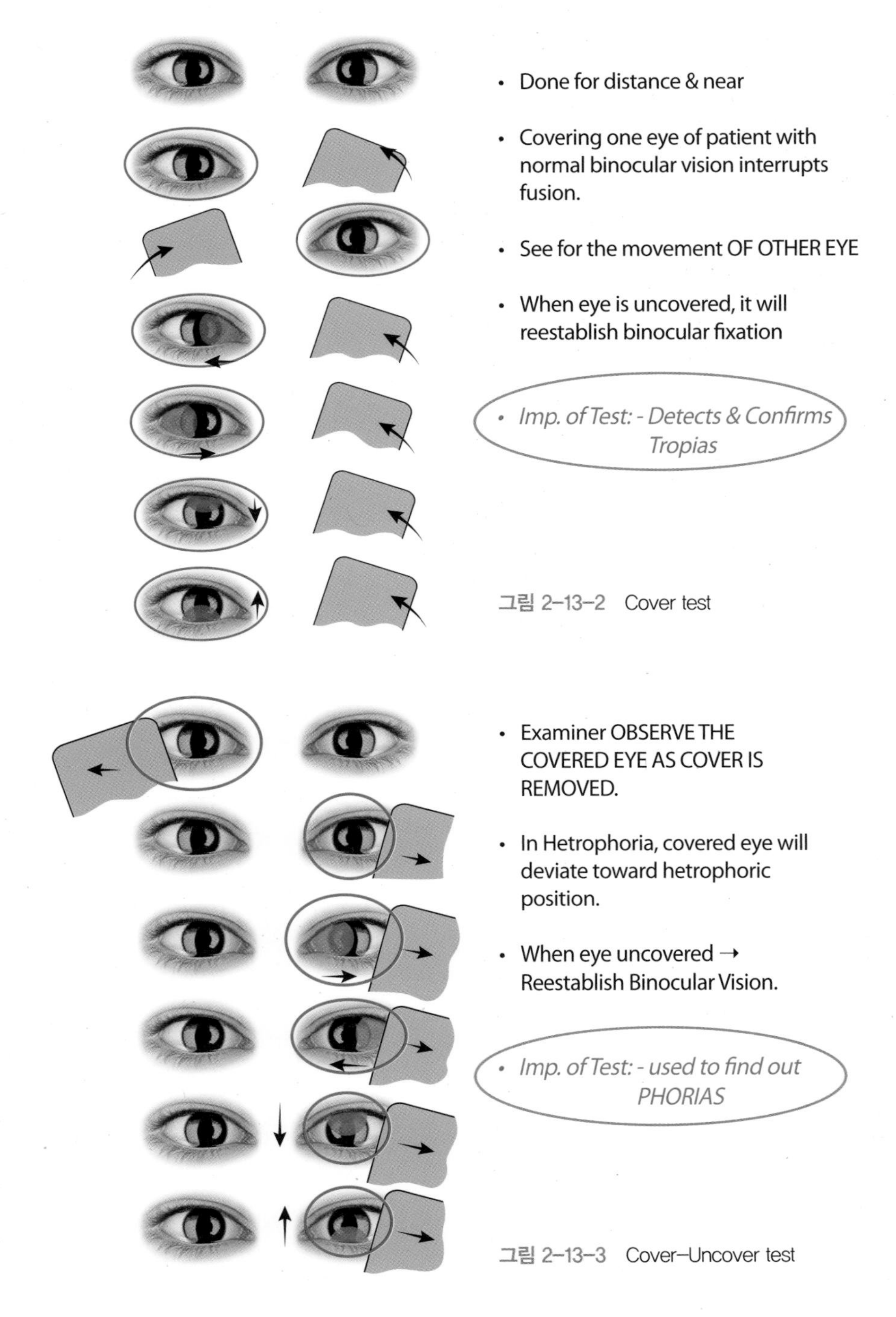

그림 2-13-2 Cover test

그림 2-13-3 Cover-Uncover test

3) 病因

선천적인 眼珠發育不良으로 인한 遠視, 혹 오랫동안 한 가지 사물을 바라보거나 하여 안구가 돌아간 것이 많다. 小兒의 熱病에 의해서 風熱之邪가 上攻於腦하여 腦筋이 손상을 받아서 筋脈凝定하여 생긴 경우도 있으니 이는 肝腎의 병이다.

4) 症狀

소아, 유년시기부터 있던 성인에 많이 보인다. 양안 모두 내측으로 편향되어 있고, 아침에는 각 방향으로 운동하는데 제한을 받지 않으며, 遠視가 있다.

5) 辨證 및 治法

고려사항은 肝腎不足또는 脾虛氣弱이다. 치료는 補益肝腎, 補脾益氣, 通絡明目한다. 선천성내사시의 경우 일정한 사시각을 보이면 즉시 수술해야 하며, 수술 전에 약시가 동반된 경우 가림치료를 시행하고 2세 이전에 수술한다.

(1) 肝腎不足: 補益肝腎 - 杞菊地黃丸加減

(2) 脾虛氣弱: 補脾益氣 - 補中益氣湯加減

2. 마비성 사시

1) 概要

風邪로 말미암아 시작하고, 안구가 한쪽으로 기울어 움직이는데 한계가 있으며, 하나를 보면 두 개가 보이는 등의 증상이 있어 風牽偏視라고 칭한다.《證治准繩·雜病·七竅門》에서는 神珠將反라 칭하고, 더불어 안구가 한쪽으로 기울고, 눈동자를 볼 수 없는 것을 瞳神反背라고 칭한다. 만약 안구가 아래로 향하고 위로 움직일 수 없는 눈병을《聖濟總錄》卷106에서는 墜睛라고 칭하였다. 만약 위로 향해 아래로 움직일 수 없는 눈병은 仰視라고 칭한다.

2) 異名

神珠將反, 瞳神反背, 墜睛, 仰視

3) 病因

氣血不足, 腠理不固, 風邪乘虛 襲入, 筋脈弛緩의 원인이 많고, 脾胃失調, 津液不布, 聚濕生痰, 風痰阻絡의 원인도 있다. 두개 내 占位性 病變에 기인하기도 한다.

4) 症狀

갑자기 발병하여, 하나를 보면 두 개로 보이고 한쪽 혹은 양쪽 눈의 눈동자가 특정 방향으로 기울어진다. 심한 사람은 기울어진 각도가 심하며, 거의 눈의 흰자만 보인다. 안구운동에 한계가 있어 환자는 물건을 볼 때, 환자는 머리가 항상 특정방향으로 기울어진다. 瞳孔散大, 視物不清 등의 증상이 보인다. 항상 頭暈, 惡心, 嘔吐, 步態不穩 등의 증상이 동반된다. 한쪽 눈에 국한되면 많이 소실되나, 口眼喎斜, 半身不遂, 語言不利, 심하여 猝然 昏仆등을 동반하면 中風症에 속한다.

5) 辨證 및 治法

두개 내와 안와의 腫瘤를 제외하면, 본병은 항상 風邪가 外部에서 經絡으로 들어와 發病하며, 또한 痰阻, 氣滯, 血瘀등과 상관관계가 많다. 그러므로 임상에서 국부와 전신의 病情을 근거로 하여 변증론치를 시행하며, 祛邪通絡하여 氣血運行이 정상을 회복하게 하는 것을 목적으로 한다.

(1) 風傷筋脈: 驅散風邪 - 化風丹加減

(2) 風痰阻絡: 法風化痰 - 正容湯加減

원인 질환에 대한 치료가 기본이다. 안근마비 초기에는 복시를 피하기 위해 마비안을 가려주고, 경우에 따라 프리넬프리즘을 덧붙인 안경을 착용시킨다. 마비사시는 발병 후 최소 6개월에서 1년 동안 경과를 관찰하다가 증상이 회복되지 않으면 수술한다.

3. 안구진탕

1) 槪要

轆轤轉關으로 불리며 안구가 수레바퀴처럼 돌면서 고정되지 않는 것을 지칭한다. 많은 종류의 疾病으로부터 기인한다.

2) 異名

轆轤自轉, 目睛自瞤動

3) 病因

風主動, 目屬肝하여, 外風入侵이 眼球顫動을 일으키고, 혹은 肝血不足, 陰不制陽, 肝風內動, 目睛瞤動에 이르게 한다. 혹은 先天不足, 眼珠의 發育不全, 視力의 高度障碍로 기인한다.

4) 症狀

양쪽 눈 바깥쪽에 紅痛이 없고, 오직 안구가 가만있지 못하고 上下 혹은 左右 혹은 돈다.

5) 辨證 및 治法

病因은 先天不足으로 眼珠 發育不全으로 인해 생기며, 服藥으로 효과를 거두기가 힘들다. 선천성안진의 경우 기전이 잘 알려져 있지 않기에 근본적인 치료는 힘들고, 증상 완화의 목적으로 어린이에게 콘택트렌즈를 사용하게 하여 안진을 줄이거나, 수평직근을 크게 후전하는 수술을 시행하여 안진의 진폭이 줄어들게 하거나, 고개돌림에 대해 Kestenbaum 수술을 시행하기도 한다.

(1) 外風入侵: 驅風散邪 - 通肝散加減

(2) 肝風內動: 平肝熄風 - 天麻鉤藤飮加減

참고문헌

- 대한한방안이비인후피부과학회 교재편찬위원회. 한의안과학 제2판. 부산: 선우. 2016.
- 노석선. 원색안이비인후과학 제3판. 대전: 피앤비. 2013.
- 초국사, 진유휘 주편. 중의안과임상수책. 북경: 인민위생출판사. 1996.
- 대한안과학회. 안과검사. 서울: 대한안과학회. 2002.
- Jack J. Kanski. 임상안과학. 서울: 정담. 2005.
- 윤동호, 이상욱, 최억. 안과학 제5판. 서울: 일조각. 2000.
- 이진학, 이하범, 허원, 홍영재. 안과학 제8판. 서울: 일조각. 2010.
- 전국의과대학 안과학교수 편. 안과학. 서울: 한우리. 1999.
- 신진아. 안기능검사. 서울: 한미의학. 2002.

眼科 處方

加減駐景丸

『銀海精微』

《構成》車前子, 當歸(去尾), 熟地黃(洗), 五味子, 枸杞子, 楮實子(無翳不用), 川椒, 菟絲子(酒煮焙).

《效能 및 主治》補肝益腎, 視瞻昏渺, 視瞻有色, 青盲, 近視, 肝勞, 시신경위축, 중심성 장액성 시망막병변 회복기, 노년성 백내장

加減化斑湯

『眼病的辨證論治』

《構成》生石膏, 生石決, 玳瑁片, 玄蔘, 生地黃, 知母, 山藥, 丹皮, 黃連, 葛根, 青黛, 紫草, 羚羊角粉, 甘草.

《效能 및 主治》熱入營血, 眼底出血, 視網膜滲出水腫

加味逍遙散

『審視瑤函』

《構成》當歸(酒炒), 白朮(土炒), 茯神, 甘草梢, 白灼藥(酒炒), 柴胡 각 1錢, 炒梔子, 牧丹皮 각 7分.

《效能 및 主治》怒氣傷肝, 脾虛血少, 目暗不明, 頭目澀痛, 婦人經水不調等症

加味修肝散

『銀海精微』

《構成》羌活, 防風, 桑螵蛸, 梔子, 薄荷, 當歸, 赤芍藥, 甘草, 麻黃, 連翹, 菊花, 木賊, 白蒺藜, 川芎, 大黃, 黃芩, 荊芥 각등분.

《效能 및 主治》花翳白陷

甘露消毒丹

『溫熱經緯』

《構成》滑石 450 g, 茵蔯 330 g, 黃芩 300 g, 石菖蒲 180 g, 木通, 川貝母 각 150 g, 藿香, 射干, 連翹 각 120 g, 薄荷, 白蔻仁 각 120 g.

《加減》黑睛에 翳膜이 나타날 경우 加 蟬蛻, 木賊, 草決明.

《效能 및 主治》混睛障, 粟瘡, 視瞻昏渺, 氣翳

甘草瀉心湯

『傷寒論』

《構成》炙甘草 4兩, 黃芩, 乾薑 각 3兩, 黃連 1兩, 半夏 半升, 大棗 12枚.

《效能 및 主治》傷寒中風에 醫反下之하여 下利日

數十行에 心下痞硬, 乾嘔心煩不得安. 狐惑病 蝕于上部.

羌活勝風湯

『原機啓微』

《構成》柴胡 2.1 g, 黃芩, 白朮 각 1.8 g, 荊芥, 防風, 獨活, 薄荷, 川芎, 白芷, 川羌活, 枳殼, 前胡 각 1.5 g, 桔梗, 甘草 각 0.9 g.

《效能 및 主治》混睛障, 暴風客熱, 風赤瘡痍. 특히 風盛할 경우에 주로 사용.

牽正散加味

『楊氏家藏方』

《構成》白附子, 僵蠶, 全蝎 各等分.

《加減》症狀이 甚하면 祛風解痙作用이 강한 蜈蚣, 天麻와 舒筋活絡作用이 있는 木瓜, 松節과 祛痰通絡作用이 있는 南星, 半夏를 加.

《效能 및 主治》祛風化痰通絡, 안면신경마비, 구안와사, 안외근마비

光明眼膏

『中醫眼科學』

《構成》爐甘石 50 g, 冰片 15 g, 硼砂 10 g, 黃連素 5 g, 白芷 10 g

《效能 및 主治》清熱退翳, 각막염, 천층 공막염, 급·만성 결막염, 익상노육 병행기

驅風散熱飮子 (= 祛風散熱飮子)

『審視瑤函』

《構成》連翹, 牛蒡子(炒), 羌活, 薄荷, 大黃, 赤芍, 防風, 當歸尾, 甘草, 川芎, 梔子 각등분.

《效能 및 主治》漏睛瘡, 天行赤目, 抱輪振跳

驅風一字散

『審視瑤函』

《構成》炮川烏, 川芎, 荊芥穗, 羌活, 防風 細末. 蘇薄荷湯으로 調下.

《效能 및 主治》祛風止痒, 춘계 카타르성 결막염, 기타 과민성 결막염

菊花決明散

『原機啓微』

《構成》石決明, 石膏, 木賊草, 川羌活, 甘草, 防風, 甘菊花, 蔓荊子, 川芎, 黃芩, 草決明 各 等分.

《效能 및 主治》清熱祛風, 退翳明目, 급성 홍체모양체염, 병독성 각막염

菊黃眼藥水

『中草藥制剂技术』

《構成》蒲公英 125 g, 黃芩 62.6 g, 野菊花 250 g, 金銀花 250 g, 板藍根 125 g, 黃連 62.5 g, 硫柳汞 0.6 g, 吐温-80 7.5 ml, 氯化钠 27 g

《效能 및 主治》清熱解毒, 退紅消肿, 급성 결막염, 각막염

芎歸補血湯

『審視瑤函』

《構成》生地黃, 天門冬, 川芎, 牛膝, 白芍藥, 炙甘草, 白朮, 防風, 熟地黃, 當歸身, 各等分.

《加減》防風을 去하고 楮實子, 枸杞子, 菟絲子를 加해 補肝腎明目시킨다. 鮮猪肝, 桑椹, 鷄血藤을 加해 補血作用을 增强시킨다.

《效能 및 主治》補血養肝, 안구후방 시신경염, 중심성 시망막맥락박병, 시력피로

歸脾湯

『濟生方』

《構成》白朮 10 g, 茯神 12 g, 黃芪 20 g, 龍眼肉 15 g, 黨蔘 12 g, 酸棗仁 15 g, 木香 3 g, 炙甘草 6 g, 當歸 12 g, 生薑, 大棗.
《加減》丹蔘, 三七根, 蒲黃, 荊芥炭炒를 加해 止血活血散瘀시킨다.
《效能 및 主治》血灌瞳神, 胞輪振跳, 胞虛如球

歸芎紅花散

『審視瑤函』
《構成》當歸, 大黃, 梔仁, 黃芩, 紅花(以上具酒洗微炒), 赤芍藥, 甘草, 白芷, 防風, 生地黃, 連翹 각등분.
《加減》胞瞼瘀赤, 腫痛이 심하면 金銀花, 蒲公英, 丹蔘, 紅花, 牧丹皮를 加한다. 瘙痒症이 심하면 蟬蛻, 白蒺藜, 白菊花를 가한다.
《效能 및 主治》氣血瘀滯로 인한 椒瘡, 胞腫如桃, 赤膜下垂, 血翳胞睛, 外傷

金菊蓝眼藥水

『臨床眼科學』
《構成》金銀花 120 g, 菊花 120 g, 板藍根 60 g, 蒲公英 60 g.
《效能 및 主治》清熱解毒, 유행성 각결막염, 독성 각막염

杞菊地黃湯

『中醫眼科學』
《構成》熟地黃 15 g, 枸杞子, 菊花, 山藥, 山茱萸, 白茯苓, 丹皮 각 11.25 g, 龍骨 18.75 g, 牡蠣 37.5 g.
《效能 및 主治》暴盲, 腎陰虧損, 肝陽上昇

杞菊地黃丸

『醫級』
《構成》六味地黃丸(熟地黃, 山茱萸, 山藥, 澤瀉, 牧丹皮, 茯苓) 加 枸杞, 菊花.
《加減》冷淚不止하면 川芎, 肉蓯蓉, 沙蔘, 紫菀, 白蒺藜를, 肝勞로 眼이 沙澀不快하면 沙蔘, 玉竹, 天門冬을, 圓翳內障 혹은 시력감퇴가 심하면 楮實子, 免絲子, 茺蔚子, 五味子를 , 青風內障이 되면 石決明, 天麻, 白菊花, 羚羊角을 가한다.
《效能 및 主治》正漏, 宿翳, 白澀症, 瞳神緊小, 瞳神乾缺, 青風內障, 圓翳內障, 胎患內障, 視瞻昏渺, 視瞻有色, 肝勞, 近視, 遠視

內疏黃連湯

『審視瑤函』
《構成》黃連, 梔子仁, 黃芩, 當歸身, 桔梗, 廣木香, 檳榔, 赤芍藥, 甘草, 蘇薄荷 各 2.4 g, 連翹, 大黃法制 各 3.6 g.
《加減》眼丹으로 胞瞼腫痛이 甚할 경우에는 金銀花, 連翹, 野菊花, 蒲公英을 加하고 視一爲二에는 海風藤, 絲瓜絡, 伸筋草을 加한다.
《效能 및 主治》清熱解毒, 通便瀉火, 안검 봉와직염, 안와 봉와직염

寧血湯

『中醫眼科學』
《構成》仙鶴草, 旱蓮草, 生地黃, 梔子炭, 白芍, 白芨, 白蘞, 側柏葉, 阿膠, 白茅根 各等分.
《加減》川芎이나 鬱金 같은 行氣活血하는 약을 넣어 留瘀의 폐단을 막을 수 있다.
《效能 및 主治》清熱涼血, 收斂止血, 補血. 모양체염, 안내출혈

綠風羚羊飮

『醫宗金鑑』
《構成》黑(玄)蔘, 防風, 茯苓, 知母 각 6 g, 黃芩, 細辛 각 3 g, 桔梗 6 g, 羚羊角, 車前子, 大黃 각 3 g.
《加減》眼脹痛이 극심하면 草龍膽, 夏枯草를 加하

여 肝火를 瀉하게 하고 木通, 澤瀉를 加하여 清熱利水시키고 菊花, 釣鉤藤을 加하여 息風시킨다.
《效能 및 主治》綠風內障, 黃風內障

丹梔逍遙散
『和劑局方』
《構成》柴胡, 當歸, 白灼藥, 茯笭, 白朮, 甘草, 薄荷, 生薑, 丹皮, 梔子 각등분.
《效能 및 主治》綠風內障, 雲霧移睛, 視瞻有色, 青風內障, 青盲, 視瞻昏渺

膽麝眼藥水
『眼病的變症論治』
《構成》熊膽 0.2 g, 麝香 0.1 g, 薄荷 0.5 g
《效能 및 主治》清熱退翳, 祛風消腫, 결막염, 각막염, 경화성 각막염

當歸補血湯
『審視瑤函』
《構成》生地黃 8 g 當歸 6 g 白芍藥 茺蔚子 白蒺藜 4 g 柴胡 菊花 防風 川芎 3 g 薄荷 羌活 2 g.
《效能 및 主治》眼目澀痛 眼睫無力 眼花頭暈

當歸四逆湯
『傷寒論』
《構成》當歸, 桂枝, 芍藥, 細辛 각 3兩, 炙甘草, 通草(현재의 木通) 각 2兩, 大棗 25매(또는 12매).
《效能 및 主治》溫經通脈, 散寒止痛. 血虛受寒, 手足厥冷, 舌淡苔白, 脈細欲絕者, 目赤疼痛, 花翳白陷

當歸龍膽湯
『銀海精微』
《構成》龍膽草, 黃連(酒洗), 黃芩(酒洗), 黃柏(酒洗), 石膏, 羌活, 防風, 升麻, 甘草, 當歸, 赤芍, 柴胡, 黃芪, 五味子.
《效能 및 主治》清肝瀉火, 祛風止痛. 肝膽積熱하여 黑翳如珠, 蟹睛疼痛, 目赤腫脹, 畏明流淚

當歸龍膽丸
『衛生寶鑑』
《構成》當歸龍薈丸(當歸, 龍膽草, 梔子, 黃連, 黃柏, 黃芩 각 1兩, 大黃, 蘆薈 각 5錢, 木香 1錢 5分, 麝香 5分)에 青黛 5錢, 木香 2錢半.
《效能 및 主治》風熱蘊積으로 인한 頭目昏眩

當歸飲子加減
『醫宗金鑒』
《構成》當歸 12 g, 白芍藥 10 g, 何首烏 10 g, 黃芪 10 g, 白蒺藜 10 g, 川芎 6 g, 金銀花 12 g.
《效能 및 主治》祛風止痒, 凉血和血, 춘계 카타르성 결막염, 인설성 검연염

當歸活血陰加減
『審視瑤函』
《構成》蒼朮, 當歸身, 薄荷, 黃芪, 熟地黃, 防風, 羌活, 白芍藥, 半夏減半, 川芎 各等分.
《加減》症狀이 甚해 胞瞼 및 眼瞼痙攣까지 나타나는 경우 天麻, 釣鉤藤, 白殭蠶을 加해 平肝息風시킨다.
《效能 및 主治》養血祛風, 완고성 부분안륜잡기경련, 안검경련

導赤散
『銀海精微』
《構成》木通, 甘草, 梔子, 黃柏, 生地黃, 知母, 竹葉, 燈心.
《加減》目赤腫痛이 甚하면 黃芩, 金銀花, 赤芍藥, 牧丹皮을 加해 清熱凉血시키고 眥部에 瘙痒이 나

타나면 白蒺藜, 白芷을 加해 疏風止痒시킨다.
《效能 및 主治》 清心導熱, 만성자부결막염, 만성결막염

導赤散合瀉心湯加味

『經驗方』
《構成》 夏枯草 12 g, 龍膽草 4 g, 草決明, 石決明 各 12 g, 當歸, 赤芍藥, 生乾地黃, 川芎, 澤瀉 各 6 g, 青葙子, 羌活, 防風, 草豆蔻, 防己, 木賊 各 4 g, 白蒺藜, 細辛, 甘菊, 荊芥, 甘草 各 3 g. 或 熊膽 2 g 加.
《效能 및 主治》 心火旺盛으로 인해 열이 매우 심한 外障眼病, 특히 유행성 각결막염

桃紅四物湯

『醫宗金鑑』
《構成》 桃仁, 紅花, 當歸, 生地, 赤芍, 川芎 각등분.
《加減》 증상이 重하면 清熱活血 및 祛瘀作用을 하는 牧丹皮, 丹蔘, 三七根말과 行氣逐瘀 작용을 하는 鬱金, 枳殼을 가한다.
《效能 및 主治》 撞擊傷目, 色似胭脂, 狀若魚胞, 血灌瞳神, 青盲, 暴盲 등

梅青眼藥水

『臨床實用眼科學』
《構成》 青黛 100 g, 烏梅 50 g, 蒸溜水 적당량을 합하여 1,000 ml를 만든다.
《效能 및 主治》 清熱解毒, 병독성 각막염

明目地黃丸

『審視瑤函』
《構成》 熟地黃(焙乾) 150 g, 生地黃(酒洗), 山茱萸(去核酒洗), 懷山藥, 澤瀉, 茯神(乳蒸焙乾), 牧丹皮, 柴胡, 當歸(酒洗), 五味子(烘乾) 75 g.
《加減》 暴盲에는 먼저 丹蔘, 生三七根末, 赤芍藥을 加하고 青盲에는 補肝腎하는 枸杞子, 免絲子, 楮實子와 이외 全蝎, 石菖蒲를 가한다.
《效能 및 主治》 視瞻昏渺, 雲霧移睛, 昏暗, 青盲, 暴盲

撥雲湯

『東垣十書』
《構成》 羌活, 防風, 黃柏 各 3.75g, 荊芥, 藁本, 升麻, 當歸, 知母, 生甘草 各 2.625 g, 柴胡 1.875g, 川芎, 黃芪, 葛根, 細辛, 生薑 各 1.125 g.

撥雲退翳散

『醫林改錯』
《構成》 甘菊, 川椒, 木賊, 白蒺藜, 密蒙花, 蛇蛻, 蟬蛻, 川芎, 蔓荊子, 荊芥穗, 石燕子(煅), 黃連, 薄荷, 瓜蔞根, 枳實, 羌活, 當歸, 地骨皮, 甘草 各等分.
《效能 및 主治》 祛風退翳, 각막염 후기, 편정두통, 면부기육 경련

撥雲退翳丸

『原機啓微』
《構成》 川芎, 菊花, 蔓荊子, 蟬蛻, 蛇蛻, 密蒙花, 薄荷葉, 木賊系, 荊芥穗, 黃連, 楮桃仁, 地骨皮, 天花粉, 炙草, 川椒皮, 當歸, 白蒺藜.
《效能 및 主治》 翳膜

防風通聖散

『河間三六書』『審視瑤函』
《構成》 防風, 川芎, 大黃, 赤芍藥, 連翹, 麻黃, 芒硝, 蘇薄荷, 當歸, 滑石, 甘草, 炒梔仁, 白朮, 桔梗, 石膏, 荊芥穗, 黃芩 각등분.
《加減》 濕潤과 瘙痒이 심하면 清熱 및 殺蟲止痒시키는 金銀花, 蟬蛻, 白蒺藜, 百部根, 辛荑, 蛇床子를 가한다.

白薇丸

『審視瑤函』

《構成》 白薇 15 g, 石榴皮, 防風, 白蒺藜, 羌活 各 10 g.

《加減》 膿汁이 膠黏黃하면 金銀花, 連翹, 蒲公英, 敗醬을 加해 淸熱解毒시키고 膿汁이 淸稀하면 黃芪, 白芷을 加해 托毒排膿시킨다.

白虎加人蔘湯

『傷寒論』

《構成》 知母 6兩, 石膏 1斤, 炙甘草 2兩, 粳米 6合, 人蔘 3兩.

《效能 및 主治》 傷寒表邪已解, 熱盛于裏, 津氣兩傷, 煩渴不解

補水寧神湯

『審視瑤函』

《構成》 熟地黃, 生地黃 각 6 g, 白灼藥, 當歸, 麥門冬, 茯神 각 4.5 g, 五味子 30粒, 생甘草 1.8 g.

《效能 및 主治》 神光自現

補腎丸

『濟生方』

《構成》 熟地黃, 肉蓯蓉, 石斛, 枸杞子, 菟絲子, 楮實子, 覆盆子, 車前子, 五味子, 磁石, 沈香, 靑鹽.

《效能 및 主治》 補肝益腎, 노년성 백내장, 안저 퇴행성 병변

補心湯

『眼科纂要』

《構成》 人蔘, 麥冬, 生地黃, 當歸, 知母, 黃芪, 甘草, 遠志, 桔梗, 連翹.

《效能 및 主治》 養心安神降火, 만성 결막염, 자부 결막염

補陽還五湯

『醫林改錯』

《構成》 黃芪 120 g, 當歸尾 6 g, 赤芍 4.5 g, 地龍, 川芎, 桃仁, 紅花 각 3 g.

《加減》 때로는 石決明, 羚羊角, 白蒺藜를 加해 平肝淸熱定驚, 解痙緩急시킨다.

普濟消毒飮

『東垣十書』

《構成》 酒炒黃芩, 酒炒黃連 各 15 g, 眞皮, 玄蔘, 柴胡, 桔梗 各 6 g, 連翹, 板藍根, 馬勃, 牛蒡子, 薄荷 各 3 g, 僵蠶, 升麻 各 2.1 g, 甘草.

《加減》 漏睛瘡에는 陳皮, 升麻을 去하고 蒲公英, 敗醬草, 紫花地丁을 加해 淸熱解毒시키고 天行赤眼으로 眵糞, 膿藍, 紅赤이 極甚하면 陳皮, 升麻, 馬勃을 去하고 白菊花, 草決明, 赤芍藥, 牧丹皮를 加해 淸肝涼血, 消瘀시킨다.

《效能 및 主治》 淸熱解毒, 疏風散邪, 급성 안검피부염, 감염성 각막염

補中益氣湯

『脾胃論』

《構成》 黃芪 3 g, 炙甘草 1.5 g, 黨蔘 0.9 g, 當歸 0.6 g, 陳皮, 升麻, 柴胡, 白朮 각 0.9 g.

《加減》 上胞下垂, 目閉不開에는 赤芍藥, 川芎, 絲瓜絡, 海風藤을 加해 行氣活血通絡시킨다. 高風雀目에는 石決明, 야명사, 鮮猪肝을 加해 淸肝涼血明目시킨다. 圓翳內障에는 石決明, 草決明, 赤芍藥, 靑箱子를 가한다.

《效能 및 主治》 氣血不足으로 인한 胞虛如球, 上胞下垂, 目閉不開, 胞輪振跳, 圓翳內障, 靑盲, 高風雀目

復方三黃眼藥水

『眼科證治經驗』

《構成》川連, 黃芩, 黃柏, 龍膽草, 連翹, 秦皮, 杭菊花, 桑叶, 黃精 各 6 g
《效能 및 主治》淸熱解毒, 祛風退翳, 세균 혹은 병독감염성 각결막염, 급성 홍채모양체염

復方黃芩眼藥水

『眼科外用中藥與臨床』
《構成》黃芩 60 g, 防風 15 g, 野菊花 20 g, 冰片 0.3 g
《效能 및 主治》祛風止痛, 淸熱解毒, 급성 카타르성 결막염, 유행성 각결막염

附子理中湯

『萬病回春』
《構成》附子(炮, 去臍), 乾薑, 炮吳茱萸, 官桂, 人蔘, 當歸, 陳皮, 厚朴(薑炒), 白朮, 炙甘草, 生薑, 大棗.
《效能 및 主治》中寒厥倒

肥兒丸

『醫宗金鑑』
《構成》人蔘, 白朮, 茯苓, 黃連, 호黃連, 使君子, 神麯, 炒麥芽, 炒山査, 炙甘草, 蘆薈 각등분.
《效能 및 主治》目箚, 疳積上目

瀉肝散

『銀海精微』
《構成》大黃, 黃芩, 知母, 桔梗, 車前子, 當歸(미), 芒硝, 茺蔚子(혹 龍膽草), 防風, 赤芍藥, 梔子, 連翹, 薄荷 각등분.
《加減》大便燥結이 심하면 大黃配量, 芒硝를 加하고 花翳白陷, 驚振外障에는 石決明, 草決明, 夏枯草를 加해 淸肝明目시키고 熱毒熾盛하면 金銀花, 蒲公英을 加해 해독시키고 雷頭風으로 인해 眼瘡痛이 극심하면 羚羊角을 加해 息風止痛시키고 아직 火邪가 미진한 상태에서 瞳神이 緊小 혹은 乾缺하면 芒硝, 大黃, 防風을 거하고 生地黃, 天花粉을 加해 養陰淸熱시킨다.
《效能 및 主治》花翳白陷, 驚振外障, 瞳神緊小, 雷頭風

瀉肝湯

『審視瑤函』
《構成》地骨皮, 玄蔘, 車前, 玄明粉, 茺蔚子, 大黃, 知母, 각등분.
《效能 및 主治》蟹睛症, 旋螺突起

四物補肝散

『審視瑤函』
《構成》熟地黃, 當歸, 白芍藥, 川芎, 香附, 夏枯草, 甘草.
《效能 및 主治》補肝血, 調肝氣하는 효능이 있고 肝血不足하여 오후에서 밤까지 昏花不明하는 증상을 치료한다.

四物補肝湯

『審視瑤函』
《構成》熟地黃 2兩, 香附(酒制), 川芎, 白灼藥(酒炒), 當歸(酒炒), 夏枯草 각 8錢, 甘草 4分.
《效能 및 主治》婦人産後 오후 兩目昏花不明.

四勿五子丸.元

『證治準繩』
《構成》車前子酒洗, 覆盆子, 枸杞子, 免絲子酒煮爛, 當歸酒洗, 熟地黃, 川芎, 白灼藥, 地膚子 각 3兩.
《效能 및 主治》乾澁昏花

四物龍膽湯

『王海藏』
《構成》當歸 川芎 赤芍藥 生地黃 4 g 龍膽草 2.5 g

龍膽 防己 각 1.5 g.
《效能 및 主治》目赤, 暴雲翳痛難仁

四物湯

『和劑局方』
《構成》川芎 6 g, 當歸, 白芍 각 10 g, 熟地黃 15 g.
《加減》특히 胞虛如球에는 調脾淸毒飮과 합하고 腎虛, 虛火上炎이 나타나면 六味地黃丸과 합하여 복용한다.
《效能 및 主治》血虛로 인한 胞虛如球, 目箚, 流淚, 肝虛雀目, 宿翳, 眼痒

四順淸凉飮子

『審視瑤函』
《構成》當歸身, 龍膽草, 黃芩, 桑皮, 車前子, 生地黃, 赤芍藥, 枳殼 각 2.4 g, 炙甘草 1g, 熟大黃, 防風, 川芎, 川黃連, 木賊草, 羌活, 柴胡 각 1.8 g.
《加減》凝脂翳에는 當歸, 炙甘草, 川芎, 羌活을 去하고 石決明, 白菊花, 夏枯草, 石決明을 加하여 淸肝退翳시키고 血熱로 인한 火疳에는 大黃, 川芎, 羌活, 防風을 祛하고 當歸尾, 牧丹皮, 丹蔘을 加하여 凉血시킨다.
《效能 및 主治》凝脂翳, 火疳, 婦人血熱 혹은 月經時 血熱로 인한 火疳

瀉心湯

『銀海精微』
《構成》黃連, 黃芩, 大黃, 連翹, 荊芥, 車前子, 薄荷, 菊花, 赤芍藥 각등분.
《加減》赤脈傳睛, 赤絲虬脈에는 丹蔘, 紅花, 桃仁, 澤蘭을 加해 活血消瘀通血脈시키고 瞼眩赤爛에는 苦蔘, 地膚子, 白鮮皮를 加해 淸熱除濕시키고 翳膜이 나타나면 石決明, 珍珠母, 木賊, 穀精草를 加해 淸肝退翳시킨다.
《效能 및 主治》赤脈傳睛, 赤絲虬脈, 血翳胞睛, 瞼眩赤爛, 蟹睛

瀉肺飮

『眼科纂要』
《構成》石膏, 赤芍, 黃芩, 桑白皮, 枳殼, 木通, 連翹 각 3 g, 荊芥, 防風, 梔子, 白芷 각 2.4 g, 羌活 2.1 g, 甘草 1.2 g.
《效能 및 主治》暴風客熱, 天行赤目에 발생되는 天行赤眼暴翳

瀉肺湯

『審視瑤函』
《構成》桑白皮, 黃芩, 地骨皮, 知母, 麥門冬(去心), 桔梗 각등분.
《效能 및 主治》金疳, 白膜侵睛

散熱消毒飮子

『審視瑤函』
《構成》牛蒡子, 羌活, 黃連, 黃芩, 蘇薄荷, 防風, 連翹 各等分.
《加減》症狀에 따라서 金銀花, 板藍根, 紫花地丁을 加해 淸熱解毒시킨다.
《效能 및 主治》淸熱解毒祛風, 안검 염증성질환 초기

散風除濕活血湯

『中醫眼科臨床實踐』
《構成》羌活, 獨活, 防風, 白朮, 蒼朮, 鷄血藤, 忍冬藤, 當歸, 川芎, 赤芍, 紅花, 前胡, 枳殼, 甘草.
《效能 및 主治》火疳結節, 目赤疼痛

蔘苓白朮散

『和劑局方』
《構成》黨蔘, 茯苓, 白朮, 炙甘草, 山藥 각 1,000 g,

扁豆 750 g. 陳皮, 연자육, 薏苡仁, 桔梗, 축사인 각 500 g(一方 無陳皮).
《加減》目箚症에는 黃連, 白菊花, 黃芩을 加해 清肺시키고 神水將枯, 疳積上目에는 鮮猪肝, 生地黃, 天花粉, 麥門冬을 加해 補陽精血 및 清熱生津시키고 視瞻有色에는 大豆黃卷, 車前子를 加해 健脾利濕滲濕시키고 또 生三七根, 赤芍藥을 加해 活血消滯시킨다.
《效能 및 主治》胞虛如球, 胎患內障, 視瞻昏渺, 神水將枯, 疳積上目, 目箚

三仁五子丸

『醫林改錯』
《構成》密蒙花, 旋覆花, 甘菊花, 決明子, 枸杞子, 免絲子酒製, 鼠黏子, 地膚子, 石決明煅, 甘草 각등분. 麥門冬湯으로 50丸씩 복용.

三仁湯

『溫病條辨』
《構成》杏仁 15 g, 滑石 18 g, 白蔻仁 厚朴 白通草 (淡)竹葉 각 6 g, 薏苡仁 18 g, 半夏 15 g.
《加減》翳膜이 발생되어 瞳神緊小가 되면 草龍膽, 石決明, 黃芩, 木賊, 蟬蛻, 密蒙花, 穀精草를 加해 清肝消翳시킨다.
《效能 및 主治》聚星障, 白澀症, 雲霧移睛, 視瞻昏渺, 火疳, 木疳, 氣翳, 瞳神緊小, 視直如曲

三才湯

『溫病條辨』
《構成》人蔘 3錢, 麥門冬 2錢, 乾地黃 5錢.
《效能 및 主治》益氣養陰. 暑溫으로 氣陰兩傷하여 睡臥不安, 不思飮食, 神志不清

三黃眼液

『中醫眼科學』
《構成》川連, 黃芩, 黃柏 各 6 g
《效能 및 主治》清熱瀉火解毒, 세균성 결막염, 각막염, 익상노육 병행기, 급성 홍채모양체염

三黃湯

『銀海精微』
《構成》黃連, 黃芩, 大黃 各 30 g. 또는 天黃蓮(酒煮), 黃芩(酒炒), 大黃(酒浸) 各 11.25 g.
《加減》症狀이 重하면 石膏, 知母, 赤芍藥, 黃柏, 梔子, 竹茹을 加해 清熱涼血 시킨다.
《效能 및 主治》脾胃積熱로 인해 생기는 익상편

三黃湯洗眼方

『聖濟總錄』
《構成》黃柏(去粗皮) 黃連 黃芩 梔子仁 10 g을 물에 끓여 찌꺼기를 걸러내고, 약간 따뜻하게 하여 눈을 씻어 내거나 약물에 적신 천을 눈에 붙인다.
《效能 및 主治》급성 결막염 각막염, 안검 감염성 염증

三黃解毒湯

『沈氏尊生書』
《構成》黃連 黃芩 黃柏 梔子 各等分
《效能 및 主治》任娠傷寒 5~6일에 후 表邪가 제거되었으나 煩躁 發熱 大渴 小便赤 大便秘塞 六脈沈實 등

澁化丹

『中醫眼科六經法要』
《構成》赤石脂 300 g, 爐甘石 180 g(甲組藥); 薄荷 30 g, 僵蠶 30 g, 麻黃 30 g, 北細辛 15 g, 蔓荊子 30 g, 紫草 21 g, 膽草 12 g, 黃連 30 g, 蘆薈 3 g, 草烏

12 g,(乙組藥) 空青石 30 g, 珊瑚 9 g, 琥珀 6 g, 上血竭 3 g, 珍珠 1.5 g(丙組藥)
《效能 및 主治》 退翳除障, 角膜雲翳, 斑翳, 血管翳, 翼狀努肉

生脈散

『千金要方』
《構成》 人蔘 6 g, 麥門冬 9 g, 五味子 3 g.
《加減》 肝腎不足으로 인해 雲霧移睛이 나타나면 六味地黃丸과 합하고 暴盲이 돌연히 나타나면 駐景丸加減方과 합하고 氣陽兩虛로 인해 眼漏가 나타나면 四君子湯과 합하여 활용한다.
《效能 및 主治》 雲霧移睛, 暴盲

生蒲黃湯

『中醫眼科六經法要』
《構成》 生蒲黃, 旱蓮草 각 24 g, 丹蔘 15 g, 荊芥炭 12 g, 鬱金 15 g, 生地 12 g, 川芎 6 g, 牧丹皮 12 g.
《加減》 氣虛로 출혈이 있으면 人蔘, 黃芪, 白朮, 山藥을 加해 補氣시키고 血虛로 인하면 當歸, 熟地黃, 白灼藥, 何首烏, 阿膠, 桑椹을 加해 補血시키고 陰虛陽亢으로 인하면 石決明, 龍骨, 青箱子, 白菊花, 草決明, 夏枯草를 加해 평간 및 淸肝潛陽시키고 脾虛로 脾不統血이 되면 白朮, 山藥, 白扁豆, 薏米, 人蔘을 加하고 비교적 출혈이 심하여 不止되면 藕節, 仙鶴草, 白茅根, 血竭炭, 阿膠를 加하여 사용한다.
《效能 및 主治》 雲霧移睛, 血灌瞳神, 出血性 眼病

犀角地黃湯

『千金要方』
《構成》 犀角 9 g, 生地黃 30 g, 牧丹皮 9 g, 赤芍藥 12 g.
《加減》 血灌瞳神에는 丹蔘, 白茅根, 生三七根을 加해 助血止血시키고 熱毒으로 인한 眼病에는 金銀花, 黃芩, 黃連, 連翹, 蒲公英, 紅藤을 加한다.
《效能 및 主治》 清熱凉血, 解毒散瘀, 시망막 혈관염, 열성 전염병 등 안내출혈

石決明散

『醫宗金鑒』
《構成》 石決明, 人蔘, 白茯苓, 車前子 各 1錢, 細辛 5分, 防風 2錢, 大黃 1錢, 茺蔚子 2錢, 桔梗 1錢半. 米飮湯으로 복용.
《效能 및 主治》 浮翳, 丁翳, 肝熱로 眼赤腫痛, 忽生翳膜하거나 脾熱로 안검내 심한 감염이 있는 산립종, 안검의 기저세포막, 편평세포암, 홍채탈출, Koeppe 결절, Busacca 결절이나 폐렴구균 각막궤양, 노인성백내장 등

石斛夜光丸

『原機啓微』
《構成》 天門冬, 麥門冬, 人蔘, 茯笭, 熟地黃, 生地黃 各 30 g, 牛膝, 杏仁, 枸杞子 各 22.5 g, 草決明 24 g, 川芎, 犀角, 白蒺藜, 羚羊角, 枳殼, 石斛, 五味子, 青葙子, 甘草, 防風, 肉蓯蓉, 川黃連 各 15 g, 菊花, 山藥, 菟絲子 各 21 g.
《效能 및 主治》 滋陰補腎, 清肝明目, 노년성 조기중기 백내장, 개방각 녹내장, 폐쇄각 녹내장 수술 후

仙方活命飮

『外科發揮』
《構成》 穿山甲, 天花粉, 甘草節, 乳香, 白芷, 赤芍, 貝母, 防風, 沒藥, 皁角子, 當歸尾 各 3 g, 陳皮, 金銀花 各 9 g.
《效能 및 主治》 清熱解毒, 活血消腫, 안검 급성화농성 염증, 안와 봉와직염 초기

洗肝散

『審視瑤函』

《構成》 當歸尾, 川芎, 薄荷, 生地黃, 羌活, 梔子인, 大黃, 草龍膽, 防風 각등분, 甘草 減半.

《加減》 經行目痛에는 白蒺藜, 白菊花, 夏枯草, 草決明을 加해 淸肝明目시키고 또 牧丹皮, 丹蔘, 赤芍藥을 加해 養血活血시킨다.

《效能 및 主治》 肝經의 風熱로 인한 時復症, 經行目痛

疏散風濕湯

『審視瑤函』

《構成》 赤芍藥, 黃連, 防風 各 1.5 g, 銅綠(別入), 川花椒, 當歸尾, 各 3 g, 輕粉(別硏) 0.3 g, 羌活, 五倍子 各 0.9 g, 荊芥 1.8 g, 膽礬, 明礬 各 0.09 g. 目爛濕處을 세척.

《效能 및 主治》 目爛濕處

燒傷眼藥水

『眼科學』

《構成》 虎杖 500 g, 地楡 60 g, 金銀花, 十大功勞 各 30 g

《效能 및 主治》 淸熱解毒, 行瘀止痛

消翳湯

『眼科纂要』

《構成》 木賊, 蒙花, 當歸尾, 生地酒洗, 蔓荊子, 枳殼, 川芎, 柴胡, 甘草, 荊芥穗, 防風 각등분.

《效能 및 主治》 宿翳, 氷瑕翳, 角膜雲翳

逍遙散

『和劑局方』

《構成》 甘草 15 g, 當歸, 茯苓, 白芍, 白朮, 柴胡 각 30 g, 生薑, 薄荷 小許.

《加減》 目劄症에는 菊花, 白殭蠶, 防風, 赤芍藥, 丹蔘을 加해 祛風活血시키고 視物變易에는 石決明, 草決明, 靑箱子를 加해 淸肝明目시키고 視物昏暗에는 枸杞子, 桑椹, 熟地黃, 免絲子를 加해 補肝腎한다.

《效能 및 主治》 目劄, 청맹, 視直如曲, 視物易色

消風散

『和劑局方』

《構成》 荊芥, 防風, 當歸, 生地黃, 苦蔘, 蒼朮, 蟬蛻, 胡麻仁, 牛蒡子, 知母, 石膏 각 12g.

《效能 및 主治》 時復證, 胞肉膠凝, 眼癬, 魚子石榴.

《加減》 瘙痒이 심하면 胡麻仁을 去하고 白芷, 白蒺藜, 菊花를 가한다. 紅赤이 심하면 蒼朮, 胡麻仁을 去하고 赤芍藥, 牧丹皮, 丹蔘을 가한다.

柴胡疎肝散

『景岳全書』

《構成》 柴胡 9 g, 白芍藥 24 g, 枳殼 9 g, 甘草 6 g, 川芎 6 g, 香附子 12 g.

《加減》 신생혈관녹내장 및 출혈성 녹내장에서 痰濕과 兼하면 溫膽湯을 合하여 活用한다.

《效能 및 主治》 柴胡, 枳殼, 香附子는 肝經의 鬱結을 해소하고 川芎은 行氣活血하여 肝經의 血鬱을 풀어주고, 白芍藥 甘草는 疏肝緩急, 調理肝氣한다. 肝鬱氣滯로 인한 색시증, 신생혈관녹내장 및 출혈성 녹내장

腎氣丸

『金匱腎氣丸』『金匱要略』

《構成》 六味地黃元 加 肉桂, 附子.

《加減》 目閉不開, 瞳神陷沒에는 人蔘, 黃芪, 升麻를 加해 益氣升降시키고 靑盲, 高風雀目에는 枸杞子, 肉蓯蓉, 免絲子, 鮮猪肝을 加해 補肝腎시킨다.

《效能 및 主治》 目閉不開, 瞳神陷沒, 靑盲, 高風雀目

新制柴連湯

『眼科纂要』

《構成》 柴胡, 川黃連, 黃芩, 赤芍, 蔓荊子, 山梔子, 龍膽草, 木通, 甘草, 荊芥, 防風을 적당량.

《加減》 石決明, 草決明, 白菊花, 夏枯草, 木賊을 加해 淸肝退翳시키고 金銀花, 連翹를 加해 淸熱解毒시킨다.

《效能 및 主治》 瞳神緊小, 瞳神乾缺, 凝脂翳

神效黃芪湯(= 補肺湯)

『審視瑤函』

《構成》 蔓荊子 3.75 g, 陳皮 1.875 g, 人蔘 30 g, 黃芪 75 g, 甘草炙, 白芍藥 各 37.5 g.

《效能 및 主治》 補裨益氣, 안검하수, 시력피로, 시신경위축, 만성각막염

十珍湯

『審視瑤函』

《構成》 生地黃(酒洗), 當歸(酒洗), 炒白灼藥, 炒地骨皮, 知母(鹽酒拌炒), 牧丹皮(童便浸炒), 天門冬(去心), 麥門冬(去心) 각 1錢半, 人蔘, 甘草梢 각 5分.

《效能 및 主治》 滋陰淸熱하는 효능이 있고 肺腎陰虛로 眼內乾澀, 視物昏花가 생기거나 白睛微紅이 오래되어 낫지 않는 증상을 치료한다.

阿膠鷄子黃湯

『中訂通俗傷寒論』

《構成》 阿膠(烊化) 1.5錢, 鉤藤 각 2錢, 白灼藥, 絡石藤 각 3錢, 石決明 5錢, 生地黃, 生牡蠣, 茯神木 각 4錢, 鷄子黃(先煎代水) 2枚, 炙甘草 6분.

《效能 및 主治》 熱邪傷陰, 脣焦舌燥하여 心煩不寐

眼珠灌膿方

『中醫眼科學』

《構成》 黃芩, 黃連, 梔子, 連翹, 大黃, 芒硝, 薄荷, 甘草

《效能 및 主治》 淸熱解毒, 痛腑瀉便, 전방축농성 각막궤양, 안내염

夜光育神丸

『沈氏尊生書』

《構成》 熟地黃, 生乾地黃, 遠志, 牛膝, 菟絲子, 枸杞子, 甘菊, 枳殼, 地骨皮, 當歸 各等分.

《效能 및 主治》 眼昏

凉膈連翹散

『銀海精微』

《構成》 連翹, 大黃, 黃連, 薄荷, 梔子, 甘草, 黃芩, 朴硝 각등분.

《效能 및 主治》 天行赤目

凉隔淸脾飮

『外科正宗』

《構成》 防風, 荊芥, 黃芩, 石膏, 山梔, 薄荷, 赤芍, 連翹, 生地 각 3 g, 甘草 1.5 g.

《加減》 金銀花, 白花蛇舌草, 野菊花, 蒲公英을 加해 淸熱解毒시키고 海藻, 昆布, 貝母, 夏枯草를 加해 산결시키고 車前子, 木通, 白茯苓을 加해 淸熱利濕시킨다.

《效能 및 主治》 眼胞菌毒

養陰淸肺湯

『重樓玉鑰』

《構成》 大生地 6 g, 麥冬 3.6 g, 生甘草 1.5 g, 玄蔘 4.5 g, 貝母, 丹皮 각 2.4 g, 薄荷 1.5 g, 炒白芍 2.4 g.

《加減》 白睛紅赤이 심하면 金銀花, 連翹, 黃芩, 桑白皮를 加해 淸熱시키고 眼目에 津液이 虧損되어 건조하면 石斛, 天花粉, 王不留行을 加해 淸熱生津

潤燥시키고 黑睛에 翳膜이 발생되면 木賊, 草決明과 같은 退翳藥物을 가한다.
《效能 및 主治》 暴風客熱, 風輪赤豆, 木疳, 金疳, 火疳, 白澀症

魚腥草眼藥水

『中醫眼科臨床手册』
《構成》 干魚腥草 10,000 g(鲜的加倍), 吐温-80 20 ml, 氯化钠 10 g
《效能 및 主治》 清熱解毒, 급성 결막염, 각막염

抑揚酒連散

『原機啓微』
《構成》 生地黃, 獨活 각 12 g, 黃柏, 漢防己, 知母 각 9 g, 蔓荊子, 前胡, 羌活, 白芷, 생甘草, 防風 각 12 g, 黃芩, 寒水石, 梔子, 黃連 각 15 g.
《加減》 증상에 따라 清熱活血하는 赤芍藥, 牧丹皮를 加하고 또 清肝하는 石決明, 白菊花를 가한다.
《效能 및 主治》 瞳神緊小, 瞳神乾缺, 青風內障

苓桂朮甘湯

『傷寒論』
《構成》 茯苓 120 g 桂枝 90 g 白朮 炙甘草 각 60 g
《加減》 陳皮, 法半夏, 膽南星 등을 사용하여 祛痰을 보조하고 紅花, 桃仁, 丹蔘으로 消瘀를 돕는다.
《效能 및 主治》 茯苓은 健脾滲利水濕, 白朮은 健脾益氣 및 運化水濕, 桂枝는 溫陽化氣, 溫化痰濕, 甘草는 和中하여 溫陽制水의 효능을 돕는다. 濕痰으로 인해 생긴 瞼黶

羚羊角散

『普濟方』
《構成》 羚羊角屑, 茯神, 車前子, 甘菊花, 決明子, 羌活, 防風, 赤芍, 蔓荊子, 荊芥, 升麻, 山梔子, 麥門冬, 甘草 柴胡 各 1 g, 枳殼 30 g
《加減》 眵糞이 粘稠하면 升麻, 枳殼, 羌活을 去하고 金銀花, 連翹을 加해 清熱解毒시키고 黑睛生翳에도 升麻, 枳殼, 羌活을 去하고 石決明, 青葙子, 夏枯草, 穀精草, 木賊을 加해 清肝明目 및 清熱消翳시키고 痰火로 인해 綠風 즉 폐쇄각 녹내장에는 升麻, 麥門冬, 羌活을 去하고 膽南星, 竹茹을 加해 清熱祛痰시킨다.
《效能 및 主治》 폐쇄각 녹내장, 內障, 昏花, 눈꺼풀부종, 開目不得, 홍채탈출, Koeppe 결절, Busacca 결절, 視物昏倒, 개방각 녹내장, 頭眩目痛, 眼內痛澁, 누액분비과다(熱淚) 등

羚羊角飮子

『審視瑤函』
《構成》 羚羊角 角屑, 防風, 桔梗, 茺蔚子, 玄蔘, 知母, 大黃, 草決明, 甘草減半, 黃芩, 車前子 각등분.
《效能 및 主治》 黃液上衝, 黑翳如珠

羚羊鉤藤飮.湯

『通俗傷寒論』
《構成》 羚羊角 9 g, 鉤藤 12 g, 桑葉 9 g, 川貝母 6 g, 竹茹 12 g, 生地黃 24 g, 菊花 12 g, 白芍 30~60 g, 茯笭 혹 茯神 15 g, 甘草 6 g.
《加減》 珍珠母, 石決明, 夏枯草를 加해 清肝明目시킨다.
《效能 및 主治》 綠風內障, 黃風內障, 姙娠目病

五苓散

『傷寒論』
《構成》 猪苓 12 g, 桂枝 9 g, 白朮 9 g, 茯笭 12 g, 澤瀉 9 g.
《加減》 黃芩, 車前子, 大豆黃卷, 薏苡仁, 草龍膽을 加해 燥濕 및 滲濕利水시킨다.

《效能 및 主治》視大爲小

五味消毒飮

『醫宗金鑑』

《構成》金銀花 12 g, 야菊花, 蒲公英, 紫花地丁 각 30 g, 紫背天葵 15 g.

《加減》眼胞瘡腫, 鍼眼에는 黃芩, 黃連 등과 같은 瀉熱解毒藥을 加하고 黃液上衝에는 犀角地黃湯을 합하여 투여하고 외상으로 眞睛破損되면 赤芍藥, 丹蔘, 牧丹皮를 加해 活血散瘀시킨다.

《效能 및 主治》眼胞瘡腫, 鍼眼, 黃液上衝k, 胞肉膠凝, 眞睛破損. 突起睛高

吳茱萸湯

『傷寒論』

《構成》吳茱萸, 人蔘 각 9 g, 生薑 18 g, 大棗 4枚.

《加減》羚羊角, 石決明, 鉤鉤藤, 菊花를 加해 明目息風시키고 腦頭風, 巓頭風이 나타나면 礞石, 半夏, 貝母, 膽南星을 加해 祛痰시킨다.

《效能 및 主治》綠風內障

玉女煎

『景岳全書』

《構成》石膏, 熟地, 麥冬, 知母, 牛膝 각등분.

《效能 및 主治》黃液上衝

溫膽湯

『千金方』

《構成》法半夏, 陳皮 各 9 g, 茯笭 12 g, 甘草 3 g, 枳實 6 g, 竹茹 10 g.

《加減》五風內障에는 羚羊角, 石決明, 菊花, 白蒺藜을 加해 平肝息風시키고 視物顚倒에는 白附子, 白芥子, 全蝎, 白殭蠶을 加해 祛風痰 및 通經絡하고 마치 眼目이 硬結되어 停滯된 것처럼 보이면 赤芍藥, 貝母, 夏枯草, 海藻, 昆布을 加해 淸熱化痰시킨다.

《效能 및 主治》目絡의 痰熱阻滯로 인한 산립종(Meibomian 낭포) 검판선 낭포, 결막 림프관 확장증, 폐쇄각 녹내장, 신생혈관녹내장 및 출혈성 녹내장, 유리체 혼탁, 중심성장액성망막병변, 중심성삼출성맥락막망막염, 視物顚倒

外障眼藥水

『中醫眼科學』

《構成》黃連 15 g 風化硝 9 g, 硼砂 0.6 g, 西紅花 1.5 g.

《效能 및 主治》淸熱解毒, 活血化瘀, 급성결막염, 각막염, 공막염, 홍채모양체염 등 외장안병

龍膽瀉肝湯

『李東垣方』

《構成》龍膽草 9 g, 生地黃 15 g, 當歸 9 g, 柴胡 9 g, 木通 12 g, 澤瀉 9 g, 車前子 12 g, 梔子 9 g, 黃芩 12 g, 甘草 3 g.

《加減》肝膽濕熱이 심하면 土茯笭, 貫中, 蘆薈, 蕪荑를 加하고 黑睛翳膜에 當歸를 祛하고 石決明, 草決明, 靑箱子, 夏枯草, 赤芍藥, 牧丹皮를 加하거나 石決明散과 합하여 淸肝 및 凉血活血시키고 瞳神이 乾缺 혹은 緊小가 되면 靑箱子, 草決明, 赤芍藥, 牧丹皮를 加해 淸肝活血시키고 黃液上衝이 발생되면 當歸를 거하고 蒲公英, 金銀花, 敗醬, 紅藤을 加해 淸熱解毒시키고 五風內障에는 羚羊角, 鬱金, 白菊花를 加하고 熱淚가 흐르면 蔓荊子, 菊花, 白蒺藜, 夏枯草, 靑箱子를 가한다.

《效能 및 主治》肝膽實火 및 濕熱로 인한 전반적인 眼病에 활용

龍膽草散

『普濟方』

《構成》 龍膽草, 羌活, 防風, 菊花, 蒺藜, 赤芍, 茯笭, 甘草.

《效能 및 主治》 肝經風熱, 目赤腫痛, 黑睛新翳, 努肉侵睛, 熱淚時下

右歸飮

『景岳全書』

《構成》 熟地黃, 山藥, 枸杞, 杜冲, 山茱肉, 炙甘草, 肉桂, 熟附子 각등분.

《效能 및 主治》 暴盲, 上胞下垂

右歸丸

『景岳全書』

《構成》 熟地 240 g, 山藥 120 g, 山茱萸 90 g, 枸杞子, 鹿角膠, 免絲子, 杜冲 각 120 g. 當歸 90 g, 肉桂 60 g, 制附子 60~180 g.

《加減》 楮實子, 茺蔚子를加해 補肝腎 및 白灼藥, 桑椹을 養血시키고 靑盲에는 鮮猪脊髓, 高風雀目에는 夜明砂, 鮮猪肝을 가한다.

六味地黃丸

『小兒藥證直訣』

《構成》 熟地黃 240 g, 山茱萸, 懷山藥 각 120 g, 澤瀉, 牧丹皮, 茯笭 각 90 g.

《加減》 虛火가 上炎되어 白睛紅赤과 翳膜이 나타나면 石斛, 王竹茹, 沙蔘, 天花粉을 加해 養陰淸熱시키고 黑睛生翳에는 石決明, 穀精草, 草決明, 密蒙花를 加해 淸肝退翳시키고 雲霧移睛에는 丹蔘, 赤芍藥, 鬱金을 加해 行氣活血 및 消瘀시키고 目瞤症에는 丹蔘, 紅花, 白菊花, 白蒺藜를 加해 祛風活血시킨다.

《效能 및 主治》 遠視, 努肉攀睛, 時復症, 雲霧移睛, 痲疹兼眼病, 目瞤症

銀翹散

『溫病條辨』

《構成》 金銀花, 連翹 각 30 g, 桔梗 薄荷 각 18 g, (淡)竹葉 12 g, 甘草 15 g, 荊芥穗 12 g, 淡豆豉 15 g, 牛蒡子 18 g, 葦根 30 g, 鮮蘆根.

《加減》 椒瘡, 鍼眼에는 魚腥草, 蒲公英, 敗醬, 蟬蛻, 白蒺藜를 加해 淸熱解毒 및 祛風시키고 白睛紅赤에는 黃芩, 石膏를 加해 肺熱을 瀉火시키고 만일 血點이 보이면 牧丹皮, 赤芍藥, 生地黃을 加해 淸熱凉血시키고 黑睛生翳에는 石決明, 草決明, 靑箱子를 加하여 平肝淸熱시킨다.

《效能 및 主治》 椒瘡, 鍼眼, 瞼弦赤爛, 赤脈傳睛, 漏睛瘡, 天行赤目, 白澁, 聚星障

銀花復明湯

『中醫眼科臨床實踐』

《構成》 金銀花 蒲公英 15 g, 桑白皮 知母 蔓荊子 黃芩 黃連 龍膽草 生地黃 12 g, 荊芥 防風 花粉 10 g, 枳殼 9 g, 甘草 6 g

《效能 및 主治》 홍채염, 전부 포도막염

銀花解毒湯

『瘍科心得集』

《構成》 金銀花, 地丁, 連翹, 川連, 夏枯草, 赤苓, 丹皮, 犀角 각등분.

《加減》 膿이 나타나면 蒲公英, 야菊花, 敗醬초를 가한다.

《效能 및 主治》 黃液上衝

耳聾左慈丸

『全國中藥成藥處方集』

《構成》 熟地黃 8兩, 山茱萸(酒潤), 山藥 각 4兩, 牧

丹皮, 澤瀉, 茯笭 각 3兩, 柴胡, 煆磁石 각 1兩.
《效能 및 主治》 肝腎陰虧, 頭暈目眩

二陳湯

『和劑局方』
《構成》 半夏, 橘紅 각 150 g, 白茯苓 90 g, 甘草 45 g, 生薑. 減量. 烏梅煎湯과 복용.
《加減》 補中益氣湯과 합하여 사용한다.
《效能 및 主治》 胞虛如球, 胞輪振跳

二朮散

『審視瑤函』
《構成》 蟬退(去頭足) 龍膽草(酒洗, 炒) 黃連(酒洗, 炒) 枸杞子(焙乾) 白朮(土炒) 蒼朮(米嵌浸, 炒) 牧丹皮 龍膽 各等分.
《效能 및 主治》 瞼硬睛疼

益氣補血湯

『診療要鑑』
《構成》 黃芪(蜜灸) 白朮 5.62 g 山査 香附子 半夏(製)陳皮 白茯苓 神麯 麥芽(炒) 甘草 厚朴 貢砂仁 當歸身 白芍藥 乾地黃 人蔘 白茯神 麥門冬 3.75 g 遠志 川芎 木香 1.75 g 生薑 3片 大棗 2枚
《效能 및 主治》 제반 氣虛證

益氣聰明湯

『脾胃論』
《構成》 蔓荊子 4.5 g, 黃芪, 人蔘 各 1.5 g, 黃柏, 白芍藥 各 3 g, 炙甘草, 升麻, 葛根 各 0.9 g.
《加減》 柴胡을 加해 調和肝氣한다.
《效能 및 主治》 補氣升淸, 聰耳明目, 노년성조기백내장, 신경성이명, 이롱

人蔘補胃湯

『審視瑤函』
《構成》 羌活 獨活 6分 防風 柴胡 5分 當歸(身) 白茯苓 白朮 熟地黃(酒洗) 人蔘 炙甘草 黃芪 4分 白芍藥 生地黃 澤瀉 3分
《效能 및 主治》傷寒病이 완벽하게 낫지 않아 생기는 증상, 目隱澁, 翳障, 目赤, 羞明

人蔘養榮湯

『和劑局方』
《構成》 當歸, 白芍, 熟地黃, 黨蔘, 白朮, 茯笭, 炙甘草, 肉桂, 五味子, 遠志, 陳皮, 生薑, 大棗, 黃芪 각등분.
《加減》 上瞼下垂에는 升麻, 白殭蠶, 全蝎을 加해 祛風通絡시키고 視瞻昏渺에는 楮實子, 枸杞子, 免絲子를 加해 補肝腎시킨다.
《效能 및 主治》 上瞼下垂, 視瞻昏渺, 靑盲

滋陰降火湯

『審視瑤函』
《構成》 當歸 3 g, 川芎 1.5 g, 生地熟地, 黃柏, 知母, 麥冬 각 2.4 g, 白芍, 黃芩, 柴胡 각 2.1 g, 甘草梢 1.2 g,
《加減》 翳膜이 발생되면 石決明, 草決明, 穀精草를 가한다.
《效能 및 主治》 陰虛火旺으로 인한 風輪赤豆, 木疳, 螢星滿目, 聚星障

滋陰地黃丸

『原機啓微』
《構成》 生地黃, 熟地黃, 五味子, 當歸, 문동, 人蔘, 地骨皮, 枳殼, 黃連, 黃芩, 甘草.
《效能 및 主治》 滋腎養肝, 淸心降火하는 효능이 있고 瞳神漸大, 視物昏暗, 視一爲二, 內障漸白

滋陰退翳湯

『眼科臨證筆記』

《構成》玄蔘, 知母, 生地黃, 麥冬, 蒺藜, 木賊草, 菊花, 青葙子, 蟬蛻, 免絲子, 甘草

《效能 및 主治》滋陰退翳하는 효능이 있어 翳膜初結, 乾澀不適, 視物昏暗

紫草眼藥水

『杭州市第2人民醫院』

《構成》紫草 250 g, 硼酸 11.25 g, 硼砂 2.25 g, 尼泊金 0.75 g, 蒸溜水 750 毫升

《效能 및 主治》清熱解毒, 병독성 결막염, 각막염, 천층 점상 각막염

將軍定痛丸

『審視瑤函』

《構成》黃芩, 白殭蠶, 陳皮, 天麻, 桔梗, 青礞石, 白芷, 薄荷, 大黃, 半夏 각등분.

猪苓散

『審視瑤函』

《構成》猪苓, 木通, 편축, 滑石, 車前子, 蒼朮, 狗脊, 大黃, 梔子.

《效能 및 主治》利濕清熱하는 효능이 있고 濕熱內障, 雲霧移睛, 眼前黑影飄動

猪苓湯

『聖濟總錄』

《構成》猪苓, 黃芩, 炒大黃, 梔子, 朴硝 각 1兩.

《效能 및 主治》目黃

正容湯

『審視瑤函』

《構成》羌活, 白附子, 防風, 秦艽, 膽南星, 僵蠶, 法半夏, 木瓜, 黃松節(卽茯神心木), 甘草 各等分, 生薑 3片.

《加減》肝風內動에는 龍骨, 牡蠣, 天麻, 鈎鉤藤, 石決明을 加해 平肝潛陽息風하고 風邪에는 伸筋草, 石藤, 海風藤을 加해 疏風活絡시키고 鬱金, 川芎, 赤芍藥, 丹蔘을 加해 涼血活血行氣시킨다.

《效能 및 主治》祛風化痰, 舒筋活絡, 안면신경마비, 안외근마비

定志丸

『審視瑤函』

《構成》遠志, 石菖蒲 각 7.5 g, 朱砂(別研爲衣) 각 11.25 g, 人蔘, 白茯苓 각 37.5 g.

《效能 및 主治》近視(能近怯遠)

除濕湯

『眼科纂要』

《構成》連翹, 滑石, 車前子, 枳殼, 黃芩, 黃連, 木通, 陳皮, 荊芥, 茯笭, 防風, 甘草(一方無 黃芩, 黃連).

《加減》瘙痒이 甚하면 生地黃, 赤芍藥, 牧丹皮을 加해 涼血止痒시키고 濕潤이 甚하면 白芷, 地膚子, 白蘚皮을 加해 除濕止痒시킨다.

《效能 및 主治》利濕清熱, 祛風止痒, 습열형 안검습진, 검연염, 약물과민성 안검 피부염

除風清脾飮加減

『審視瑤函』

《構成》廣陳皮, 連翹, 防風, 知母, 元明粉, 黃芩, 元蔘(玄蔘), 黃連, 荊芥(穗), 大黃, 桔梗, 生地 各等分.

《加減》大便燥結이 없으면 大黃, 玄明粉을 去하고 服用하고 搔痒症이 甚하면 白蒺藜, 蟬蛻, 白芷을 加해 祛風止痒시키고 紅赤이 甚紅하면 紅花, 牧丹皮, 赤芍藥을 加花해 涼血活血시킨다.

助陽活血湯

『證治準繩』

《構成》人蔘, 黃芪, 甘草, 當歸, 白芷, 蔓荊子, 防風 各等分.

《效能 및 主治》補氣升淸, 시력피로, 각막염 후기, 백내장 조기, 흐린 시력

左歸飮

『景岳全書』

《構成》熟地, 山茱肉, 枸杞子, 山藥, 茯笭, 甘草 各等分.

《效能 및 主治》陰虛로 인한 질환

左金丸

『丹溪心法』

《構成》黃連(또는 黃芩) 6兩, 吳茱萸 1兩(또는 半兩)

《效能 및 主治》肝經火旺

駐景丸

『銀海精微』

《構成》車前子, 當歸(去尾), 熟地黃(洗), 五味子, 枸杞子, 楮實子(無翳不用), 川椒, 免絲子(酒煮焙).

《效能 및 主治》視瞻昏渺, 視瞻有色, 靑盲, 近視, 肝勞

竹葉瀉經湯

『證治準繩』

《構成》靑竹葉 10片, 柴胡, 梔子仁炒, 川羌活, 升麻, 甘草炙, 黃遠, 大黃 各 5分, 赤芍藥, 草決明, 白茯苓, 車前子, 澤瀉 各 4分, 黃芩 6分.

《效能 및 主治》淸心降火, 解毒利濕, 급성 누낭염, 만성 누낭염의 급성기

重明眼藥水

『眼科症治經驗』

《構成》防風, 川椒, 攴膽草, 生甘草, 細辛 各 30 g

《效能 및 主治》祛風淸熱, 燥濕止痒, 춘계 카타르성 결막염, 기타 과민성 결막염

止淚補肝散

『銀海精微』

《構成》熟地黃, 白芍藥, 當歸, 川芎, 疾藜, 木賊, 防風, 夏枯草

《效能 및 主治》補肝止漏, 비루관 불완전성 조색, 눈물흘림, 노인 누소관주변 기육 늘어짐

知柏地黃湯

『醫宗金鑒』

《構成》知母, 黃柏, 熟地黃, 山茱萸, 淮山藥, 茯笭, 澤瀉, 丹皮

《加減》視物昏暗하면 枸杞子, 桑椹, 菟絲子, 楮實子을 加해 補肝腎하고 視定反動에는 石決明, 生龍骨, 牡蠣을 加해 平肝潛陽하고 五風內障에는 羚羊角, 白菊花, 石決明을 加해 平肝息風시키고 모양체염에는 生蒲黃, 丹蔘, 牧丹皮, 白茅根을 加해 活血止血 및 消瘀시키고 홍체모양체염(전부포도막염), 홍체후유착에는 黃芩, 龍膽草을 加하여 淸肝膽시키고 黑睛生翳에는 石決明, 珍珠母, 夏枯草, 草決明, 靑葙子, 木賊을 加해 淸肝退翳시키고 白睛에 積血 및 絲脈粗虯 또는 翳膜이 나타나면 紅花, 當歸尾, 赤芍藥, 丹蔘, 桃仁을 加해 活血消瘀시킨다.

《效能 및 主治》陰虛火旺으로 인한 만성결막염, 色似臙脂, 氣翳, 표층 점상 각막염, 중심성각막궤양, 변연성각막궤양, 수지상각막궤양, 白膜侵睛, 홍체모양체염(전부포도막염), 홍체후유착, 모양체염, 녹내장, 삼출성 망막병변, 당뇨병성 망막변성, 중심성장액성 망막병변, 중심성삼출성맥락막망막염, 노인

성황반변성, 시유두혈관염, 중독성약시, 망막동맥 폐쇄, 망막정맥폐쇄, 망망정맥주위염, 삼출성망막 병변(망막박리), 노인성황반변성, 원발성망막탈리, 시신경염, 가족유전성시신경염(레베스시시신경병 증), 허혈성 시신경 병증, 중독성약시, 視定反動 등

知柏地黃丸 · 湯

『醫宗金鑑』

《構成》知母, 黃柏, 熟地黃, 山茱萸, 懷山藥, 茯苓, 澤瀉, 丹皮

《加減》時物昏暗하면 枸杞子, 桑椹, 免絲子, 楮實子를 加해 補肝腎하고 時定反動에는 石決明, 生龍骨, 牡蠣를 加해 平肝潛陽하고 烏風內障에는 羚羊角, 白菊花, 石決明을 加해 平肝息風시키고 血灌瞳神에는 生蒲黃, 丹蔘, 牧丹皮, 白茅根을 加해 活血止血 및 消瘀시키고 瞳神緊小, 瞳神乾缺에는 黃芩, 龍膽草를 加하여 淸肝膽시키고 黑睛生翳에는 石決明, 珍珠母, 夏枯草, 草決明, 靑箱子, 木賊을 加해 淸肝退翳시키고 白睛에 積血 및 絲脈粗蚻 또는 翳膜이 나타나면 紅花, 當歸尾, 赤芍藥, 丹蔘, 桃仁을 加해 活血消瘀시킨다.

《效能 및 主治》銀星獨見, 蟹睛症, 混睛障, 瞳神緊小, 瞳神乾缺, 綠風內障, 暴盲, 努肉攀睛

鎭肝息風湯

『醫學衷中參書錄』

《構成》懷牛膝 30 g, 代赭石 30 g, 生龍骨, 牡蠣, 龜板, 生杭芍(白芍), 玄蔘, 天門冬 각 15 g, 川楝子, 麥芽, 茵蔯 각 6 g, 甘草 4.5 g.

《加減》白殭蠶, 全蝎, 海風藤을 加해 祛風通絡解痙시킨다.

《效能 및 主治》肝風上擾로 인한 目偏視, 口眼喎斜

珍珠散

『聖濟總錄』

《構成》珍珠末 0.3 g, 龍腦 0.15 g, 琥珀 0.3 g, 朱砂 0.15 g, 硇砂 小豆大. 大眥頭에 每日 2~3回 點眼.

《效能 및 主治》포성 결막염, 누액분비과다, 익상편

川芎茶調散

『和劑局方』

《構成》羌活, 防風, 白芷, 甘草 各 6 g, 荊芥, 川芎 各 12 g, 細辛 3 g, 薄荷葉 3 g.

《效能 및 主治》祛風散寒, 止痛, 풍한형 병독성 각막염, 風邪所致的 삼차신경통, 眶上신경통

千里光眼藥水

『醫院制剂』『修汀本』

《構成》千里光眼草 50 g, 蒸溜水活量, 共制成 100 ml.

《效能 및 主治》淸熱解毒, 급성 결막염, 각막염, 세균감염

天麻鉤藤飮加減

『雜病證治新義』

《構成》天麻, 鉤藤, 生石決, 梔子, 黃芩, 川牛膝, 杜冲, 益母草, 桑寄生, 夜交藤, 茯神 각 등분.

《效能 및 主治》暴盲, 風牽偏視

天王補心丹

『攝生秘剖』

《構成》生地黃 120 g, 五味子, 當歸身, 天冬, 麥冬, 柏子仁, 酸棗仁 각 30 g, 人蔘, 玄蔘, 丹蔘, 茯苓, 遠志, 桔梗 각 15 g, 辰砂(爲衣).

《效能 및 主治》心陰耗損으로 인해 虛火가 上炎되어 나타난 視瞻昏渺, 靑盲, 肝勞

淸痰飮

『不空和尙目醫三種』

《構成》 炒梔仁, 法半夏, 陳皮, 白茯苓, 石膏, 黃芩, 天花粉, 枳殼, 靑黛, 膽南星.

《加減》 羚羊角, 石決明, 白殭蠶을 加해 平肝息風시킨다.

《效能 및 主治》 綠風內障

淸脾散

『審視瑤函』

《構成》 薄荷葉, 升麻, 山梔仁(炒), 赤芍藥, 枳殼, 黃芩, 廣陳皮, 藿香葉, 防風, 石膏 각등분. 甘草(減半).

《效能 및 主治》 脾胃熱毒으로 인해 鍼眼 혹은 眼丹이 發赤腫痛

淸脾除濕飮加減

『醫宗金鑒』

《構成》 茵蔯 12 g, 澤瀉 10 g, 梔子 10 g, 連翹 10 g, 白蒺藜 10 g, 蒼朮 6 g, 玄蔘 12 g, 荊芥 4 g, 厚朴 4 g, 金銀花 20 g.

《效能 및 主治》 淸利濕熱, 滋陰

淸營湯

『溫病條辨』

《構成》 犀角 9 g, 生地黃 15 g, 玄蔘 9 g, 丹蔘 6 g, 麥冬 9 g, 連翹 6 g, 黃連 4.5 g, 金銀花 9 g, 竹葉卷心 3 g.

《加減》 火毒熾盛에는 蒲公英, 敗醬초, 紫花地丁을 加해 淸熱解毒시키고 熱入營血에는 牧丹皮, 赤芍藥, 生蒲黃을 加해 凉血活血시킨다.

《效能 및 主治》 胞腫如桃, 突起睛高와 火毒熾盛으로 인한 黃液上衝, 瞳神緊小와 熱入營血로 인한 血灌瞳神, 暴盲, 眼衄

淸燥救肺湯

『醫門法律』

《構成》 冬桑葉 9 g, 生石膏 7.5 g, 人蔘 6 g, 甘草 3 g, 胡麻仁 3 g, 眞阿膠 2.4 g, 麥門冬 4 g, 杏仁 2.1 g, 枇杷葉 6 g.

《加減》 丹蔘, 紅花, 牧丹皮, 赤芍藥, 桃仁을 加해 활혈소어시킨다.

《效能 및 主治》 目箚症과 肺燥咳嗽로 인한 色似胭脂症

治金煎

『目經大成』

《構成》 玄蔘, 桑白皮, 枳殼, 黃連, 杏仁, 旋覆花, 防風, 黃芩, 白菊花, 葶藶子.

《效能 및 主治》 肺熱氣滯, 白睛腫脹, 日夜疼痛

梔子勝奇散

『原機啓微』

《構成》 白蒺藜, 蟬蛻, 穀精草, 甘草, 木賊草, 黃芩, 草決明, 菊花, 山梔子, 川芎, 荊芥穗, 羌活, 密蒙花, 防風, 蔓荊子 각등분.

《效能 및 主治》 努肉攀睛

托裏消毒散

『醫宗金鑒』

《構成》 黃芪, 皂角刺, 金銀花, 連翹, 陳皮, 甘草, 桔梗, 白芷, 川芎, 當歸, 白灼藥, 白朮, 茯笭, 人蔘 적당량.

《效能 및 主治》 凝脂翳, 鍼眼, 眼丹

托裏消毒飮

『醫宗金鑑』

《構成》 黃芪, 皂角刺, 金銀花, 連翹, 陳皮, 甘草, 桔梗, 白芷, 川芎, 當歸, 白灼藥, 白朮, 茯笭, 人蔘 적당량.

《效能 및 主治》凝脂翳, 鹹眼, 眼丹

通肝散

『世醫得效方』

《構成》山梔子, 白蒺藜, 枳殼, 荊芥, 甘草 각 5錢, 車前子, 鼠粘子炒 각 2錢半. 苦竹葉煎湯으로 복용.

通竅活血湯

『醫林改錯』

《構成》赤芍藥, 桃仁, 紅花, 川芎, 生薑, 紅棗 각 9 g, 老葱 3根, 麝香 0.3 g.

《效能 및 主治》暴盲

通明補腎丸

『銀海精微』

《構成》楮實子, 五味子, 枸杞子, 人蔘, 免絲子, 肉蓯蓉, 菊花, 熟地黃, 當歸, 牛膝, 知母, 黃柏, 青鹽 각 1兩.

《效能 및 主治》滋腎陰, 降虛火. 玉翳遮睛, 초기에 紅腫赤脈穿睛하고 점차 白翳가 생기며 오래되면 片이 되어 遮滿黑睛

通脾瀉胃湯

『審視瑤函』

《構成》麥門冬, 茺蔚子, 知母, 玄蔘, 車前子, 石膏, 防風, 黃芩, 天門冬, 熟大黃 각등분.

《效能 및 主治》黃液上衝, 鹹眼. 胞肉膠凝

退熱散

『審視瑤函』

《構成》赤芍, 黃連, 木通, 生地, 炒梔子, 黃柏, 黃芩, 當歸尾, 丹皮, 甘草梢 각 등분.

《效能 및 主治》赤絲虯脈, 赤絲札脈?, 突起睛高, 眼衄

退雲散

『眼科臨症錄』

《構成》冰香散 10 g(制甘石 60 g "甲組藥"; 黃柏, 黃芩, 黃連, 防風, 蟬衣, 白芷, 羌活, 薄荷, 川芎, 白菊花, 荊芥, 當歸, 大黃, 赤芍, 連翹, 木賊草 各 3 g "乙組藥"; 海螵蛸 6 g, 荸薺粉 9 g, 冰片 7.5 g, 西黃 0.6 g, 珠粉 1.2 g, 熊膽 0.6 g, 淡硇砂 0.3 g, 朱砂 3 g, 蕤仁霜 3 g, 麝香 0.75 g "丙組藥"; 먼저 乙組藥 十七味를 清水 여러 잔으로 煎湯한 然後, 甲組藥을 乙組藥 汁內에 浸入하고 曝乾한 後 極細末하여 細絹篩로 濾過하여 舌上에 두어 찌꺼기가 느껴지지 않으면 使用할 수 있으니, 그렇지 않으면 角膜을 쉽게 傷하게 되며, 最後에 丙組藥을 加하여 아침부터 저녁까지 하루 종일 細末하고 玻璃小管內에 密封하여 藥氣가 外泄하는 것을 防止한다. 用法은 小玻璃棒으로 藥을 묻혀(한알의 芝麻크기의 1/3) 小毒 點眼하는데, 每日 二-三次 下瞼緣 近處에 點眼하고 10분 정도 가린다. 患者가 眼內에 清涼感을 느끼면 좋다. 다시 地塞米松 13 mg을 넣고 研細末하여 玻璃小管內에 密封한 후 每日 3次 點眼하는데, 매번 點眼할 때 小玻璃棒에 藥을 조금 묻혀 使用한데 많이 쓰면 刺戟性이 있다.

《效能 및 主治》祛風清熱, 退翳明目, 결체조직 증생 억제, 반흔형성 감소, 각막운예, 반예, 각막혈관예, 경화성 각막염, 심층 각막염, 공막염, 만성 홍채모양체염

退赤散

『審視瑤函』

《構成》桑白皮, 甘草, 牧丹皮, 黃芩, 天花粉, 桔梗, 赤芍, 當歸尾, 瓜蔞仁, 麥門冬 각등분.

《加減》白睛溢血이 심하면 丹蔘, 赤芍藥, 紅花를 가한다.

《效能 및 主治》白睛溢血, 鹹眼, 色似胭脂

破血紅花散

『銀海精微』

《構成》 當歸梢, 川芎, 赤芍藥, 枳殼, 蘇葉, 連翹, 黃連, 黃芪, 梔子, 大黃, 蘇葉, 紅花, 白芷, 荷葉, 升麻 각등분.

《效能 및 主治》 赤膜下垂, 血翳包睛, 逆經目病

八珍湯

『正體類要』

《構成》 當歸, 川芎, 白灼藥, 熟地黃, 人蔘, 白朮, 茯笭 각 3 g, 炙甘草 1.5 g, 生薑 3편, 大棗 2매.

《效能 및 主治》 流淚症, 疳積上目, 肝勞, 逆經目病

平肝淸火湯

『審視瑤函』

《構成》 夏枯草, 白芍, 當歸, 生地黃, 枸杞, 車前子, 連翹, 柴胡

《效能 및 主治》 平肝氣, 淸肝火, 養肝陰하는 효능이 있고 頭痛眼脹, 木疳症

抗炎眼藥水

『中草藥制剂技术』

《構成》 野菊花 35 g, 金銀花 70 g, 马尾连 70 g, 蒲公英 60 g, 黃芩 60 g, 板藍根 20 g, 尼泊金 0.3 g

《效能 및 主治》 清熱解毒, 消肿退紅, 세균성 혹은 병독성 결막염, 각막염

解毒散瘀飮

『眼底出血』

《構成》 龍膽草, 黃芩, 梔子, 生地黃, 赤芍, 金銀花, 土茯笭, 滑石, 當歸, 枳殼, 大黃, 白花蛇舌草.

《效能 및 主治》 淸熱瀉火, 解毒散瘀하는 효능이 있어서 目赤疼痛, 瞳神緊小, 視網膜滲出水腫 등

解鬱逍遙散

『眼科集成』

《構成》 當歸, 白芍, 柴胡, 茯笭, 薄荷, 白蔻仁, 川芎, 夜明砂, 靑皮, 檳榔, 半夏, 浙貝, 礞石, 菊花, 密蒙花, 石決明, 草決明, 穀精草.

《效能 및 主治》 疏肝解鬱, 通利玄府하는 효능이 있으며 肝氣鬱結로 玄府鬱塞되어 內障, 視物昏暗이 不紅不痛

海藏地黃散

『證治準繩』

《構成》 熟地黃, 生地黃, 玄蔘, 當歸, 黃連, 大黃, 犀角, 木通, 羌活, 防風, 蟬蛻, 木賊초, 穀精草, 沙蒺藜, 白蒺藜, 甘草.

《效能 및 主治》 滋肝淸肝, 袪風退翳하는 효능이 있고 目赤腫痛, 赤白翳膜, 遮擋黑暗

香貝養榮湯

『醫宗金鑑』

《構成》 白朮(土炒) 2錢, 人蔘, 茯笭, 陳皮, 熟地黃, 川芎, 當歸, 貝母(去心), 香附(酒炒), 白灼藥(酒炒) 각 1錢, 桔梗, 甘草 각 5分, 生薑 3편, 大棗 2매.

《效能 및 主治》補氣益血, 化痰散結. 頸項瘰癧, 風輪赤豆

血瘀逐瘀湯

『醫林改錯』

《構成》 桃仁 12 g, 當歸, 生地黃, 紅花 각 9 g, 枳殼, 赤芍 각 6 g, 柴胡, 甘草 각 3 g, 桔梗, 川芎 각 4.5 g, 牛膝 9 g.

《效能 및 主治》 血灌瞳神, 雲霧移睛, 視瞻有色, 靑盲

荊防敗毒散

『證治準繩』

《構成》防風 1錢5分, 荊芥穗, 羌活, 獨活, 前胡, 柴胡, 枳殼麩炒, 桔梗, 赤茯苓, 川芎 各 1錢, 人蔘, 甘草 各 5分, 薄荷 5葉. 眞金汁 1盃 혹은 鮮菊葉搗汁으로 복용.
《效能 및 主治》發表散寒, 祛風退翳, 풍한형 병독성 각막염, 안검 화농성 염증 초기

化鐵丹眼藥水

『眼科症治經驗』
《構成》雄鷄化骨(脾臟) 3個, 烏梅 3個, 杏仁 7個, 川椒(炒) 9 g, 사인(초) 3 g, 風化硝 9 g, 膽矾 9 g, 青鹽 3 g, 眞銅綠 3 g (或古銅錢 1枚) 新繡花針 3支
《效能 및 主治》收斂燥濕, 化瘀止痛

還陰救苦湯

『原機啓微』
《構成》升麻, 蒼朮, 甘草梢(자), 桔梗, 柴胡, 防風, 黃連, 黃芩, 黃柏, 知母, 連翹, 生地黃, 羌活 각 15 g, 龍膽草 10 g, 고본 12 g, 川芎 30 g, 紅花 3 g, 當歸尾 21 g, 細辛 6 g.
《加減》辛溫祛風하는 防風, 羌活, 藁本, 細辛을 가한다.
《效能 및 主治》火疳, 眞睛破損, 白睛青藍

活血散結湯

『中醫眼科學』
《構成》玄蔘, 生牡蠣, 陳皮, 半夏, 茯笭, 海藻, 夏枯草, 浙貝母, 鬱金, 丹蔘, 當歸.
《效能 및 主治》化痰散結, 活血祛瘀. 雲霧移睛

黃芩甙眼藥水

『醫院制剂規范』
《構成》黃芩甙 3 g, 硫柳汞 0.01 g, 蒸溜水活量, 制 100 ml
《效能 및 主治》清熱瀉火解毒, 세균성 결막염, 각막염, 병독성 각막염

黃芪湯

『審視瑤函』
《構成》黃芪 麥門冬 茯苓 防風 人蔘 地骨皮 漏芦 知母 遠志 熟地黃 各等分.
《效能 및 主治》陰漏症, 眼膿不止

黃連西瓜霜

『簡明中醫眼科學』
《構成》黃連素 2.5 g, 西瓜霜 25 g, 硼砂 1 g, 증류수 1,000 ml.
《效能 및 主治》포성결막염, 포진성 결막염, 트라코마, 알레르기성결막염, 유두비대, 바이러스성 각결막염, 赤膜胞睛, 익상편, 급성세균성결막염, 目中結骨, 육양성 염증, 낭포, 양성종양, 눈꺼풀속말림, 垂簾翳, 각막신생혈관, 벌레가 기어다니는 것처럼 가려운 증상을 치료한다.

黃連西瓜霜眼藥水

『中醫眼科學』
《構成》硫酸黃連素 0.5 g, 西瓜霜 5.0 g, 月石 0.2 g, 硝苯汞 0.002 g, 蒸溜水 100 ml
《效能 및 主治》清熱解毒, 트라코마, 트라코마 혈관예, 트라코마성 각막궤양, 기타 결막염

黃連溫膽湯

『六人條辨』
《構成》半夏, 陳皮, 茯笭, 甘草, 竹茹, 枳實, 黃連, 生薑, 大棗.
《效能 및 主治》清熱化痰, 和胃降逆. 痰火眩暈, 目脹視昏

黃連解毒湯

『外臺秘要』

《構成》黃連, 黃芩, 黃柏, 梔子 각등분.

《效能 및 主治》瞼眩赤爛, 漏睛瘡, 努肉攀眼, 화학성 안외상

참고문헌

1. 각막 제2판, 한국외안부연구회, 일조각, 2005.
2. 녹내장의 모든 것, 김용연, 황연훈, 고려대학교출판부, 2009.
3. 동의안이비인후과학, 채병윤, 집문당, 1994.
4. 신경안과학, 장봉린, 일조각, 2004.
5. 안과학, 윤동호, 이상욱, 최억, 일조각, 2007.
6. 안과학, Vaughan, 한우리, 1999.
7. 원색안이비인후과학, 노석선, (주)아이비씨기획, 2007.
8. 임상안과학, Kanski, 정담, 2005
9. 중의안과진료학, 관국화, 상해중의약대학출판사, 2002.
10. 중의안과학, 정숙화, 상해중의약대학출판사, 2004.
11. 중의안과학, 이전과, 인민위생출판사, 2006.

Index

국문

ㄱ ○ ○ ○ ○ ○ ○ ○ ○ ○ ○

가족유전성 시신경병변 180
각막 신생혈관 117
각막궤양 및 각막염 118
각막기질 129
각막반흔 117
각막부종 117
각막신생혈관 133
각막천공 128
각막침윤 117
각막혼탁 117, 129
간접대광반사 36
개검기 33
개방각 녹내장 151
거상연 17
乾澁證 60
건성 각결막염 108
乾性 174
건성각결막염 120
검결막 8, 101
검안경 35
검열 5
결막 5, 8
결막충혈 32
결막하출혈 106
결핵포도막염 130
經筋 47
고도근시 176
고초열 104
高風雀目內障 166
고혈압 동맥경화 168
공막 천층 112
공막심층 113
공막염 113
과숙기 156
광시증 161
괴사성 공막염 114
교감성 안염 142
교감신경 14

교대차폐검사 191
교원섬유 114
교정렌즈 159
교정시력 189
구결막 8, 101
구름 161
구심성 동공장애 36
굴광 155
굴절검사 159
굴절률 189
굴절이상 35, 187
근시 187
近視 63
급성 눈물주머니염 99
급성각막수종 136
급성출혈성 결막염 102
奇經八脈 47
氣輪 49
기타 각막궤양 및 각막염 120
其他 54

ㄴ ○ ○ ○ ○ ○ ○ ○ ○ ○ ○

난시 189
날파리증 139
內障 166
內治法 65
노인성 백내장 155
노인성 황반변성 174
노인환 121
노출성 각막염 120, 133
녹내장 149
녹농균 118
누기 7
누선 7
누액막 7
누점 5
눈 가려움 29
눈꺼풀피부염 85
눈꺼풀겉말림 91
눈꺼풀떨림 92
눈꺼풀부종 94
눈꺼풀속말림 90
눈꺼풀처짐 93
눈꺼풀테염 89
눈다래끼 86
눈물 흘림 139
눈물막 파괴시간 43
눈물흘림증 97
눈부심 139
能遠怯近症 188
能近怯遠症 187

ㄷ ○ ○ ○ ○ ○ ○ ○ ○ ○ ○

다초점렌즈 159
단모양체신경 17
단순포진 119
단순포진각막염 129
당뇨망막병증 153
당뇨병성 망막변성 171
대광반사 36
대면검사 40
대상포진 89
대상포진각막염 129
大眥 97
大泡性 角膜炎 132
대홍채동맥륜 15

데스메막 12
涂眼膏 74
도인법 81
돌기 135
돌출 120
동공 14, 155
동공괄약근 14
동공부등 36
동공산대근 14
두개강 내부 26
디지털리스 184

ㄹ ○ ○ ○ ○ ○ ○ ○ ○ ○ ○

라이터증후군 145
레베르 시신경병증 180
轆轤轉關 194
류마티스 관절염 111
림프절 103

ㅁ ○ ○ ○ ○ ○ ○ ○ ○ ○ ○

마비성 각막염 120
마비성 사시 37, 193
마이봄선 6
만성 결막염 103
만성 눈물주머니염 98
망막 139, 165
망막 탈락 161
망막동맥폐쇄 167
망막박리 176
망막수종 171
망막정맥주위염 169
망막정맥폐쇄 168
망막중심동맥 20
망막중심정맥폐쇄 153
매독 사이질각막염 129
梅花針 76
맥락막 139
맥락막염 141
맥립종 86
명순응 20
모세혈관 투과성 171
모세혈관벽 171
모양체근 14
모양체소대 17
모양체혈관 23
모양충혈 32
木疳 131
몰선 6
물집 135

ㅂ ○ ○ ○ ○ ○ ○ ○ ○ ○ ○

바이러스성 각막염 129
바이러스성 결막염 102
방수 136
방수액 15
방수유출 153
白睛 111
베체트증후군 143
변연성 각막궤양 119, 124
病機 54
病因 51
病情에 근거한 합리적인 調養 80
보우만층 12, 118
볼록렌즈 159
부교감신경 14

敷眼 75
비기질성 189
비마비성 사시 37, 191
비모양체신경 33

ㅅ ○ ○ ○ ○ ○ ○ ○ ○ ○ ○

사근 21
斜筋 21
사분맹 182
사시 191
산립종 87
삼눈 119
三稜針 76
삼차신경 4
삼출 168
삼출물 140
삼출성 망막병변 170
澁痛 29
상공막 11
상공막염 111
상사근 22
상악신경 4
상하반맹 182
색각 20, 41
색각이상 179
색맹 41
색소상피층 19, 172
색약 41
색전 167
생리적 맹점 185
생리적 암점 19, 40
旋螺泛起 136
旋螺尖起 135
선천성 녹내장 153
선천성 백내장 157
설파제 184
섬모체 140
섬유주 151
성숙기 156
세균각막궤양 121
세균성 결막염 101
세극등검사 37
소동맥경화 167
瘙痒 60
小眥 97
속눈썹난생 93
쇼크 182
水隙 156
수두 89
水輪 49
수정체 질환 155
수정체낭 17
수종 168
수지상각막궤양 124
水泡狀 132
宿翳 134
순목 33
순목반사 33
쉬르머검사 43
쉴렘관 151
스테로이드성 녹내장 152
스트렙토마이신 184
濕性 174
濕翳 122
시력표 189
시로 26
시방선 26

시색 26
시세포층 19
시신경 139
시신경 교차 26
시신경 질환 179
시신경공 4
시신경관 4
시신경관내부 26
시신경염 179
시신경위축 185
視神經萎縮 180
시신경유두 19
시신경유두부종 184
시야 39
시야결손 182
시유두혈관염 183
시자극요법 189
視瞻有色 166
視瞻昏渺 166
신경섬유다발결손 182
神膏 62
神光自現 176
신생혈관 153
신생혈관 및 출혈성 녹내장 152
新翳와 宿翳 60
심부혈관신생 118

○ ○ ○ ○ ○ ○ ○ ○ ○ ○ ○

아폴로눈병 103
안검 4
眼瞼 丹毒 88
眼瞼 帶狀疱疹 89
안검내림지연 31
안검하수 30
眼과 經絡 47
眼과 五臟六腑 45
안구 3
眼球 刺戟法 81
眼球 自體의 運動法 81
안구돌출 43
안구돌출계 43
안구진탕 194
안내부 25
안륜근 5
眼盲 62
眼病의 管理 79
眼病의 豫防 80
안부속기 3
眼澁 60
안압 149
眼痒 59
안와 내부 26
眼窩 및 眼球周邊의 刺戟法 81
안와열 4
안위 22
안저 37
眼痛 59
眼昏 62
암순응 20
앞방 139
앞방각 153
액화 162
야맹 63
夜盲 63
약시 189
藥針療 77
偃月侵睛 137

에탐부톨 184
연소녹내장 153
연쇄상구균 88, 118
열공 176
裂孔 176
熱淚 97
염색체열성유전 153
엽황소 19
葉黃素 39
영아녹내장 153
翳와 膜 60
五輪 47
온습포 86
와정맥 15
畏光 60
外氣法 80
외상성 백내장 158
외슬상체 26
외안근 22
외음부궤양 144
外障 50
外治法 73
우각 150
雲霧移睛 161
원발성 망막박리 176
원발성 망막색소변성 175
원시 188
遠視 63
원시산광 188
원추각막 120, 136
원추상 136
熨烙 75
유두직경 39
유리체 139
유리체 박리 162
유리체 질환 161
유리체 혼탁 161
遺傳性 180
유행성각결막염 102
肉輪 49
육아종성 염증 173
飮食의 管理 80
응급 150
응급증 147
凝脂翳 121
醫學的 管理 79
이중초점렌즈 159
耳針 76
익상편 107
인두결막염 102
眥部 97
刺痛 29
雀目 63

ㅈ ○ ○ ○ ○ ○ ○ ○ ○ ○ ○

저안압증 139
저혈압 182
赤膜下垂 血翳包睛 133
赤痛 60
전방각 149
전방각 폐쇄 140
전방축농 118
전방축농증 125
전부포도막염 125, 140
電鍼 76
點眼 73
正漏 128

정상 안압 37
조절 14
주다형홍반 145
주변시력 39
중년 노인 168
중독성 약시 184
중심성 삼출성 맥락막망막염 173
중심성 장액성 망막병변 172
중심시력 40
중심시야 결손 179
중심암점 182
중심와 19
직근 21
直筋 21
직접대광반사 36
진균 119
진균각막궤양 122
眞精 62
집결관 151
짜이스선 6

ㅊ ○ ○ ○ ○ ○ ○ ○ ○ ○ ○

차폐검사 191
차폐요법 189
脹痛 29
靑盲 71, 165
초발기 156
추체 41
축동 36
춘계 각결막염 104
冲洗 75
충혈 139
眵糞 62

ㅋ ○ ○ ○ ○ ○ ○ ○ ○ ○ ○

콘텍트 렌즈 137
퀴니딘 184
클라미디어 105
클로람페니콜 184

ㅌ ○ ○ ○ ○ ○ ○ ○ ○ ○ ○

타박상 158
탄력 155
탄젠트 스크린 40
토끼눈각막염 133
퇴행성 각막질환 120
트라코마 105

ㅍ ○ ○ ○ ○ ○ ○ ○ ○ ○ ○

팽창기 156
폐렴구균 118
폐렴알균 각막궤양 135
폐쇄각 녹내장 150
포도상구균 86
포성 결막염 105
暴露赤眼生翳 133
暴盲 69, 165
표재성혈관신생 118
푹스 포도막염증후군 145
風牽偏視 193
風輪 49
風輪赤豆 130
프리넬프리즘 194
프릭텐성 각결막염 119

플루레신 43

ㅎ ○ ○ ○ ○ ○ ○ ○ ○ ○ ○

하루살이 161
하사근 22
항문주위 144
해면정맥동 23
해면정맥동류 31
蟹睛 127
허혈성 시신경병증 182
血輪 49
혈전 167
狐惑 144
混睛障 129
혼탁 155
紅腫 61
홍채근 18
홍채근부 14
홍채모양체염 140
홍채팽륜 140
홍채후유착 139, 140
화농성 포도막염 146
활차 22
황반 19
황반낭양수종 171
黃液上衝 125
후부포도막염 141
후유리체박리 163
熏洗 74
黑翳如珠 126
黑花 63

영문

A

accessory organ 3
accommodation 14
afferent pupillary defect 36
anomaly 41
arcus senilis 137

B

blink reflex 33
Bowman's layer 12
bular conjunctiva 8
bullae 135
Busacca결절 127
BUT 43

C

carotid cavernous fistula 31
C/D비 149
color vision 20
cone 41

D

dark adaptation 20
Descemet's membrane 12
direct light reflex 36

E

episclera 11
exposure keratitis 133
eye ball 3

F

Fleischer's ring 136
fluorescein 43
fovea centralis 19

H

herpes simplex keratitis 129
herpes zoster keratitis 129
HLA-B51 144
Horner증후군 30
HSV 129
hyaluronic acid 18

I

indirect light reflex 36
iris root 14

K

keratoconus 136
Klebsiella pneumoniae 118
Koeppe결절 127

L ○ ○ ○ ○ ○ ○ ○ ○ ○ ○

lacrimal gland 7
lacrimal punctum 5
lagophthalmic keratitis 133
lateral geniculate body 26
layer of rods & cones 19
lid lag 31
light adaptation 20
luetic interstitial keratitis 129

M ○ ○ ○ ○ ○ ○ ○ ○ ○ ○

macula 19
Meibomian gland 6
Moll's gland 6
Müller 5
Munson's sign 136

N ○ ○ ○ ○ ○ ○ ○ ○ ○ ○

nasociliary nerve 33

O ○ ○ ○ ○ ○ ○ ○ ○ ○ ○

optic chiasm 26
optic disc 19
optic radiation 26
optic tract 26
orbicularis oculi muscle 5

P ○ ○ ○ ○ ○ ○ ○ ○ ○ ○

palpebral conjunctiva 8
palpebral fissure 5
photopsia 161
physiologic blind spot 19
pigment epithelium 19
pneumococcal corneal ulcer 135
pupil 14

R ○ ○ ○ ○ ○ ○ ○ ○ ○ ○

Reiter syndrome 145

S ○ ○ ○ ○ ○ ○ ○ ○ ○ ○

S.aureus 118
Schirmer's test 43, 108
Schlemm관 15
S.epidermidis 118
Stevens-Johnson증후군 145

T ○ ○ ○ ○ ○ ○ ○ ○ ○ ○

tear film break-up time 43
Tenon낭 12
trochlea 22
tuberculous uveitis 130

V ○ ○ ○ ○ ○ ○ ○ ○ ○ ○

varicella-zoster viral keratitis 129
vesicle 135
visual field 39
vortex vein 15

X

xanthophyll 19, 39

Z

Zeis's gland 6